W9-CTZ-019

Le premier mot

DU MÊME AUTEUR

Le Sandwich, *roman, Julliard, 1974*

Les Girls du City-Boum-Boum, *roman, Julliard, 1975 ; coll. « Points Romans », n° 547, Le Seuil, 1992*

La Tête du chat, *roman, Le Seuil, 1978*

Mon amour !, *dessins humoristiques, Città Armoniosa (Italie), 1978*

Talgo, roman, *Le Seuil, 1983 ; nouvelle édition, Fayard, 1997 ; Stock, coll. « Cosmopolite », 2003*

Contrôle d'identité, *roman, Le Seuil, 1985 ; nouvelle édition, Stock, 2000*

Le Fils de King Kong, *aphorismes, tirage limité, Les Yeux ouverts (Suisse), 1987*

Paris-Athènes, *récit, Le Seuil, 1989 ; nouvelle édition, Fayard, 1997 ; nouvelle édition, Stock, 2006 ; Folio, n° 4581, 2007*

Pourquoi tu pleures ?, *nouvelles, Romiosini-Schwarze Kunst (Allemagne), 1991*

Avant, *roman, Le Seuil, 1992, prix Albert-Camus ; nouvelle édition, Stock, 2006*

La Langue maternelle, *roman, Fayard, 1995, prix Médicis ; Le Livre de Poche, n° 14038, 1996 ; nouvelle édition, Stock, 2006 ; Folio, n° 4580, 2007*

L'Invention du baiser, *aphorismes, illustrations de Thierry Bourquin, tirage limité, Nomades (Suisse), 1997*

Papa, *nouvelles, Fayard, 1997, prix de la Nouvelle de l'Académie française ; Le Livre de Poche, n° 14639, 1999*

Le Cœur de Marguerite, *roman, Stock, 1999 ; Le Livre de Poche, n° 15322, 2002*

Le Colin d'Alaska, *nouvelle, illustrations de Maxime Préaud, tirage limité, Paris, 1999*

Les Mots étrangers, *roman, Stock, 2002 ; Folio, n° 3971, 2004*

Je t'oublierai tous les jours, *roman, Stock, 2005 ; Folio, n° 4488, 2007*

L'Aveugle et le philosophe, *dessins humoristiques, Quiquandquoi (Suisse), 2006*

Ap. J.-C., *roman, Stock, 2007, Grand Prix du roman de l'Académie française ; Folio, n° 4921, 2009*

Vassilis Alexakis

Le premier mot

roman

Stock

ISBN 978-2-234-06097-5

À mon neveu Yannis

1

Je n'avais pas imaginé que le soleil me rappelle-
rait si vivement mon frère. Il n'aimait pas particulièrement le soleil. Il portait toujours en été un
chapeau de feutre brun qu'il avait acheté en Italie.
Il était convaincu qu'il le protégeait mieux que les
chapeaux de paille. Il ne s'en séparait que pour se
baigner. Il le déposait sur le sable ou sur les galets
avec sa chemise, sa serviette de bain, ses sandales et
son livre. La lumière du soleil le fatiguait, il affirmait qu'elle écrasait le paysage.

— Aucun paysage n'est beau à midi, disait-il.

Il portait aussi des lunettes de soleil. Je me souviens de lui, enfant, essayant les lunettes de notre
père. Il ne parvenait à les fixer sur son nez qu'en
tournant son visage vers le ciel.

— Tu vas les casser ! l'avertissais-je.

Un jour, en effet, il les a laissées tomber et l'un
des verres s'est fêlé.

– Tu vois, m'a-t-il déclaré avec suffisance, je ne les ai pas cassées, je les ai simplement fêlées !

Il attribuait déjà une grande importance au bon usage des mots.

Il ne restait guère sur la plage après le bain. À peine séché, il allait se mettre à l'abri sous la tonnelle de la taverne la plus proche.

– Le soleil ignore les ombres, disait-il. Il ne soupçonne même pas qu'elles existent.

Le fait est qu'une vive émotion m'a gagnée avant-hier matin lorsqu'un soleil radieux a surgi à travers les nuages épais qui couvraient le ciel de l'Attique. J'étais assise dans un café de la place de Colonaki où j'avais rendez-vous avec Margarita. Mes yeux se sont aussitôt remplis de larmes. « Miltiadis, mon bon Miltiadis, ai-je murmuré, comment as-tu pu nous faire ça ? » J'ai vu Margarita s'approcher à travers mes larmes.

– C'est à cause du soleil, lui ai-je expliqué.

– Allons donc à l'intérieur, a-t-elle décidé en glissant sa main sous mon aisselle pour m'aider à me lever.

Le soleil m'a de nouveau rendu visite hier matin alors que je prenais le café sur mon balcon. Il ne m'éclairait pas directement. Il baignait en revanche l'appartement d'en face où une jeune fille nettoyait les vitres. Elle m'envoyait de temps en temps une éclatante lueur, qui balayait le balcon dans tous les sens et disparaissait aussi soudainement. Le verre d'eau qui était posé devant moi dégageait par instants une lumière aveuglante, il s'animait, comme s'il avait voulu me dire quelque chose. « C'est exactement cela, il veut me dire quelque chose, seulement il ne le sait pas », ai-je songé, et une fois encore j'ai été au bord des larmes.

Le temps est magnifique. On a l'impression que le printemps est arrivé alors que nous ne sommes qu'au début du mois de janvier. Serions-nous en train de traverser les fameux jours alcyoniens, qui interrompent momentanément le cours de l'hiver ? Je n'ai jamais réussi à savoir à quelle date intervenait cette trêve. Pourquoi ai-je quitté si hâtivement l'appartement du boulevard Haussmann ? Je suis partie le lendemain des obsèques qui ont eu lieu samedi, le 5 du mois. Nous sommes aujourd'hui le 9. Il faisait un temps d'hiver à Paris, il a même plu le jour de l'enterrement. Je voyais les gouttes tomber sur le pare-brise de la voiture d'Aliki pendant que nous avancions vers le cimetière du Montparnasse. Celles que les essuie-glaces ne pouvaient atteindre restaient fixées sur la vitre. Elles étaient maintenues par la pression du vent tant que nous roulions. Mais dès que nous avons garé la voiture, elles ont chuté toutes ensemble. La pluie s'est arrêtée peu après. J'ai constaté qu'elle avait eu le temps de nettoyer le feuillage des arbres, de laver les tombes, de faire la toilette du cimetière de façon qu'il puisse accueillir dignement mon frère. C'est la pluie, plus que le soleil, qui devrait me le rappeler, étant donné qu'il a passé la plus grande partie de sa vie à Paris.

Le mot *hélios*[1] est-il d'origine grecque ? Miltiadis me disait l'été dernier que nombre de mots que nous utilisons appartiennent à des langues plus anciennes que la nôtre, comme le pélasgique, et que leur étymologie nous est inconnue. Il avait mentionné divers noms propres, comme Olympe, Parnasse, Hymette, Ilissos, Thèbes, Corinthe. Cette conversation s'était tenue dans la cuisine de ma maison, qui offre une vue imprenable sur le mont Lycabette.

– Le nom du Lycabette n'est pas grec non plus, m'avait-il informée. Ceux qui croient qu'il évoque le souvenir des loups qui étaient censés le peupler se trompent. En réalité, nous ne savons pas d'où il vient.

La colline familière m'avait aussitôt paru plus mystérieuse, plus lointaine.

– Tu veux dire que tous les noms que nous lisons sur la carte sont étrangers ? lui avais-je demandé, quelque peu anxieuse.

– Pas tous ! *Argos*, par exemple, est un mot grec qui signifie « plaine ». Mais le nom d'Athènes nous est incompréhensible, tout comme celui de la déesse Athéna... La moitié à peu près des habitants de l'Olympe portaient des noms énigmatiques. Leur chef cependant était grec, de même que le dieu de la Guerre. Le nom d'Arès

1. Soleil.

découle très probablement du mot *aros*, qui veut dire « malheur ».

Je le suivais comme toujours avec une grande attention. J'étais fière d'avoir un frère si savant. J'avais le sentiment de progresser en l'écoutant, de m'améliorer, comme aurait dit ma mère. J'ai toujours aimé apprendre mais, malheureusement, je n'ai pas appris grand-chose. Je n'ai pas fait d'études universitaires, je ne suis titulaire que de deux diplômes, un de français et un d'espagnol.

– Aucun peuple ne peut légitimement tirer vanité de sa langue car aucune n'est la création d'un seul peuple, avait-il ajouté. Le français se souvient d'une centaine de langues. Il connaît une foule de mots germaniques et italiens, beaucoup d'arabes et un nombre incalculable de termes latins et grecs. À l'époque de la Renaissance, où la langue italienne était en vogue, certains érudits français ont tenté de restaurer le prestige de la leur en usant d'un argument singulier : ils affirmaient qu'elle était supérieure à l'italien parce qu'elle comptait davantage de mots grecs ! À partir du XIXe siècle, la France emprunte surtout à l'Angleterre. Mais il s'agit souvent de mots que les Anglais ont d'abord pris chez les Français, comme *interview*, qui provient d'« entrevue ». Après la conquête de la vieille Albion par les Normands, la cour d'Angleterre s'est exprimée durant plusieurs siècles en français.

– Est-ce qu'il existe en français aussi des mots d'origine inconnue ? lui avais-je encore demandé.

– Certainement ! Selon les spécialistes, le mot
« rose », *rosa* en latin, ne fait pas partie de la famille
indo-européenne, il est peut-être issu du groupe
des langues sémitiques.

Bien que l'objet de son enseignement à la
Sorbonne fût la littérature comparée, il s'intéressait vivement à l'histoire de la langue et aux dialectes. Dans les îles où il passait ses vacances, il
recherchait systématiquement des lexiques du
parler local. Il avait constitué une importante
collection d'ouvrages de ce genre qui se trouve
dans l'appartement où il logeait en été, près du
boulevard périphérique du Lycabette, à deux pas
d'ici. Il abordait toutes sortes d'artisans pour se
renseigner sur leur jargon, il s'entretenait avec
des cordonniers, des ferblantiers, des potiers, des
marbriers, des maçons. Il notait les informations
qu'il recueillait dans un gros carnet noir à couverture rigide, qu'il fermait au moyen d'un élastique comme s'il craignait que les mots ne s'en
échappent.

J'ai surtout retenu, de cette conversation avec
mon frère, le mot *aros*. Il m'a semblé qu'il servait
parfaitement son sens, je l'ai trouvé poignant
comme un cri, peut-être parce qu'il est court,
peut-être parce que la lettre *r* prend un relief particulier encadrée par ces deux voyelles. J'ai réalisé
à quel point le mot *dystychia*[1] que nous utilisons
en grec moderne est terne et presque bavard.

1. Malheur.

Pourquoi avons-nous renoncé à *aros* et adopté *dystychia* ? Qui a fait ce choix aberrant ? Le mot espagnol correspondant ressemble désespérément au grec : *desdicha*. Quant au « malheur » français il ne m'a pas, lui non plus, paru satisfaisant, en dépit de son *r*. Il s'agit d'un *r* chétif, évanescent, qui ne veut rien dire du tout. Au cours des fêtes de Noël, que j'ai passées auprès de mon frère, j'ai appris que, selon Platon, la lettre *r* imite le ruissellement de l'eau.

Tout en me parlant, il avait extrait de la poche de son gilet un appareil avec lequel il s'est percé le petit doigt. C'était la première fois que je le voyais faire cela, et j'avoue que j'ai été impressionnée par la goutte de sang qui a perlé.

– Je dois mesurer matin et soir le sucre que j'ai dans le sang. Je pique chaque fois un doigt différent.

Il m'avait montré l'écran intégré à l'appareil, sur lequel s'est inscrit le chiffre 220.

– Je suis en bonne voie, avait-il commenté.

Il était optimiste. Il croyait que, s'il suivait à la lettre les prescriptions des médecins, il viendrait à bout de ses problèmes. Il ne souffrait pas seulement de diabète mais aussi d'une cirrhose et d'hypertension. Quelques mois auparavant, on avait introduit un stent dans une de ses artères. Il avait vu plusieurs médecins au cours des dernières années, aucun cependant n'avait été capable de nous expliquer ce qui avait pu lui esquinter le foie, étant donné qu'il buvait très peu. Il avait accepté stoïquement les nouvelles règles de vie que lui dictait son état de santé. Il avait arrêté de fumer, il suivait un régime des plus stricts, il ne buvait plus une goutte de vin et marchait immanquablement une heure par jour. La seule chose qui le contrariait, c'est qu'il ne pouvait plus manger de pâtisseries. Il adorait depuis toujours les pâtisseries, il était aux anges chaque fois que notre mère commençait à confectionner un gâteau au chocolat. Il ne la lâchait pas d'une semelle tant que le gâteau n'était pas achevé et il était naturellement le premier à le goûter. Sa gourmandise ne s'était pas atténuée avec l'âge, je dirais même que les interdictions des médecins l'avaient aiguisée. Il ralentissait le pas devant les vitrines des pâtisseries, il s'arrêtait à l'étal des marchands de glaces.

– Tu ne trouves pas que les glaces sentent bon ? me demandait-il.

Il lisait d'un air pénétré la description des desserts au menu des restaurants, il demandait même aux serveurs des précisions supplémentaires sur chacun d'eux sans jamais, à leur grande surprise, en commander un seul. Les privations qu'il a endurées m'attristent aujourd'hui. Je serais heureuse d'apprendre qu'il achetait de temps en temps, en été, à l'insu de sa femme, à l'insu même de sa fille, un bâtonnet de glace comme ceux que nous mangions enfants.

Il rangeait ses médicaments dans une boîte d'allumettes qui datait de la dictature des colonels. Son étiquette représentait un soldat au gardeà-vous devant le phénix, l'oiseau mythique qui renaît de ses cendres et dont les putschistes avaient fait le symbole des temps nouveaux qu'ils nous préparaient. Pourquoi avait-il conservé cette boîte ? Je n'ai pas eu l'occasion de le lui demander. Les restrictions que les médecins lui avaient imposées lui rappelaient peut-être cet exécrable régime. Peut-être espérait-il que ses tourments prendraient fin un jour, qu'il finirait par recouvrer sa liberté. La junte l'avait contraint à interrompre ses voyages en Grèce. Il ne les avait repris qu'après l'insurrection des étudiants de l'École polytechnique.

Il s'était donné pour objectif de connaître toutes les îles et il les visitait dans l'ordre alphabétique, deux ou trois par été. Ce système l'obligeait à effectuer des trajets compliqués, de se rendre de Céphalonie en Crète et de Lemnos à Macronissos, il soutenait cependant qu'il était préférable à tout autre.

– L'ordre alphabétique remodèle la carte, il offre à des lieux qui n'étaient pas destinés à se rencontrer la possibilité de faire connaissance, il constitue le point de départ de dialogues inattendus, disait-il. Je suis la logique farfelue des dictionnaires, qui placent les uns à côté des autres des termes sans le moindre rapport entre eux.

Il s'est rendu l'an passé à Rhodes et, comme le nom d'aucune autre île ne commence par *r*, il a ensuite découvert Samothrace. Je songe qu'il ne verra jamais Santorin. Et cela me chagrine, bien sûr. Infiniment de petits malheurs poussent autour des grands.

Nous nous sommes encore vus peu avant son départ pour Paris, dans un café de la rue Scoufa. Il n'avait guère pris de couleurs pendant les vacances, je lui ai trouvé cependant si bonne mine que mes inquiétudes au sujet de sa santé se sont dissipées. Il était en compagnie d'une de ses étudiantes de Paris, Natalia, une fille assez forte, très brune, au visage enfantin. Il avait certainement un faible pour elle. Alors que d'habitude les fautes de ses étudiants l'exaspéraient, je l'ai entendu lui indiquer avec une affabilité parfaite les erreurs et les lacunes qu'il avait décelées dans le texte qu'il avait en mains. C'était le premier chapitre d'une thèse de doctorat consacrée à la transposition des noms propres français en grec et des noms grecs en français. Après avoir signalé à Natalia quelques fautes de langue – son texte était écrit en français –, il lui a dit :
– À ta place, je consacrerais tout le premier chapitre aux altérations qu'ont subies les terminaisons des noms grecs anciens, d'abord du fait des Latins qui transforment systématiquement le -os en -us. Homèros devient *Homerus*, Pindaros *Pindarus*, le mont Olympos *Olympus*. Ils conservent cependant la terminaison en -es, qui se prononce -is en grec moderne, ils écrivent *Socrates*, *Alcibiades*, *Aristoteles*. Les Français, eux, suppriment tout

18

simplement la dernière syllabe, ils disent Homère, Pindare, Olympe, Socrate, Alcibiade, Aristote.

J'étais occupée à chasser les pigeons qui nous avaient entourés, je leur donnais des coups de pied, leur jetais de l'eau. Je n'aime pas les pigeons, j'ai l'impression qu'ils se sont multipliés et qu'ils ont sensiblement grossi. Ils se sont également enhardis, l'un d'eux est monté sur notre table et a failli faire tomber par terre le chapeau de mon frère. Il l'avait posé à l'envers, c'est ainsi que j'ai pu noter qu'il était doublé d'un tissu brillant sur le fond duquel était imprimé le nom du fabricant, un certain Spallotta de Rome.

– Il faudra peut-être que tu examines pourquoi les noms qui se terminent en -*on*, comme Platon, Xénophon, Agamemnon, demeurent tels quels aussi bien en latin qu'en français. Chaque langue a tendance à imposer sa propre esthétique aux mots étrangers. L'historien romain Titus-Livius, le Tite-Live des Français, nous l'appelons Titos-Livios comme s'il était né au Phalère !

Il s'est mis à rire. Cela m'a rempli de joie car il y avait bien longtemps que je ne l'avais pas vu aussi gai. Natalia l'a regardé d'un air éberlué comme si elle ne soupçonnait pas que son professeur eût cette faculté.

– J'ai ri ! a-t-il constaté, légèrement surpris lui aussi.

Soudain la vue du chapeau retourné m'a indisposée et je l'ai remis à l'endroit. Mon geste n'a pas échappé à Miltiadis, qui a cependant continué à parler du sujet qui l'occupait :

— Comment se fait-il que Louis, le nom que portent tant de rois de France, soit devenu, en grec, Loudovicos ? C'est sous cette forme qu'on le rencontre dans les traductions des romans de Dumas. Cela crée l'illusion qu'il s'agit de souverains prussiens. Il est probable que certains noms français paraissent excessivement courts aux Grecs et que certains noms grecs soient trop longs pour les Français. Tu dois impérativement intégrer dans ton exposé les héros des romans du XIXᵉ siècle. Le traducteur des *Misérables* ne se contente pas d'helléniser les noms français en appelant Javert *Iavèris*, Thénardier *Thenardièros*, Marius *Marios*. Le personnage principal, Jean Valjean, qui n'a pourtant aucun rapport avec la Grèce, devient sous sa plume Yannis Ayannis. Ayannis n'est pas une mauvaise trouvaille, toutefois « Valjean » est une abréviation de la locution « Voilà Jean ! », c'est-à-dire, en Grec, « *Na o Jean !* ». Il serait donc plus judicieux qu'il réponde au nom de Nayannis ou, mieux encore, de Najean.

Quand j'allais à l'école, Miltiadis me donnait des cours de grec ancien et de maths. Il avait le don de saisir précisément ce qui m'échappait et de me l'enseigner simplement. Il apportait des réponses définitives à mes interrogations. Nos parents le destinaient à la médecine. Je savais, moi, qu'il deviendrait professeur.

– L'impertinence majeure du traducteur réside dans la transformation du nom de l'héroïne de l'œuvre, Cosette, qui se nomme dans la version grecque Titica ! Pourquoi le prénom de Cosette a-t-il déplu à ce monsieur ? Où a-t-il trouvé ce Titica qui ressemble plutôt à un nom indien ? C'est l'un des nombreux mystères que tu auras à éclaircir.

– Nous avons connu une actrice de théâtre qui s'appelait Titica Nikiphoraki, ai-je dit.

– Tiens, je l'avais complètement oubliée, celle-là ! s'est-il exclamé, et il a ri de nouveau.

Le café était comble. Nous étions assis dehors, sur la terrasse. Il y avait même des gens debout qui attendaient qu'une table se libère. Athènes avait retrouvé ses habitants. L'été était bien fini.

Deux enfants jouaient à cache-cache au milieu des clients. Je n'ai pu apercevoir ni l'un ni l'autre. J'ai entendu cependant leurs voix :

– Où es-tu ?

– Où es-tu, toi ?

Après quelques instants, les mêmes questions se sont fait entendre, mais de deux endroits différents :

– Où es-tu ?

– Où es-tu, toi ?

J'ai éprouvé une vive angoisse. L'idée m'est venue qu'ils ne parviendraient pas à se retrouver, qu'ils allaient se perdre définitivement dans la foule. J'ai songé à me lever pour me mettre à leur recherche. « Arrêtez ce jeu idiot », les ai-je conjurés intérieurement.

Natalia a glissé son manuscrit dans un dossier aux couleurs vives, illustré de personnages du théâtre d'ombres. J'ai retenu ce détail car mon frère avait une passion pour ce théâtre, il faisait collection de figurines de cuir et de vieilles brochures relatant les exploits de Karaghiozis. Je n'ai jamais partagé sa sympathie pour ce héros rusé, qui perpétue le souvenir de la domination ottomane puisqu'il vit dans un monde où le pouvoir est détenu par le vizir. Mon frère le citait de temps à autre : « Comme le dit si bien Karaghiozis… » La jeune fille m'a saluée en me serrant vigoureusement la main et en m'adressant un sourire réservé. Miltiadis s'est légèrement relevé et l'a embrassée sur les deux joues.

– On se verra bientôt à Paris.

J'ai réalisé qu'elle n'avait pas dit un mot, que je n'avais pas même entendu le timbre de sa voix.

– Elle n'est pas bavarde, ai-je remarqué après son départ. Elle ne parle peut-être que lorsque c'est nécessaire.

– Quand c'est nécessaire, elle parle encore moins !

Je l'ai retrouvée le jour des obsèques. Elle n'a cessé de sangloter durant toute la cérémonie.

Nous sommes donc restés seuls à la table du café, Miltiadis et moi. Il avait hâte de rentrer à Paris pour se plonger dans la lecture d'un manuscrit inédit qu'il avait découvert à la bibliothèque Mazarine et qui brosse un portrait de la Grèce à la veille de son insurrection, en 1821, contre l'Empire ottoman. Il a été composé par un obscur poète et académicien français, Pierre Lebrun. « Il va à Paris pour étudier la Grèce », ai-je pensé.

Il m'a annoncé qu'il allait faire un voyage en Argentine au mois de novembre, à l'invitation de l'université de Buenos Aires et de l'ambassade de France. Il se sentait parfaitement apte à se lancer dans cette équipée et il n'avait pas tort, il s'en est sorti le mieux du monde, malgré le fait qu'il est monté sur la cordillère des Andes, dans le nord du pays, à deux mille cinq cents mètres d'altitude, pour retrouver une ancienne amie. Il a fait face au manque d'oxygène en mâchant des feuilles de coca, comme il est d'usage là-bas.

– Quand est-ce que tu te décideras à faire une exposition ? m'a-t-il demandé à brûle-pourpoint.

Il m'encourageait depuis longtemps à montrer mes œuvres, si je peux qualifier ainsi les petits bateaux que je fabrique à partir de matériaux de toutes sortes, notamment de vieux morceaux de bois rongés par la mer que je collecte sur les plages. Je choisis ceux qui ressemblent plus ou moins à des coques de navires ou de caïques. Je les décore en les incrustant de verres colorés, de morceaux de porcelaine, de bakélite, je les recouvre parfois de tôle, je les dote d'une cheminée lorsqu'ils sont suffisamment grands, et presque toujours de mâts et de voiles. Je leur attribue enfin un nom, pas tout de suite après les avoir achevés, mais le lendemain. Ils passent leur première nuit sans nom. Je les baptise en général le matin, en préparant mon café. J'utilise souvent des noms antiques, tels qu'Ulysse, Démocrite, Thalès, Empédocle, Électre, Callirhoé, mais également des noms d'aujourd'hui, plutôt des diminutifs, comme Yannakis, Vassoula, Lambis, Tassia. J'avais nommé Charon un bateau en bois noir. Margarita croyait qu'il ne trouverait pas acquéreur, elle l'a pourtant vendu le jour même où elle l'a installé dans son magasin d'articles décoratifs. Je n'ai conservé que deux de mes œuvres, qui portent les noms de mes parents, Géorgios et Irini, et que j'ai réalisées longtemps après leur décès. Ces ouvrages constituent donc ma principale occupation depuis vingt-cinq ans. Si j'avais eu davantage besoin d'argent, je me serais sûrement livrée à une activité plus sérieuse.

– Bientôt, lui ai-je promis. J'ai reçu une proposition dans ce sens d'une amie qui tient une galerie rue de Bucarest. Si tu trouves une bûche intéressante en Argentine, pense à moi.

Il m'en a effectivement trouvé une, longue d'une trentaine de centimètres, qu'il a récupérée dans les eaux du Rio de la Plata. Il me l'a envoyée de Paris par la poste. Elle était enveloppée dans un journal sportif qui saluait en énormes caractères bleus le triomphe de l'équipe de football de Boca Juniors sur celle de River Plate par 2 buts à 0. Je l'ai déposée sur la table où je travaille, bien que je doute fort d'avoir un jour envie d'en faire quelque chose. Un nœud saillant, semblable à un œil d'animal, orne une de ses extrémités.

Nos voisins parlaient beaucoup et fort. Leurs propos se mêlaient en permanence à notre conversation et nous déstabilisaient. Notre échange était ballotté comme une embarcation sur une mer en furie. Les deux enfants se sont tus pendant un long moment.

– Lesbos aussi possède un mont Olympe, lui ai-je dit.

Je venais de passer quelques jours dans un village de Lesbos, chez une amie, Calliopi.

– Les premiers habitants de l'île ont été les Pélasges. Il est bien possible qu'en pélasgique *Olympos* ait eu le sens de « montagne ». À travers la langue que nous parlons résonnent les voix de peuples qui se sont éteints il y a des milliers d'années.

Le souvenir de ces peuples l'a rendu un instant mélancolique.

– Tu as remarqué qu'il y a énormément de fous à Lesbos ? Les gens du coin les appellent « Hadji machin » – il faut dire que les patronymes qui commencent par « Hadji » sont courants dans cette île. Je crois que c'est la consommation d'ouzo de mauvaise qualité qui les fragilise. Il fut un temps où je savais quelles étaient les bonnes distilleries de l'endroit, il me semble qu'il n'y en avait que deux, mais j'ai oublié lesquelles. Est-ce que tu es allée au village de Sappho, où se réunissent des lesbiennes venues du monde entier ?

Je ne l'avais pas visité. Les déplacements fréquents me fatiguent, contrairement à mon frère

25

qui, lui, prenait facilement la décision de partir. Les navires que je confectionne ne vont nulle part. Je n'ai même pas retenu le nom du village où j'habitais. Je voyais de mon balcon le tuyau d'une cheminée qui émergeait au milieu d'un toit plat et vide. Elle portait, en guise de chapeau, une marmite renversée. Il ne me reste de ce voyage que cette image, ainsi que le souvenir des délicieuses boulettes aux pommes de terre que j'ai mangées le jour de mon départ. Dans le village de l'écrivain Stratis Myrivilis, j'ai acheté un lance-pierres. Je l'ai trouvé dans une boutique où l'on ne vendait, bizarrement, que des lance-pierres. J'ai supposé que les autochtones pratiquaient assidûment la chasse aux oiseaux.

De quoi d'autre avons-nous parlé à la terrasse de ce café ? Aliki n'a pas tardé à nous rejoindre, mais elle n'a pas pris place avec nous, elle avait des courses à faire dans le quartier. Miltiadis s'est empressé de l'accompagner. Tandis que je les regardais s'éloigner, un des enfants a crié de nouveau :

– Où es-tu ?

Il n'a reçu aucune réponse. J'ai ressenti la même anxiété que celle qui s'était emparée de moi un peu plus tôt.

– Mais où es-tu ? a-t-il insisté.

J'ai repéré l'enfant qui appelait à côté d'un de ces appareils en forme de champignon que les cafés utilisent en hiver pour chauffer leurs terrasses. Je commençais à croire que mon inquiétude n'était nullement imaginaire lorsque la voix de l'autre enfant a enfin retenti :

– Ici !

Il était caché juste derrière mon dos. Je me suis trouvée nez à nez avec un garçon blond de cinq ans, aux cheveux plats et lisses formant une frange droite sur son front. Aussitôt après avoir dit ce mot, il est parti en courant à l'intérieur du café. Sa chevelure sautillait sur sa tête comme s'il portait un chapeau.

2

Un autre jour a commencé. Tous les volets sont fermés. Il entre si peu de lumière dans l'appartement que je vois à peine mes notes. J'ai réduit autant qu'il est possible la différence entre le jour et la nuit. J'ai également fermé les fenêtres pour ne pas entendre les bruits de la ville. J'écris dans un espace qui ne se trouve nulle part. De temps en temps je perçois la voix stridente d'un marchand ambulant. Je ne comprends pas ce qu'il dit. Dehors, les gens parlent un idiome incompréhensible. Les Grecs ont changé de langue le 2 janvier, le jour où mon frère est mort. Alors que la langue grecque ne comptait jusqu'alors que peu de termes à l'étymologie inconnue, elle se compose à présent uniquement de mots étrangers. Que veut dire « salade » ? Que veut dire « plafond » ? Que veut dire « ombre » ? Comment parviendrai-je demain à communiquer avec la femme de ménage ? Je n'ai pas besoin de lui dire quoi que ce soit, elle sait ce qu'elle a à faire. J'ai eu toutes les peines du monde à expliquer au chauffeur de taxi, le 2 janvier, où j'allais et pourquoi j'étais si pressée. J'allais à l'aéroport, bien sûr. Il était deux heures de l'après-midi. Il a fini par comprendre, il m'a même confié qu'il avait perdu sa mère peu de temps auparavant.

— Elle est partie jeune, m'a-t-il dit.

J'étais assise à côté de lui. Il m'examinait du coin de l'œil avec curiosité. Il m'a été encore plus difficile de m'entendre avec la responsable de la billetterie de la compagnie Olympic. Elle faisait les cent pas devant les guichets. Je me suis approchée d'elle, je lui ai effleuré l'épaule. Sa réaction m'a confondue : elle m'a prise dans ses bras ! Je ne pleurais pas pourtant, j'étais simplement incapable de proférer un mot.

— Mais comment vais-je pouvoir vous aider si vous ne me dites pas ce que vous voulez ?

J'ai réussi à articuler le mot « Paris ».

— Il y a un vol à quatre heures. Je vous promets de vous trouver une place. Vous allez partir, calmez-vous.

Le verbe *hésychazo*[1] est peut-être le dernier verbe grec que je suis en mesure de comprendre. C'est du reste ce que je fais, j'essaie de me détendre. Quand je n'écris pas, je me déplace sans but dans l'appartement. Je n'ai ouvert qu'une

1. Rester tranquille.

seule fois la porte de mon atelier au fond du couloir. J'ai jeté un coup d'œil aux boîtes où j'entasse
les matériaux hétéroclites dont j'ai besoin, à mes
outils qui sont suspendus à des clous plantés dans
le mur, à l'étagère où je range les pots de peinture,
à ma table. Le journal qui enveloppe la bûche s'est
légèrement défait.

Je visite plus régulièrement les autres pièces. Je
contemple posément mes affaires, sans grand intérêt cependant. Je ne fais réellement attention qu'au
réveil qui se trouve dans la chambre à coucher,
peut-être parce que la seule chose que j'attende est
que le temps passe.

Le petit canapé du salon où je suis assise tourne
le dos aux portes-fenêtres. J'écris dans un vieux
bloc de correspondance aux feuilles très fines,
couleur bleu ciel, posé sur mes genoux. J'éprouve
le besoin de parler et, en même temps, je ne souhaite être entendue par personne. Je ne réponds
pas au téléphone. Beaucoup de gens appellent
pour présenter leurs condoléances, des amis, des
parents, des étudiants, des confrères de Miltiadis,
j'ai aussi reçu un message d'une de mes anciennes
camarades du lycée Arsakio dont je n'avais pas
eu de nouvelles depuis quarante ans. La mort de
mon frère a été rendue publique par les journaux,
Ta Néa lui a consacré une demi-page, presque
tous ont publié sa photo. J'ai découvert qu'il jouissait de plus de considération que je ne l'imaginais,
en raison sûrement de la réputation qu'il avait
acquise en France, peut-être aussi de quelques

31

interviews qu'il avait données à la télévision grecque, car il n'a jamais enseigné ici. Nos universités ont systématiquement ignoré son existence, à l'exception de celle de Thessalonique qui lui a décerné en 2000 le titre de docteur *honoris causa*. Au début des années 80, un certain Euthymiadis, professeur et cadre du parti socialiste alors au pouvoir, a convaincu mon frère de faire acte de candidature auprès de l'université d'Athènes où la chaire de littérature comparée était vacante. Il s'est même offert pour déposer lui-même son dossier. Miltiadis lui a envoyé une valise remplie de ses publications, mais celle-ci n'est jamais parvenue au secrétariat de l'université : Euthymiadis l'a tout bonnement fait disparaître. Craignant que mon frère ne brigue spontanément ce poste, il avait inventé ce stratagème pour l'écarter de la compétition et assurer sa propre élection. Je suis convaincue que cet événement a profondément blessé mon frère, bien qu'il ait évité d'exprimer sa déception. Lorsqu'il a eu connaissance du tour de passe-passe et de l'élection d'Euthymiadis, il a seulement dit :

– Mais cet homme ne connaît même pas *Don Quichotte* !

J'ai donc reçu un message de condoléances de la part d'Euthymiadis aussi. Je suis entrée naturellement dans une colère noire en l'écoutant. Sans la moindre hésitation, je me suis emparée de la bûche d'Argentine et je lui en ai asséné plusieurs coups sur le crâne. Je n'ai cessé de le frapper qu'après qu'il se fut écroulé dans une mare de sang. L'instant d'après, les flics ont fait irruption dans la pièce.

– Pourquoi avez-vous fait cela ? m'a demandé un jeune policier aux joues roses.

– Parce qu'il ne connaissait pas *Don Quichotte*, lui ai-je dit en le regardant fixement dans les yeux.

Ma réponse a fait pouffer ses collègues. Le jeune homme a cependant conservé son air grave.

– Moi non plus je ne l'ai pas lu, m'a-t-il avoué en baissant les yeux.

Mon procès s'est déroulé de manière satisfaisante, le juge m'a écoutée avec bienveillance et a finalement ordonné ma remise en liberté.

– Le crime de cette dame est prescrit, a-t-il décrété.

– Mais il y a à peine un mois qu'elle a tué le professeur ! a protesté l'avocat de la veuve d'Euthymiadis.

– Cela n'a aucune espèce d'importance, a insisté le juge sans hausser le ton. Les crimes des vieux sont des crimes anciens.

Je n'ai pas apprécié d'être cataloguée parmi les vieux, je me suis abstenue cependant de le reprendre. J'ai soixante et un ans. Miltiadis en avait soixante-quatre. Nos parents aussi sont morts jeunes, mon père à soixante-neuf ans et ma mère à soixante-douze. Je fais partie d'une famille qui vit peu. Leurs portraits sont posés en face de moi, sur un rayon de la bibliothèque, dans de petits cadres légèrement inclinés en arrière. Ils sont tous les deux plus jeunes que moi sur ces photos. Je ne songe guère à ma propre disparition. Si l'on me priait de me retirer maintenant, je demanderais seulement la permission de terminer mon café. Il ne reste que deux gorgées au fond de ma tasse. Je remarque une épaisse couche de poussière sur la table de verre qui se trouve devant moi. Je dirai demain à Stella de la nettoyer. Me comprendra-t-elle ?

– Qu'est-ce que c'est, la poussière ?

– Une sorte d'ombre.

Le Monde du 5 janvier, plié en quatre, occupe l'extrémité gauche de la table. Ce journal aussi a publié un article sur mon frère, pas très long mais substantiel et parfaitement informé. Il signale même son intérêt pour la littérature populaire française du XIXe siècle et pour Karaghiozis. À l'autre bout de la table se trouve un cendrier en bois dont l'intérieur est tapissé de fragments d'une coquille d'œuf d'autruche. Je l'ai acheté à l'intention de mes visiteurs, principalement de Margarita, qui fume énormément. Je n'ai jamais fumé, pour ma part. Serait-ce le moment d'essayer ? Il est sans doute dur d'apprendre à mon âge, je me crois néanmoins capable de relever ce défi. Je pense qu'il faut moins de volonté pour commencer à fumer que pour arrêter. Je commencerai par deux ou trois cigarettes par jour et je ne dépasserai ce seuil que lorsque j'aurai pris l'habitude d'avaler la fumée. Je sais bien que le tabac est nuisible, mais peut-il encore me nuire, à mon âge ? Je pense qu'il me sera plutôt bénéfique, qu'il m'aidera dans les moments de solitude. Fumer est une manière de se tenir compagnie. Quelle marque de cigarettes achetait donc Miltiadis ? C'étaient certainement des cigarettes françaises. Sa femme ne fume pas mais sa fille, Théano, oui. Je ne l'ai pas vue beaucoup après l'enterrement. Elle était très calme pendant le service funèbre qui s'est tenu à la cathédrale orthodoxe Saint-Étienne, rue Georges-Bizet. Elle a passé la nuit du samedi chez son ami.

Cela fait un moment que j'écris, pourtant la journée n'avance guère. J'ai terminé mon café. En allant à la cuisine pour en préparer un autre, je me suis arrêtée à l'entrée de la chambre à coucher et j'ai une fois de plus regardé le réveil. J'ai suivi un long moment l'aiguille des secondes, qui fait un certain bruit. Insensiblement, je me suis mise à compter ses battements. J'en ai compté un bon nombre, cent dix ou cent quinze. Pour une raison qui m'échappe, j'éprouve un certain plaisir à compter. Je compte mes mouvements lorsque je nage dans la mer, il m'arrive aussi de compter mes pas. Je me suis initiée récemment au sudoku, ce jeu japonais qui se présente sous la forme d'une grille semblable à celle des mots croisés, comportant neuf lignes horizontales et neuf verticales où l'on doit disposer des chiffres allant de 1 à 9 de façon qu'aucun ne figure plus d'une fois sur la même rangée. Il ne demande que de l'attention et un peu de sens commun. Je voulais faire découvrir à mon frère ce jeu qui permet d'oublier la réalité pendant une heure ou deux, mais je n'en ai pas eu le temps. Aliki affirme qu'il ne l'aurait pas amusé. Je pense, moi, le contraire. Chaque fois que je résous un problème, je lui explique comment je procède :

– Les chiffres imprimés sur la première ligne horizontale sont le neuf, le sept et le quatre, il nous manque donc le un, le deux, le trois, le cinq, le six et le huit. Le un ne peut être placé ni dans la première case de cette rangée ni dans la sixième, car il figure déjà sur les lignes verticales correspondantes.

En me promenant hier après-midi, j'ai noté que les plaques de fonte que l'on voit sur les trottoirs et qui recouvrent les compteurs de la Compagnie des eaux sont quadrillées de la même façon que le support de ce jeu. J'ai songé à m'attaquer au sudoku qui est publié dans *Le Monde* du 5 janvier mais, en fin de compte, j'y ai renoncé. J'ai laissé le journal là où il était, posé un peu de travers par rapport aux lignes de la table.

J'ai donc fait une promenade hier, je suis sortie à l'heure où le soleil déclinait. Les journées sont encore courtes, à cinq heures de l'après-midi il fait déjà nuit. Si j'en juge par les romans que j'ai lus, les écrivains sont particulièrement sensibles aux variations de la durée des jours. Je me souviens que ma mère attendait avec une grande impatience l'arrivée de Noël car après cette date les nuits diminuent.

– Le sapin de Noël exprime l'espoir que la lumière l'emportera sur les ténèbres et que la nature refleurira, me disait-elle. Voilà pourquoi nous le chargeons de petites lumières et de boules colorées qui ressemblent à des fruits. Sa décoration perpétue une vieille coutume agricole que les chrétiens ont adoptée, en oubliant qu'il n'y a pas de sapins en Palestine.

Je demanderai au premier écrivain que je rencontrerai s'il est indisposé par la brièveté des journées d'hiver.

– Nullement, chère madame ! me dira-t-il avec force. J'écris beaucoup mieux la nuit.

Il sera vêtu d'une cape de cuir de couleur fauve. Ce sera un homme de haute taille, au visage long et étroit.

– Les mots sont des enfants de la nuit ! ajoutera-t-il avec emphase, puis il s'en ira en faisant claquer ses bottes sur le trottoir.

La circulation à laquelle j'ai été confrontée en sortant de l'immeuble m'a dépitée. Je ne m'attendais pas à voir un si grand nombre de voitures, ni de passants. J'ai rêvé un instant qu'ils allaient tous, piétons et automobilistes, tourner au coin de la rue et disparaître. Mais les rues des grandes villes ne se vident jamais. Il y a toujours quelqu'un qui fume dans le renfoncement de deux façades mal alignées et une jeune fille qui attend, le dos appuyé contre la grille d'une petite cour. J'habite rue Lucien, au numéro 46.

Je croyais que les fêtes avaient pris fin depuis longtemps. Beaucoup de passants cependant portaient de grands sacs en papier pleins de paquets joliment emballés. J'ai songé au voyage que j'avais fait à Paris à la veille de Noël, car j'étais alors moi aussi chargée de cadeaux. J'avais acheté une volumineuse histoire de la langue grecque pour Miltiadis ainsi qu'un roman écrit par un certain Takopoulos dans un idiome semble-t-il très particulier, de nombreux films grecs des années 50 pour Théano, un bracelet d'ambre pour Aliki et, pour Audrey, la jeune sourde-muette qui travaille chez eux, un dictionnaire de la langue des signes grecque. Je dois préciser que les sourds-muets ne sont que sourds, car leur silence tient uniquement au fait qu'ils ne peuvent pas entendre. J'ai toutefois évité de m'attarder davantage sur ces belles journées, les dernières que j'ai vécues avec mon frère. Je songerai à elles plus tard, je les garde pour un moment plus propice, elles sont ce que ma mémoire renferme de plus précieux.

Margarita faisait l'inventaire de sa boutique avec son comptable.

– Je repasserai plus tard, lui ai-je dit depuis l'entrée de son magasin.

Elle m'a regardée d'un air si distrait que j'ai cru qu'elle ne m'avait pas reconnue.

J'ai pris ensuite la rue de Bucarest. Les Astéries, la galerie de Xanthippi, étaient noires de monde. « Elle a un vernissage », en ai-je conclu, et j'ai hâté le pas de peur qu'elle ne m'aperçoive à travers la vitre et ne m'appelle. Je ne savais plus où aller, j'ai cependant poursuivi mon chemin. En arrivant rue Solon, j'ai aperçu de loin l'enseigne lumineuse de la librairie Hestia et j'ai marché dans cette direction. Est-ce que le nom d'Hestia est grec ? « La protectrice de la demeure des dieux était forcément grecque, ai-je songé. Zeus n'aurait jamais confié les clefs de son palais à une étrangère. » Je me suis arrêtée devant la librairie et j'ai commencé à lire les titres des livres qui étaient disposés dans la vitrine. Il y en avait des dizaines. Au bout d'un moment, j'ai réalisé que je ne comprenais rien à ce que je lisais. « Je ne comprends pas, car je n'arrive pas à me concentrer. » Cette explication ne m'a pas satisfaite. J'ai persévéré mais les titres sont demeurés muets. Quelle était donc cette langue incompréhensible que j'étais pourtant en mesure de lire ? Un seul mot m'a paru vaguement familier, je veux dire que j'ai eu l'impression de l'avoir déjà entendu quelque part, peut-être lors d'un voyage à l'étranger. Sans m'en rendre compte, j'avais appuyé mon front sur la vitre. Une cliente m'a fait signe de l'intérieur du magasin de reculer. J'ai compris soudain le danger que je courais : la vitre volerait en éclats sous mon poids et je me trouverais, l'instant d'après, étalée de tout mon long sur une mer de mots inconnus.

J'ai fait un pas en arrière. La cliente a salué mon initiative d'une étrange façon, en levant les bras en l'air et en faisant pivoter ses mains. « Serait-elle sourde, elle aussi ? » me suis-je demandé. Sa présence dans une librairie ne m'a pas étonnée car les sourds peuvent lire.

Sur la voie piétonne qui jouxte le jardin du centre culturel de la municipalité d'Athènes sont alignées des bibliothèques bon marché. Elles appartiennent à des marchands de livres qui, n'ayant pas la possibilité de louer une boutique, exercent leur commerce dans la rue. On y trouve surtout de vieux ouvrages, jaunis par le temps, et des revues anciennes, grecques et étrangères, illustrées de portraits en noir et blanc de célébrités oubliées. Je suis passée également par ces modestes librairies, à seule fin de prolonger ma promenade. Je n'ai regardé les livres que distraitement, sans essayer de déchiffrer aucun titre. Une petite pile de brochures consacrées à Karaghiozis a cependant attiré mon attention. Je sais par mon frère que le nom du personnage central du théâtre d'ombres est turc et qu'il signifie « œil noir ». J'ai acheté cinq numéros au prix astronomique de cinquante euros.

– Ce sont des fac-similés de la première édition d'après guerre, m'a précisé le bouquiniste.

Son haleine sentait l'orange. C'était un homme robuste, de taille moyenne, doté d'un gros nez, pas bien âgé mais complètement chauve. Il ressemblait un peu à Karaghiozis, en dépit du fait qu'il n'avait pas de bosse et qu'il n'était pas, naturellement, pieds nus.

Il m'a semblé que je m'étais suffisamment éloignée de Colonaki et j'ai rebroussé chemin. L'envie de bavarder avec Margarita m'était passée. J'ai gravi plusieurs rues en pente jusqu'à la place de la Citerne où se trouvait autrefois le réservoir d'eau de la ville. Mon père était un client régulier du café en plein air qui la prolonge. C'est là qu'il retrouvait ses amis, c'est là, aussi, qu'il donnait rendez-vous à ses conquêtes. Le charme de cet établissement tient au fait qu'il vous donne l'illusion d'être ailleurs. La végétation touffue qui l'entoure masque entièrement la ville et lui procure une paix royale. Je suppose que les arbres puisent l'eau dont ils ont besoin dans l'aqueduc souterrain, qui est aujourd'hui fermé. Ils ne laissent qu'un seul intervalle entre eux, du côté de la place, à travers lequel on aperçoit l'Acropole. En été, l'établissement profite de la musique des films qui sont projetés dans le cinéma voisin. Il y a quelques années, le patron entretenait un poulailler au milieu des arbres, d'où s'échappait parfois une poule. Il n'y a plus de poules, mais il y a toujours des chats et des oiseaux qui fientent à l'occasion sur les clients. C'est un établissement qui se prête en somme aux conversations les plus variées.

La plupart des tables étaient vides. Les clients de la mi-journée étaient partis et ceux du soir n'étaient pas encore arrivés. Arriveraient-ils, d'ailleurs ? Il faisait tout de même un peu frais. J'avais les jambes lourdes, j'ai été tentée de m'asseoir à la dernière table mais j'y ai renoncé. J'ai une propension à me montrer sévère avec moi-même, à me réprimander, à m'imposer toutes sortes d'interdictions, je ne m'autorise pas à me réjouir. Ni mon père ni ma mère n'étaient sévères avec moi. Je crois être encore sous la férule de Mme Gérolimatou, dur et exigeant professeur du lycée Arsakio. Elle était incapable de concevoir la moindre idée personnelle, mais elle connaissait toutes les règles que nous devions appliquer. Elle avait même un avis sur la façon dont nous devions nous pencher pour ramasser un objet par terre. Cette femme qui est probablement morte aujourd'hui continue de me tourmenter.

L'appartement que Miltiadis utilisait en été, et qui abritait autrefois le cabinet de mon père, se trouve rue Démocharous, à dix minutes à pied du café de la Citerne. Je me suis fixé l'objectif d'arriver jusque-là, il m'a donc fallu emprunter une autre rue qui monte, la rue Dinocrate, qui débouche sur un jardin public. Je me suis appliquée à songer à mon père, peut-être pour détourner mes pensées de la mort de mon frère. Je l'ai vu accorder sa guitare en rapprochant son oreille gauche de la caisse de résonance. Il ne jouait pas très bien, néanmoins il était en mesure de s'accompagner lui-même lorsqu'il chantait. Il avait une voix grave, mélodieuse. Il chantait des romances, des tangos, des valses et quelques chansons russes dont il connaissait les paroles par cœur. Il n'avait pas beaucoup d'estime pour les rébétikas populaires. Il préférait nettement la musique de l'Occident à celle de l'Orient. Il avait fait ses études de médecine à Lille. La chanson était l'une de ses principales armes dans le combat incessant qu'il menait pour séduire la gent féminine. Il passait trois nuits par semaine dans son cabinet, qu'il prétendait consacrer à rédiger un texte autobiographique sur ses années d'enfance à Cyparissia, dans le Péloponnèse. Après sa mort, nous avons trouvé dans un tiroir de son bureau un cahier épais, dont trois pages seulement étaient remplies, et par des lettres grosses comme des haricots.

Irini avait accepté son époux tel qu'il était. Elle ne commentait pas ses absences nocturnes. Elle n'ignorait pas bien sûr quel coureur de jupons il était, mais elle évitait de lui faire des scènes, car elle avait horreur des disputes.

– Je ne compte pas devenir comme Mme Koula qui réagit à ses infortunes en poussant des cris, disait-elle. Son drame, c'est qu'elle ne comprend pas ses problèmes. Elle les voit comme des bêtes sauvages qui ont mystérieusement fait irruption dans sa maison. Elle crie pour les chasser.

Mme Koula était la femme du jardinier de la maison où nous habitions avant d'acheter l'appartement de la rue Lucien. Il était amoureux de toutes les bonnes du quartier. Ma mère était persuadée que ni le mari de Koula ni le sien ne changeraient jamais.

– Leur zèle pour le sexe féminin remonte à la plus haute Antiquité, il commence avec la guerre de Troie, assurait-elle lorsqu'elle avait un peu bu. Je ne suis pas en mesure de mettre un terme à une tradition si ancienne.

Elle avait la même affection pour les mots que mon frère. Ils l'aidaient à traverser les passes difficiles, la mettaient de bonne humeur. Elle disait également à ses amies :

– Le comportement de Géorgios ne me flatte pas, mais le fait qu'il se sente libre m'honore.

Elle n'était pas toujours aussi flegmatique. Je la revois à la place où je suis à présent assise, penchée au-dessus d'un journal qu'elle avait ouvert sur la table de verre. Je faisais pour ma part mes devoirs à l'autre bout du salon, sur la table de bridge. Je n'ai compris qu'elle pleurait qu'après avoir terminé mon travail, lorsque je suis passée à côté d'elle. Le papier du journal était imbibé de grosses gouttes.

C'est dans cette pièce également que je l'ai entendue dire à mon père, à voix basse mais sur un ton acerbe :

– Tu peux m'expliquer ce que tu trouves à toutes ces infirmières de l'hôpital de l'Annonciation que tu invites dans ton cabinet ?

Je me souviens encore de la question qu'elle lui posa sur le pont d'un navire qui nous conduisait à Égine un Mardi gras :

– Est-ce que tu sais depuis combien de temps tu ne m'as pas embrassée ?

Il ne m'embrassait pas souvent, moi non plus. Mon père était ému par toutes les femmes, à l'exception de son épouse et de sa fille.

J'ai dû faire de nombreuses haltes pour reprendre mon souffle, je me suis arrêtée devant une école de danse où les lumières étaient allumées et devant une maison en ruine dont les fenêtres étaient barrées par des planches. Quand je suis arrivée au jardin public qui sépare la rue Dinocrate de la rue Démocharous, j'ai décidé de m'asseoir sur un banc. Une belle lune avait paru, qui me permettait de distinguer la silhouette des arbres et le chemin qui serpentait entre eux. J'ai cru que Miltiadis était tout près.

– Où es-tu ? ai-je murmuré.

– Où es-tu, toi ? m'a-t-il répondu.

Je me suis retournée et j'ai fouillé des yeux un grand buisson.

– Moi je suis là, ai-je dit un peu plus fort.

Mais cette fois je n'ai pas eu de réponse.

Je ne suis pas entrée dans l'immeuble. Je me suis contentée de regarder l'appartement de Miltiadis depuis le trottoir d'en face. Une serpillière était étendue sur la balustrade du balcon, qui sait depuis combien de temps. L'appartement comprend une petite chambre à coucher, un salon et un bureau où mon père recevait ses patients. Il appelait « lunette » le réfracteur avec lequel il leur examinait les yeux. Cet appareil ne se trouve plus sur le bureau mais par terre, dans un coin, enveloppé dans un plastique transparent. Miltiadis n'a touché à rien d'autre. Le meuble aux tiroirs carrés où étaient rangées les fiches des malades est resté à sa place, de même que le stérilisateur qu'il utilisait pour désinfecter ses instruments. Il opérait à l'hôpital de l'Annonciation trois matinées par semaine mais pratiquait aussi de petites interventions dans son cabinet. Le stérilisateur est posé sur un long rayonnage, à peu près à la hauteur du bureau, à côté d'une boîte compartimentée où sont logés un grand nombre de verres d'essai à monture métallique. Sur le même mur, juste au-dessus, sont accrochés deux panneaux lumineux. L'un porte des chiffres, dont la taille diminue progressivement, l'autre des dessins – des maisonnettes, des animaux, des arbres, des vélos – qui rapetissent eux aussi. Je sais qu'on les nomme « échelles d'acuité visuelle ». Mon père m'avait expliqué que les images étaient destinées aux enfants qui ne connaissaient pas les chiffres. C'est ainsi que j'avais découvert qu'il avait de très jeunes clients. Je l'imaginais en train de les opérer. Leurs cris parvenaient jusqu'à la rue Lucien et me glaçaient d'effroi. Pendant des années, en me réveillant le matin, je scrutais les objets qui m'entouraient pour m'assurer que je n'avais pas perdu la vue durant la nuit. Je croyais à l'époque que mon père avait appris à jouer de la guitare pour consoler ses petits patients.

Miltiadis avait un profond respect pour lui. Comment expliquer autrement qu'il ait si pieusement conservé ses affaires et qu'il ait continué, jusqu'à l'été dernier, à changer les cordes de sa guitare ? Celle-ci est restée rue Démocharous. Il a opposé une résistance opiniâtre aux pressions d'Aliki qui voulait vider le cabinet et se débarrasser du même coup du fantôme de son beau-père. Elle avait, elle, beaucoup moins d'affection pour lui. Elle était outrée par son penchant pour le beau sexe, elle était même scandalisée par la mansuétude de sa belle-mère. Je pense que les égarements de mon père l'auraient moins heurtée si elle n'avait pas prévu que Miltiadis suivrait tôt ou tard le même chemin. En dénigrant son beau-père, elle avertissait son mari.

J'étais présente lorsque le couple prit possession de la rue Démocharous. Aliki, qui a fait des études d'histoire de l'art, avait une foule d'idées sur le réaménagement de l'appartement. Soudain, elle a poussé un cri : elle avait découvert dans le frigidaire une boîte en fer-blanc pleine de préservatifs.

— Vous avez vu ?

Sa voix était éteinte et son visage livide. Miltiadis s'est empressé de la débarrasser de la boîte, qu'il a vidée dans la poubelle.

— Tu ne vas pas la garder, j'espère ? lui a-t-elle dit décontenancée.

Il ne lui a pas répondu, mais je ne doute pas qu'il l'ait gardée. C'était une belle boîte de chocolats que mon père avait rapportée de Turin. Je suppose que Miltiadis l'a emportée à Paris et

47

qu'elle se trouve aujourd'hui dans son studio de la rue René-Panhard, en face de l'Institut de paléontologie. C'est là que mon frère travaillait habituellement, son bureau de la Sorbonne était bien trop bruyant, il le partageait avec trois autres professeurs et une secrétaire.

Il était huit heures lorsque je suis rentrée chez moi. J'ai écouté les messages sur le répondeur comme je le fais chaque soir et noté les noms de ceux qui m'avaient appelée. Je les remercierai tous à un moment ou un autre. J'ai reçu quatre-vingt-sept messages au total depuis la mort de mon frère.

J'ai réchauffé un peu de lait et je me suis étendue sur mon lit, sans enlever mes vêtements. Pour passer le temps j'ai commencé à feuilleter les brochures sur Karaghiozis et, en fin de compte, je les ai toutes lues. Les histoires sont écrites par des montreurs d'ombres, elles ont la forme de pièces de théâtre et sont brèves, elles n'excèdent pas trente pages. Invariablement, Karaghiozis se charge d'un travail qu'il ne connaît pas afin de gagner de quoi manger. Il est pauvre et effronté. Il se déguise en dentiste, en dactylographe, en espion, en croquemort, en postier. Le comique découle de ses gaffes : engagé dans un service de pompes funèbres, il met en bière une personne vivante. Ce n'est pas un héros, ce qui explique probablement que pas un instant il n'envisage de renverser le vizir, qui habite pourtant en face de sa pitoyable baraque. Le métier de révolutionnaire est le seul qu'il n'est pas disposé à exercer. Il réagit aux coups que lui assènent les

Turcs mais également l'un de ses parents, l'oncle Yorgos, un robuste berger à l'âme candide, en maltraitant sa femme, son fils et son ami Hadjiavatis. Ce dernier est peut-être le plus intéressant de tous ces personnages car il oscille entre deux mondes, il veut rester en bons termes à la fois avec Karaghiozis et avec le vizir, il cherche à aider le premier tout en servant fidèlement le second. Sa longue barbe, qu'il tient en permanence d'une main, confère à sa physionomie une certaine noblesse. Il s'agit d'un diplomate calamiteux. Quand se déroulent ces péripéties ? Le vizir représente certes l'Empire ottoman. Certaines brochures cependant évoquent en même temps une Grèce beaucoup plus récente. Stavrakas est un petit caïd de l'Athènes de l'entre-deux-guerres et le sieur Dionysios un Corfiote maniéré d'une époque peut-être un peu plus reculée. L'oncle Yorgos est au courant de la guerre gréco-italienne de 40, puisque l'une de ses chansons préférées brocarde le Duce (*Mussolini le dindon*). La préoccupation constante de Karaghiozis, trouver à se nourrir, rappelle plus la faim sous l'Occupation que les privations des combattants de Missolonghi assiégés par les Ottomans. Mais peut-être avait-il déjà faim dans sa Turquie natale, peut-être est-il venu en Grèce pour se rassasier. C'est un immigré qui n'a pas eu beaucoup de chance dans le choix de son pays d'accueil.

L'éditeur ne nous dit pas en quelle année il a publié ces textes, il nous donne cependant son numéro de téléphone, qui n'a que cinq chiffres, ce qui confirme qu'il les a fait paraître, comme me l'a assuré le bouquiniste, autour de 1950.

J'ignore si les épisodes que j'ai lus sont meilleurs ou pires que ceux que je ne connais pas, le fait est qu'ils m'ont paru plutôt médiocres. Pas une fois ils ne m'ont fait rire. J'ai été plutôt soûlée par les vociférations de Karaghiozis et de sa bande. Elles m'ont fait penser aux séries grecques que je vois de temps en temps à la télévision et où tout le monde braille. Karaghiozis a l'insulte facile, il traite son oncle de cul-terreux, son fils de voleur de linge et Hadjiavatis de bouc (à cause de sa barbe, manifestement). Il évite toutefois les injures à caractère sexuel, de même qu'il s'abstient de railler le sentiment religieux. Il sait très bien que son public se compose essentiellement d'enfants et qu'il risquerait de perdre son emploi et la maigre pitance qu'il lui assure s'il franchissait certaines limites. Dans la Grèce conservatrice des années 50, celles-ci étaient des plus étroites. Si Karaghiozis se souvient de l'Occupation, il a cependant rayé de sa mémoire la guerre civile qui n'a pris fin qu'en 1949.

Comment mon frère aurait-il jugé ces pièces ? L'exquise courtoisie dont fait preuve Hadjiavatis lorsqu'il croise un Turc l'aurait peut-être amusé : « *Qu'aucune pierre ne vous fasse trébucher sur votre chemin, monseigneur* », lui souhaite-t-il. Il aurait accordé certainement plus d'attention que je ne l'ai fait aux divers dialectes utilisés par les personnages. Le sieur Dionysios tourne en dérision le patois de Corfou – la moitié des mots qu'il débite sont italiens –, oncle Yorgos l'idiome des Valaques, Manoussos le parler crétois, Stavrakas l'argot des bas-fonds. Bien qu'il prétende être analphabète, Karaghiozis se moque assez adroitement de la *catharévoussa*, ce jargon savant qui était à l'époque la langue officielle de l'État grec et que les enfants apprenaient à l'école. Il fait des fautes de syntaxe sans nombre, confond les mots similaires, toujours pour faire rire, appelle le pacha *patsas*[1], les officiers « bâtonniers » (peut-être parce qu'ils lui administrent des coups de bâton), émaille son discours d'expressions pédantes : « *Quel est celui qui frappe à l'huis de la porte du logis de ma maison ?* » Celui qui frappe n'est autre qu'oncle Yorgos. Karaghiozis hésite à lui ouvrir car il redoute que son parent ne lui « *fende le crâne en deux hémisphères* ». Il n'est pas exclu que Karaghiozis ait contribué à sa manière à l'abolition de la *catharévoussa* et à la consécration de la langue parlée qui fut votée par les députés en 1976. Miltiadis considérait cette date comme l'une des plus importantes de l'histoire de la Grèce moderne.

Dès que j'ai fermé les yeux, j'ai vu mon frère. Il se tenait derrière une montagne et portait une

---

1. Soupe de tripes.

longue moustache blanche comme celle d'oncle Yorgos. C'était une petite montagne, qui lui arrivait à peu près à la taille. Je ne l'ai pas franchie, alors que j'aurais pu, et lui non plus n'a pas essayé de l'enjamber. Je le voyais très nettement, comme s'il était éclairé par des projecteurs installés de l'autre côté de la montagne, beaucoup plus nettement qu'on ne voit d'habitude les personnes en rêve. Je ne rêvais d'ailleurs pas, je savais parfaitement que je me trouvais dans ma chambre et que je venais de fermer les yeux. Pour m'assurer que j'étais bel et bien éveillée, je me suis gratté le ventre puis j'ai étendu la main jusqu'à ce que mes doigts rencontrent la table de nuit, tout cela sans perdre Miltiadis des yeux.

– Tu t'es laissé pousser la moustache, je vois ! ai-je plaisanté.

– Elle a poussé toute seule. Les poils des morts continuent de pousser pendant un certain temps. J'avais appris cela en lisant un roman d'aventures, c'est peut-être la première chose que j'ai apprise de ma vie.

Il s'est légèrement tourné de côté pour me montrer que ses beaux cheveux blancs lui couvraient une partie du dos.

– Je l'ai lu moi aussi, ce roman, lui ai-je dit. Des gens ouvrent un cercueil dans un cimetière et constatent que le mort a une longue barbe.

– Tu es sûre que la scène se passe dans un cimetière et non pas sur une plage ?

– La seule chose que je peux affirmer avec certitude, c'est qu'il fait nuit lorsqu'ils ouvrent le cercueil. Certains portent des lampes-tempête, d'autres des lanternes munies de chandelles.

– *Et la lune là-haut questionne son cahier...*

Il a dit cette phrase en chantonnant, à ma grande surprise, car, à la différence de mon père, Miltiadis n'aimait pas la chanson et ne chantait jamais. Il a fredonné joliment ce vers. J'ai de nouveau étendu la main en direction de la table de nuit, sans parvenir cette fois à l'atteindre.

– Tu sais que le mot *kitapi*, « le cahier », nous vient de l'arabe ? m'a-t-il demandé.

Sa voix a résonné fortement, bien qu'il ne fût plus derrière la montagne. J'ai regardé à droite, à gauche, je ne l'ai vu nulle part. La lumière des projecteurs avait sensiblement baissé.

3

Une nuit, vers la mi-décembre, Miltiadis a été pris de vomissements répétés. Ni lui ni sa femme n'ont deviné qu'il avait fait un infarctus. Ils ont attendu le matin pour se rendre à l'hôpital où les médecins l'ont immédiatement conduit en salle d'opération. L'artère oblitérée était celle-là même sur laquelle ils étaient déjà intervenus. Aliki m'a appelée vers midi, une fois que le danger était conjuré.

– On l'a échappé belle, m'a-t-elle dit.

J'avais des ouvriers à la maison à cette époque, qui refaisaient les peintures de mon appartement. Ils avaient empilé toutes mes affaires au centre du salon et déplacé les meubles. J'ai appris la mésaventure de Miltiadis au milieu d'un champ de bataille. Aliki m'a découragée de me rendre immédiatement à Paris, elle m'a assuré que les visites en réanimation étaient quasiment interdites.

– Ils ne me permettent de le voir qu'une heure par jour.

Il était clair qu'elle ne souhaitait pas partager cette heure avec moi. Sa réaction m'a blessée, j'ai trouvé qu'elle manquait de générosité. Le 22 décembre, un samedi, lorsque je suis partie pour Paris, Miltiadis avait déjà quitté l'hôpital. J'ai pris un taxi à l'aéroport de Roissy, conduit par un Asiatique absolument silencieux. Je crois que la première voix française que j'ai entendue a été celle d'une femme invisible qui m'a dit, alors que j'étais dans la cabine de l'ascenseur :

– Attendez la fermeture de la porte.

Elle faisait allusion à la seconde porte qui se déplie comme un soufflet d'accordéon et ferme la cabine de l'intérieur. Peu après, la même voix m'a prévenue que j'étais arrivée à destination en annonçant simplement :

– Cinquième étage.

Aliki n'était pas à la maison, elle était allée voir sa mère à Montpellier. J'ai été accueillie par Audrey, la jeune sourde. La sonnette de la porte déclenche trois signaux lumineux qui s'allument dans l'entrée, dans la cuisine et dans sa chambre.

Elle m'a pris mon sac et s'est retirée vivement. Ma première impression a été que quelque chose avait changé dans l'appartement, où pourtant je n'ai décelé aucune nouveauté. Peut-être ai-je été abusée par une odeur provenant de la cuisine. Je suis restée quelques instants dans le vestibule, comme si je ne connaissais pas les lieux, puis je me suis avancée d'un pas hésitant dans le couloir. J'ai tout de suite vu mon frère car la porte du fond était ouverte. Il était installé dans un grand fauteuil, à l'angle de la chambre à coucher, à côté de la fenêtre. Ses cheveux étincelaient à la lumière du soleil mais sa tête était penchée, comme s'il méditait ou s'était endormi. N'avait-il pas entendu la sonnette ? Ses jambes étaient recouvertes d'un plaid vert olive. J'ai eu l'illusion de voir un tableau, bien que les peintres, à ma connaissance, représentent rarement des hommes endormis. Le tableau grandissait à chacun de mes pas, j'ai eu peur cependant de ne jamais arriver près de mon frère, de voir l'image se dissoudre, se changer en brouillard. Lorsque je me suis trouvée à un mètre de distance, il a fini par relever la tête et il a murmuré :

— Tu es venue ?

— Je suis venue, ai-je dit en m'efforçant de dominer mon trouble.

Je l'ai embrassé sur le front, je lui ai caressé les cheveux. Il respirait à travers un petit tube transparent qui encerclait sa tête. J'ai découvert par la suite qu'il était relié à un appareil semblable à un radiateur qu'on avait installé dans la salle de bains. Il a écarté la couverture et m'a montré ses pieds, qui étaient gonflés. Ils ne rentraient qu'à moitié dans ses pantoufles. Il m'a expliqué que les diurétiques qui l'auraient aidé à évacuer les liquides superflus lui étaient déconseillés en raison de l'état de son foie.

– J'ai besoin de beaucoup de médicaments, mais rares sont ceux qui ne provoquent pas d'effets secondaires.

Je me suis assise sur un gros coussin, au bord de la marche qui sépare les deux niveaux de la chambre, en appuyant mon dos contre le lit de fer. Plusieurs livres étaient éparpillés sur le plancher, parmi lesquels une étude sur l'homme de Neandertal intitulée *Neandertal, une autre humanité*.

– Je regrette de ne pas être venue te voir à l'hôpital.

Savait-il que sa femme m'avait dissuadée de lui rendre visite ?

– Je préfère que tu ne sois pas venue.

Pour la première fois, son regard s'est posé sur moi.

– Ça a été une horreur.

Il a continué à me fixer. Le soupçon m'est venu que le véritable but de mon voyage était de prendre congé de mon frère. Je me suis aussitôt levée en prétextant que je voulais ranger mes affaires.

– Demande à Audrey de m'apporter une boulette de viande.

J'ai trouvé mon sac dans la chambre où je dors habituellement et que la famille de mon frère utilise par ailleurs comme un débarras. Il y a là des meubles qui ne servent plus, des valises, l'aspirateur, des tapis enroulés, et une grande sculpture en bois que Miltiadis a jadis rapportée d'Afrique et qui ne plaît guère à Aliki. Audrey, par bonheur, avait repoussé tout cela dans un coin et avait converti le canapé en lit. J'ai recherché en vain dans le dictionnaire que je lui avais apporté le mot « boulette ». J'ai trouvé en revanche le mot « viande » : il était illustré de deux images, l'une représentant un gigot et l'autre un jeune homme agitant la main d'avant en arrière à la hauteur de sa gorge, les doigts tendus, mimant en somme l'égorgement de l'animal. Je me suis rendue dans la cuisine, le livre sous le bras, et j'ai exécuté ce geste devant Audrey qui m'a répondu en faisant une grimace de dégoût. Sa réaction m'a plongée dans l'embarras, je n'étais pas du tout convaincue que je parviendrais à me faire comprendre d'elle, jamais auparavant je n'avais tenté de lui parler. Elle a pris un crayon et une feuille et a écrit le mot « tuer ». J'en ai conclu que tel était le sens de mon geste dans la langue des signes française. « Et comment les Français appellent-ils donc la viande ? » me suis-je demandé. J'ai ouvert le livre et lui ai montré le gigot. Elle a replié aussitôt l'index de sa main droite en formant une sorte d'hameçon. Il m'a semblé que cette mimique évoquait plutôt le poisson, mais j'ai changé d'avis en me rappelant que les crocs des boucheries ressemblent à des hameçons. Je lui ai fait comprendre que j'avais apporté le livre pour elle, elle a été enchantée, elle s'est mise à sauter sur place comme une petite fille en serrant le dictionnaire contre sa poitrine. Ensuite, elle a pris place à la table et a commencé à le feuilleter. De mon côté, j'ai fait ce que j'aurais sans doute dû faire depuis le début, j'ai ouvert le frigidaire, j'ai pris une boulette et je l'ai portée à mon frère dans une soucoupe.

– Tu en as mis du temps !

Il était complètement réveillé. Il a mangé la boulette par petites bouchées afin de faire durer son plaisir. Il la mangeait sans vouloir la finir. Je me suis de nouveau assise sur le coussin et je lui ai fait part de ma conversation avec Audrey.

– Chaque pays a sa propre langue des signes, m'a-t-il dit. En France elle a été codifiée par l'abbé de l'Épée, qui a vécu au XVIIIe siècle et a fondé un institut pédagogique qui fonctionne encore aujourd'hui, rue Saint-Jacques, à Paris. Ces langues ont toutefois des gestes en commun. Deux sourds de nationalités différentes peuvent se comprendre plus facilement que deux Français dont l'un est sourd et l'autre pas.

– Audrey ne parle pas du tout ?

– On a essayé de lui apprendre à l'école. Pour saisir la différence entre deux voyelles, elle était obligée de palper la gorge de l'enseignante qui lui donnait des cours d'orthophonie. Souvent cette dame perdait patience. Elle mettait alors ses doigts dans la bouche de la petite pour lui montrer où elle devait placer sa langue. Audrey peut articuler certains mots mais elle ne contrôle pas son registre, elle parle d'une voix rauque qui ne lui ressemble pas. Elle ne sait pas ce qu'est une voix.

– Elle sait écrire, cependant, ai-je observé.

– Oui, en se donnant beaucoup de mal les sourds apprennent à écrire et à lire. Mais cela leur demande du temps, ce qui explique qu'ils passent pour des quasi-arriérés aux yeux de l'Éducation nationale, qui les oriente vers des métiers comme celui de jardinier ou de tailleur. Le français demeure pour eux une langue étrangère qui ne leur permet pas de s'épanouir. Heureusement, Audrey a eu la chance d'apprendre la langue des signes assez tôt, quand elle avait sept ans, auprès d'un de ses oncles.

Je savais que la jeune fille était originaire d'un village de Bretagne et qu'elle était venue à Paris pour s'inscrire dans une école de théâtre pour sourds qui monte des œuvres en langue des signes. Elle avait fait ce pari avec les encouragements d'un professeur de linguistique, originaire du même village, qui avait persuadé Miltiadis de l'embaucher pour deux ou trois ans, jusqu'à ce qu'elle trouve son chemin. Mon frère avait accepté avec joie cette proposition, qui constituait pour lui une occasion unique de découvrir un monde qu'il ne connaissait pas et d'élargir sa réflexion sur les langues. Son enthousiasme, mais aussi la personnalité d'Audrey, qui est très affectueuse, avaient eu raison des réticences initiales d'Aliki, d'autant plus facilement que celle-ci avait réellement besoin d'une aide à domicile à cette époque. C'était il y a un an, au moment où l'état de santé de Miltiadis est devenu préoccupant.

– Ce n'est pas facile d'apprendre la langue des signes aujourd'hui en France. Les écoles spécialisées, privées et publiques, sont à peine une vingtaine, tandis que le nombre des sourds s'élève à cent cinquante mille. Il est vrai que la chose était encore plus difficile hier. En dépit de la brillante tradition inaugurée par l'abbé de l'Épée, la langue des signes a été frappée d'interdiction à la fin du XIXᵉ siècle en même temps que les langues régionales. Pendant un siècle, la France n'a eu le droit de s'exprimer qu'en français. Au cours de cette période, les instituteurs punissaient ceux de leurs élèves sourds qui avaient la mauvaise habitude de discuter par gestes en leur liant les mains derrière le dos. Depuis le milieu des années 70, le ministère de l'Éducation nationale ne traque plus la langue des signes, mais ne la soutient pas pour autant. Je crois tout simplement qu'il ne l'a pas en grande estime, qu'il la juge primitive. Il n'est pas convaincu que l'on puisse rendre par gestes la sentence de Descartes *Je pense donc je suis*.

– Parce qu'on le peut ? lui ai-je demandé, au risque de le contrarier par mon scepticisme.

– Mais parfaitement ! Dis à Audrey de venir !

Elle était toujours dans la cuisine, plongée dans le dictionnaire. Je l'ai prise par la main. Mon frère lui a dit la phrase *Je pense donc je suis* en articulant le plus clairement possible. La jeune fille a souri, j'ai supposé que ce n'était pas la première fois qu'elle se pliait à cette épreuve. Elle a d'abord montré sa poitrine de son index puis sa tempe.

Ensuite, en se servant de ses deux mains, elle a formé une sorte de nuage devant son front, après quoi elle a désigné tout son corps, de haut en bas. Elle a enfin planté son pouce dans la paume de la main opposée. Formulé de cette façon, l'aphorisme de Descartes m'a paru beaucoup plus séduisant, plus remarquable, comme si je n'en avais connu qu'une traduction et que je l'aie entendu pour la première fois dans sa version originale. J'ai vivement applaudi. Audrey m'a renvoyé le compliment en s'inclinant de manière théâtrale. Elle a compris que Miltiadis n'avait plus besoin d'elle et nous a laissés après avoir récupéré la soucoupe.

– Lorsqu'elle presse l'intérieur de sa main avec son pouce, elle fait mine d'y laisser son empreinte. Ce geste correspond au mot « identité ».

Il avait commencé à étudier la langue des signes, pas de manière systématique cependant.

– Aliki la connaît bien mieux que moi.

Le soleil éclairait maintenant de côté le visage de Miltiadis.

– La lumière ne te dérange pas ?

Il a fait un geste vague. On apercevait de la fenêtre les toits familiers de Paris en tôle de zinc et, à quelque distance, la coupole imposante de l'église Saint-Augustin.

– Les sourds détestent l'obscurité car elle les empêche de s'exprimer. La nuit, ils se sentent vulnérables comme des enfants… La langue des signes est une langue du jour. Audrey dort la porte de sa chambre ouverte et la lumière du couloir allumée.

Lorsque l'heure du déjeuner est arrivée, il a ôté le tube respiratoire et l'a déposé sur le bras du fauteuil.

— Je peux m'en passer, m'a-t-il dit.

Je l'ai aidé à se lever. Il avait beaucoup maigri ces derniers temps, cependant son corps m'a paru extrêmement lourd. Il a fait deux pas et s'est arrêté. Ses pieds s'étaient pris dans le plaid. Alors qu'il essayait de s'en dégager, la sonnerie de son portable a retenti.

— Tu ne veux pas répondre ? m'a-t-il suggéré.

Aliki m'a demandé si j'avais fait bon voyage et m'a annoncé qu'elle avait laissé dans le frigidaire du blanc de poulet pour mon frère.

— Ne lui permets pas de manger des boulettes, elles sont salées. Je les ai faites pour toi et pour Audrey. Il est allé aux toilettes ?

Miltiadis, qui s'appuyait sur mon épaule, l'a entendue.

— Abrège un peu, Aliki, a-t-il dit assez fort pour qu'elle l'entende.

Elle a voulu savoir si Théano s'était manifestée, ce qui n'était pas le cas. J'ai écarté la couverture du pied et nous avons cahin-caha poursuivi notre chemin. Nous nous sommes arrêtés quelques instants au milieu du couloir, devant un grand cadre en bois blanc qui abritait sous verre trois figurines du théâtre d'ombres : Karaghiozis, Hadjiavatis, et un gros serpent vert qui avait une tête de dragon et une langue écarlate. Miltiadis a entrepris de redresser le tableau, qui n'en avait nul besoin à mon avis, en lui donnant finalement une légère inclinaison vers la droite.

– J'ai rêvé de notre mère hier après-midi, m'a-t-il dit pendant que nous déjeunions. Elle gardait les buts dans une équipe de football.

– Elle gardait les buts ? ai-je répété bêtement.

– Parfaitement ! Elle n'était plus toute jeune et n'était pas vêtue comme un gardien, elle portait ses vêtements de tous les jours, elle se tenait néanmoins devant la cage. L'arbitre s'apprêtait à siffler le coup d'envoi. Je me trouvais pour ma part près du rond central, j'allais participer moi aussi au match, je ne devais pas avoir plus de dix, douze ans. C'est en regardant derrière moi que par hasard j'ai vu maman. Comme tu l'imagines, j'ai été stupéfait. J'ai couru vers l'arbitre pour lui signaler que ma mère n'avait rien à faire là, qu'elle n'avait jamais joué au football. « Retourne à ton poste, s'il te plaît », m'a-t-il dit sévèrement, et peu après il a sifflé.

– Tu as trouvé un sens à ton rêve ?

– Absolument aucun ! Mais j'ai été content de la revoir, il y avait des années que je n'avais pas rêvé d'elle. Je me suis réveillé de bonne humeur, j'ai pensé qu'elle avait pris la place du goal pour me distraire, un peu comme le fait Karaghiozis quand il se déguise en médecin ou en astronaute.

– Pourtant, elle n'appréciait pas les facéties.

– C'est vrai, est-il convenu, elle attachait de l'importance aux choses.

Je me suis souvenue du lance-pierres que j'avais acheté à Lesbos et que je comptais lui offrir. J'avais omis au dernier moment de le mettre dans mon sac de voyage.

– Ce n'est pas grave, m'a-t-il dit. Tu me le donneras une autre fois.

Il avait du mal à avaler son repas, le poulet, les courgettes et les épinards crus.

– Tu n'imagines pas comme c'est fade, tout ça. Le sel me manque presque autant que le sucre.

Il évitait de regarder son assiette. Ses yeux se portaient tantôt sur les boulettes, tantôt sur le riz que m'avait préparé Audrey, tantôt sur les fromages qui étaient disposés sur une planche ou encore sur le pain, car le pain aussi lui était interdit.

– Qu'est-ce que tu mangeais en Argentine ?

– À vrai dire, je ne savais pas quoi manger. Ils salent trop les plats là-bas et mangent presque exclusivement de la viande. Leurs salières ont des trous plus gros que les nôtres. Une ou deux fois, j'ai commandé de la purée. Ils réussissent mieux la purée que les spaghettis, bien que nombre d'entre eux soient d'origine italienne. Ils ont oublié comment on cuit les pâtes, ils les font trop bouillir. Ils n'aiment pas le poisson. La terre est si riche qu'ils ne s'occupent pas de la mer malgré le fait qu'elle arrose une bonne partie du pays, que traversent par ailleurs d'innombrables rivières. Quelquefois, les courants détachent des berges des morceaux de terre à la végétation foisonnante et les entraînent vers l'océan. Il n'est pas rare que ces îlots emportent avec eux des animaux, qui crient de plus en plus fort à mesure que l'étendue d'eau grandit autour d'eux. Je n'ai pas vu de bateaux de pêche mais j'ai vu des îles qui voyageaient.

» C'est un pays de cow-boys, qui là-bas s'appellent *gauchos*. Une dame de l'ambassade de France et son mari m'ont conduit un dimanche à l'une de leurs fêtes, dans les anciens abattoirs de la ville, où ils exhibaient leurs montures. Je n'avais jamais vu de chevaux galoper si vite ni en faisant autant de bruit. Au moment de prendre le départ, leur taille s'affaissait car ils fléchissaient les jarrets. Ils couraient littéralement « ventre à terre », comme le dit une expression française. Carlos, le mari, disait que l'Argentine est si grande qu'aucun cheval ne parviendrait à la traverser même s'il galopait de sa naissance à sa mort. Lui ne s'intéressait en réalité qu'aux barbecues qui étaient installés çà et là. Les grillades l'enivraient, il ne se lassait pas de les flairer. Il rêvait de franchir l'Océan rien que pour goûter au *chorizo*, comme on nomme en Argentine le faux filet, tel qu'on le prépare en Espagne. « Nous avons de bonnes viandes chez nous, mais rien de comparable au *chorizo colorado* des Espagnols », me confiait-il à chaque pause entre deux courses. Il était maigre

comme un danseur de tango. *Colorado* veut dire
« coloré » ?

– Oui, mais cela veut dire également « rouge ».

J'ai été ravie que l'occasion me fût donnée de
lui apprendre quelque chose à mon tour. Est-ce
pour fêter l'événement que j'ai eu subitement
envie d'un verre de vin rouge ? Je n'ai pas trouvé
de bouteille entamée dans le frigidaire.

– Mais ouvres-en donc une !

Lorsque je me suis exécutée, il m'a dit :

– Sers-moi aussi un verre.

Il a repoussé son assiette et n'a gardé que le vin
devant lui. Il mâchonnait un morceau de pain. Les
miettes qui tombaient sur la table, il les ramassait
en les écrasant de son index et les portait également à sa bouche.

– J'ai exploré le delta du fleuve Parana, qui est
un affluent du Rio de la Plata. Bien des cours d'eau
et des canaux se croisent à cet endroit et découpent
la terre en petites parcelles verdoyantes dont certaines sont habitées et d'autres pas. J'ai dû attendre
un long moment l'un des bacs qui desservent ce
labyrinthe. La physionomie des gens changeait
dès qu'ils montaient à bord, elle se faisait plus
insouciante, comme s'ils oubliaient instantanément leurs préoccupations. Certaines personnes
âgées ont même souri lorsque nous avons appa-
reillé. Était-ce le doux balancement du bateau qui
les amusait ? « Ils ont encore envie de jouer », ai-je
pensé.

Son regard s'est fixé de nouveau sur les boulettes. J'ai débarrassé tous les plats de la table.

– Les Guaranis, l'une des quinze tribus indiennes vivant en Argentine, appellent l'eau *i*.

Pour la deuxième fois, j'ai exprimé ma surprise en répétant ses paroles.

– C'est moins étrange qu'il n'y paraît. Ne l'appelle-t-on pas *o* en français ? Les Bourguignons disaient autrefois *iau*, « Je n'aime pas l'*iau* »... J'ai été renseigné par un professeur de l'université de Buenos Aires, José Luis Aguilar, qui dirige le Fonds pour les langues indiennes. Il m'a offert un dictionnaire espagnol-maka. Le maka est essentiellement parlé au Paraguay par une tribu d'un millier de personnes environ. Je le feuillette de temps en temps, bien que je ne connaisse ni l'une ni l'autre de ces langues. J'ai tout de même repéré le mot « eau », qui se dit *iveli* en maka.

» José Luis voulait savoir si nous avions emprunté beaucoup de mots au turc. Je lui en ai indiqué quelques-uns, comme *kitapi*, « le cahier », il m'a assuré qu'il s'agit d'un terme arabe qui est probablement arrivé en Turquie porté par l'expansion de l'islam. Nous avons parlé des mots qui voyagent, qui font le tour du monde et que plus personne ne reconnaît lorsqu'ils reviennent chez eux après bien des années. Je lui ai avoué qu'il m'arrivait de me sentir en Grèce comme un mot intraduisible.

– Est-ce que tu as la même sensation ici ?

Il a haussé les épaules, comme s'il ne le savait pas très bien ou comme si ce qu'il éprouvait en France lui importait moins.

– Je me suis résigné à l'idée que mes confrères ne prononceront jamais correctement mon nom, qu'ils m'appelleront toujours Miltiade… Ces derniers temps, je m'amuse à rédiger des phrases composées exclusivement de mots venus d'ailleurs. « *Effrayé par la guerre, le maréchal félon abandonne son étendard, son arquebuse et sa hache, et s'épanouit au bordel du marquis normand.* » Tous ces termes sont des emprunts faits aux langues germaniques, qui appartiennent à la famille indo-européenne. Tu veux entendre quelques mots d'origine arabe ? « *Quand il a le cafard, le caïd des mafieux sirote de l'alcool d'abricot en se massant la nuque.* » J'ai noté dans un cahier d'autres phrases du même genre, qui rendent hommage à l'italien, à l'anglais ou au grec. J'imagine qu'il serait relativement facile de composer un texte français uniquement avec des mots étrangers.

– Tu es las de la France ? ai-je insisté.

– Ma vie me fait l'effet d'une construction que j'ai bâtie à grand-peine et qui pourrait s'effondrer en un clin d'œil. J'ai peur d'oublier le français d'un moment à l'autre. Nous ne connaissions pas cette langue quand nous étions enfants, nous n'avons jamais joué en français. Il ne m'est jamais arrivé à Paris de casser un réverbère avec un lance-pierres. Quel était le premier mot français que nous avons appris ?

Il m'est revenu en mémoire que le livre que nous étudiions à l'Institut français avait une couverture brochée de couleur bleue.

– C'est vrai, a-t-il dit. Nous le connaissions par le nom de son auteur, un certain Mauger. «Ouvrez le Mauger à la page 5», nous disait le professeur. Les premières pages représentaient des objets que nous devions apprendre à nommer. Je crois bien qu'ils étaient introduits par la question « *Qu'est-ce que c'est ?* ».

– C'étaient sans doute des objets usuels.

– Sûrement, mais quel était le premier d'entre eux ?

– Une brosse à dents ?

– Certainement pas ! Si cela avait été une brosse à dents je ne l'aurais pas oublié !

Nous avons regagné la chambre à coucher, nous avons trébuché tous les deux sur la marche formée par la partie surélevée du plancher. Il s'est servi d'un tabouret pour accéder à son lit. Alors que je le poussais par-derrière de toutes mes forces, il s'est fâché :

– Qui t'a demandé de me pousser ?

À peine couché, il a fermé les yeux. Il ne les a pas ouverts quand je lui ai soulevé la tête pour installer le tube respiratoire, il m'a cependant dit :

– Je suis content que tu sois là.

J'ai obscurci la pièce en tirant les doubles-rideaux. Pendant que je repliais la couverture qui était restée devant le fauteuil, mon regard s'est

arrêté sur le livre consacré à l'homme de Neandertal. Il était illustré du portrait d'un enfant aux
yeux vifs, au front court et au menton fuyant.
Savait-il parler, ce jeune homme ? À en juger par
son expression, il savait, probablement. J'ai
emporté le livre dans ma chambre mais je n'ai lu
que la dédicace manuscrite de l'auteur, Marylène
Préaud : « *À mon cher Miltiade, qui m'a écoutée
avec tant de patience et de compréhension au
Repaire de Michèle.* » Au rez-de-chaussée de
l'immeuble où se trouve le studio de mon frère,
il y a un restaurant qui s'appelle Le Repaire de
Michèle.

J'ai si bien dormi que j'ai eu du mal à me
réveiller complètement. Je me suis d'abord
demandé où j'étais. Sur la planche à repasser il y
avait un vase avec des fleurs que je n'avais pas
remarqué auparavant. L'Africaine aux formes
généreuses a accentué ma confusion. Alors que je
la regardais, les cloches de Saint-Augustin ont
retenti tristement. « Les cloches sonnent différemment en Grèce. » Ce n'est qu'en découvrant mon
sac de voyage que j'ai retrouvé mes esprits. Je me
suis levée aussitôt, comme si j'avais entendu la
voix de mon frère, et j'ai constaté, non sans surprise, que je m'étais endormie avec mes chaussures.

Miltiadis était exactement dans la position où je
l'avais laissé, mais ses yeux étaient ouverts.

– Je ne peux pas me lever seul, a-t-il admis.

– Que fais-tu quand tu as besoin d'Audrey ?

Il m'a montré un interrupteur à l'extrémité d'un fil attaché aux barreaux du lit.

– Tu es sûr que tu as envie de te lever ?

– Absolument, a-t-il dit sèchement.

Dès que nous avons repris nos places, lui dans le fauteuil et moi sur le coussin, une forte pluie s'est mise à tomber qui frappait les vitres de plein fouet. Pas un instant mon frère n'a regardé vers la fenêtre. « Ce qui se passe au-dehors ne l'intéresse plus. »

– Comment vas-tu, toi ? m'a-t-il interrogée.

– Pour ce qui est de ma santé, ça va à peu près.

– Je ne parle pas de ta santé. Tu le vois encore, Panayiotis ?

– Je ne supporte plus de l'entendre parler de sa femme, de ses enfants et de la situation politique. Il me fait immanquablement un exposé complet des nouvelles qu'il a lues dans les journaux du matin. Lorsqu'il a terminé, il me demande quelle est ton opinion à toi sur l'état de la France. « Qu'est-ce qu'il en pense, Miltiadis, de Sarkozy ? » veut-il savoir.

Paradoxalement, mon frère s'est aussitôt emparé de cette question. On aurait dit que le fantôme de Panayiotis avait brusquement surgi dans la chambre.

– Tu lui diras qu'il m'est insupportable, que j'éprouve le besoin d'aérer l'espace après chacune de ses apparitions télévisées... Il a épousé la

73

xénophobie de l'extrême droite et les intérêts du grand patronat. Les seuls malheurs qui le touchent véritablement sont ceux des riches. La France s'est dotée d'un président qui ne lui ressemble pas, qui ignore sa tradition humaniste, son caractère cosmopolite et ses luttes sociales. Le fait que sa grand-mère ou son grand-père ait vécu à Thessalonique ne me le rend en rien plus sympathique. Même son nom m'importune quand je le vois imprimé dans le journal. Il commence comme des mots exécrables tels que sarcasme, sarcome ou sarcophage.

Sa voix se faisait de plus en plus âpre. Il était en colère. J'ai espéré qu'il en avait terminé avec Sarkozy mais, hélas, après avoir bu un peu d'eau comme le font tous les conférenciers, il a poursuivi avec la même intensité :

— Je lisais récemment que l'on a retiré sa carte de séjour à une Africaine sous prétexte que son mari, qui était français, venait de décéder. Elle avait eu des enfants avec lui. Eh bien, on l'a renvoyée dans son pays. Cela donne une idée du travail accompli par le ministère de l'Immigration et de l'Identité nationale créé par Sarkozy. Ignore-t-il, cet homme, que les deux tiers de ses compatriotes sont d'origine étrangère ? que la grande conteuse de France, la comtesse de Ségur, était russe ? qu'Alexandre Dumas était le fils d'une métisse de Saint-Domingue ? Il ne fait pas de doute que les Français aiment le vin, ce sont les Grecs cependant qui leur ont appris à cultiver la vigne. Il me serait bien plus difficile de décrire les Français, que je fréquente depuis quarante ans, que les Argentins, que je n'ai côtoyés que pendant dix jours.

– Tu as rencontré ton amie en Argentine ?

Il a ébauché un sourire.

– Oui.

Notre conversation a été interrompue, d'abord par Audrey, qui nous a prévenus qu'elle allait sortir, ensuite par Théano. Audrey portait un imperméable peu élégant, sans ceinture, boutonné jusqu'au cou, et des gants rouges. J'ai pensé qu'elle avait opté pour cette couleur afin de rendre bien visibles les gestes qu'elle accomplit en parlant. Mon frère lui a conseillé de prendre un parapluie : il a évoqué cet objet en posant ses poings l'un sur l'autre puis en les détachant brusquement. « Il sait donc qu'il pleut. »

– Trois après-midi par semaine, elle travaille avec la troupe de l'International Visual Theatre, dans le 9e arrondissement. Il a été fondé par un Américain, Alfredo Corrado, il y a trente ans. C'est une comédienne sourde, Emmanuelle Laborit, qui le dirige actuellement. Elle a reçu un prix pour son interprétation dans un film. J'ai assisté en septembre à la présentation du programme de son école, j'ai pu suivre ainsi, pour la première fois, tout un discours en langue des signes. Laborit était seule sur la scène du théâtre. Les signes qu'elle faisait étaient traduits par une interprète assise au premier rang, qui tenait un micro. Mais elle gesticulait avec une telle fougue que l'autre peinait à la suivre. Elle agitait les mains avec l'habileté d'un prestidigitateur. Elle sortait des mots silencieux de chapeaux invisibles. Elle ne parlait pas d'ailleurs qu'avec les mains : son visage changeait constamment d'expression, éclairait chaque facette de son propos. Elle s'exprimait aussi avec son nez, avec ses yeux et avec sa bouche, qui n'a pourtant prononcé aucun mot. Elle m'a rappelé les actrices du cinéma muet. C'était un plaisir de la voir, d'autant plus grand qu'elle est de surcroît très belle... Elle nous a annoncé, entre autres choses, qu'elle allait monter *Antigone* de Sophocle dans une version pour sourds établie par un de ses collaborateurs. C'est dans cette pièce que se produira Audrey, elle fera partie du chœur.

Au fond de ma mémoire ont résonné de nouveau les rires et les cris qui avaient fusé dans la classe lorsque le proviseur du lycée, M. Véronis, nous avait révélé ce passage d'*Antigone* où il est question de l'amour, qui est, selon le poète, « *invincible au combat* ». Comme notre émoi durait, cet homme doux et courtois avait été obligé de crier : « Fermez-la ! » Sophocle et Véronis sont depuis lors intimement associés dans ma mémoire, un peu comme si la colère du second faisait partie du drame écrit par le premier. Je n'ai pas pu demander à mon frère si le rôle d'Antigone serait interprété par Laborit elle-même, car Théano se tenait dans l'ouverture de la porte, un sac plastique à la main. Elle m'a prise dans ses bras sans me laisser le temps de me lever.

– Tu arrives d'Athènes ? m'a-t-elle demandé en français.

Après avoir embrassé son père, elle a vidé son sac sur le tapis qui occupait l'espace entre Miltiadis et moi : il était plein de DVD de James Bond.

– Tu n'ignores pas, j'imagine, que papa est un fan de l'agent secret 007 ?

Elle parle assez bien le grec. Quand elle était plus jeune elle suivait les cours dispensés par la Communauté grecque de Paris, mais ces derniers temps elle ne s'adresse à ses parents qu'en français.

– Elle tient à nous rappeler que le français n'est plus une langue étrangère pour nous, elle nous oblige à regarder les choses en face, ai-je entendu Miltiadis déclarer un jour à sa femme.

– Le grec n'en est pas moins sa langue maternelle, a rétorqué celle-ci.

– Tu te trompes. Ses amies d'enfance étaient françaises, elle a fait toute sa scolarité en français, elle a toujours vécu dans un quartier français. Ce n'est pas la mère qui transmet la langue maternelle, mais le quartier.

Ils sont tous les deux convaincus que Théano a besoin de se détacher définitivement d'eux. Le fait est qu'elle leur adresse des critiques cinglantes, qu'elle tient pour erronées toutes les décisions qu'ils ont prises à son sujet, elle reproche à sa mère sa tendresse et à son père sa froideur. Elle attribue aux erreurs de ses parents son indétermination.

77

Elle a fait des études de théâtre mais n'a exercé qu'occasionnellement le métier de comédienne. Elle a touché au journalisme, a assuré les relations publiques d'une maison de production, elle a aussi travaillé comme ouvreuse dans un théâtre. À présent elle gagne sa vie en doublant des films étrangers.

Elle a retiré son bonnet noir, libérant ainsi son épaisse chevelure châtain qui est tombée sur ses épaules et lui a caché la moitié du visage. Je me suis souvenue que ma mère aimait lui tresser les cheveux en nattes et attacher au bout de celles-ci de jolis rubans. Elle a posé son bonnet sur le radiateur.

– Je t'ai apporté tous les films avec Sean Connery, a-t-elle dit à son père.

– Il n'y en a qu'un que je n'ai pas vu, *Les diamants sont éternels*. J'étais en Afrique lorsqu'il est sorti.

– Tu ne veux pas le voir ?

Elle a quitté la chambre prestement.

– Tu as vraiment envie de voir ce film ? me suis-je étonnée.

– Pourquoi pas ?

Il considérait le plancher d'un air songeur.

– Je n'arrive plus à communiquer avec Théano, a-t-il reconnu. Je me réjouis de la voir, il est rare cependant que ses visites ne débouchent pas sur des disputes. Elle nous juge continuellement, je trouve qu'elle perd son temps, qu'elle nous accorde trop d'importance, mais elle ne supporte pas la moindre critique. Sa liaison avec Patrick l'a rendue encore plus irritable.

Miltiadis m'avait informée que Patrick était de vingt-cinq ans l'aîné de Théano, qu'il avait une cinquantaine d'années en somme, et qu'il se considérait comme un grand comédien malgré le fait qu'il ne comptait aucun succès à son actif. Il faisait lui aussi de la postsynchronisation, notamment de productions américaines et de dessins animés. Il n'était pas connu mais sa voix, elle, l'était. C'était la voix française de Bugs Bunny. Miltiadis et Aliki avaient dîné un soir avec lui et l'avaient trouvé insupportable. Il avait monopolisé la parole, tantôt en leur contant ses déboires et tantôt en médisant de personnes qui leur étaient parfaitement inconnues. Cette rencontre ne les avait pas aidés à comprendre le choix de leur fille.

Théano a apporté l'ordinateur portable de son père et un projecteur, a posé les deux appareils sur une petite table et les a branchés. Un grand rectangle lumineux est apparu sur le mur opposé, de l'autre côté du lit, à l'endroit où était accrochée une icône. Elle représentait saint Georges sur son cheval, plantant sa lance dans la gueule d'un dragon doté d'une queue en spirale. La lumière a donné vie à cette scène qui était certainement une bonne introduction au film qui allait suivre.

Après avoir décroché l'icône, Théano m'a expliqué le fonctionnement des appareils, en particulier celui du petit tiroir où je devais placer le disque. Le projecteur était resté allumé. J'ai vu mon ombre se découper sur l'écran, une ombre un peu voûtée aux cheveux ébouriffés.

– Qu'est-ce que tu feras à Noël ? lui a demandé son père.

– Patrick voudrait qu'on aille à Figeac voir son fils.

Je savais cela aussi, que Patrick avait un fils à peine plus jeune que Théano, et qu'il était l'entraîneur d'une équipe de football.

– Tu écris quelque chose en ce moment ? l'a-t-il encore interrogée.

Elle avait toujours écrit, depuis qu'elle était toute petite. Ses textes témoignaient d'une vive imagination. Est-ce quelque chose qui se perd avec le temps, l'imagination ?

– Je tiens un journal que j'ai commencé l'an passé, à peu près vers cette époque.

Elle était debout devant la fenêtre. Il ne pleuvait plus. La nuit était venue, cependant les vitres étincelaient sous le double effet des lumières de la ville et de celles de la chambre.

– Je ne compte pas devenir écrivain, ne te fais pas d'illusions, a-t-elle continué posément. Chacune des phrases que je note me confirme que je n'ai pas de talent. Si je devais écrire, je l'aurais déjà fait.

– Je te signale qu'Henri-Pierre Roché a publié son premier roman, *Jules et Jim*, à soixante-quatorze ans !

– J'ai tout mon temps alors !

– Est-ce que tu te rappelles le premier trajet que tu as fait en métro ? Tu avais trouvé fort sympathiques les passagers qui nous entouraient et tu avais été contrariée en en voyant certains descendre à l'arrêt. Après trois ou quatre stations tu t'étais mise à pleurer car tu avais deviné que le wagon allait peu à peu se vider.

Elle n'a rien dit. Elle avait le regard éteint, comme si elle pensait à autre chose. Elle a récupéré son bonnet.

– Je dois y aller, Patrick m'attend dans la voiture.

J'ai imaginé son ami dans une vieille Skoda, vidant les poches de sa veste des brins divers qui s'accumulent là.

– James Bond a marqué mes premières années en France, a dit Miltiadis alors que je déclenchais la projection. Je me distrayais très peu, mais je voyais chacun de ses films qui sortaient en général à Noël. C'était l'unique cadeau que je me faisais.

J'avais éteint toutes les lumières, la chambre n'était éclairée que par l'écran. Une main armée d'un pistolet est sortie d'une fosse remplie de boue. James Bond ayant tout de suite aperçu le danger a actionné un mécanisme qui a déversé une tonne de boue supplémentaire sur l'individu au pistolet. Voilà comment Bond a éliminé d'emblée Blofeld, son ennemi. Un peu plus tard nous avons appris que ce Blofeld, qui n'était en réalité pas mort, s'appelait Stavros.

– C'était le prénom de Niarchos, l'armateur grec qui avait tué sa femme, a dit Miltiadis.

– Elle n'était pas la première épouse d'Onassis ?

– Tais-toi s'il te plaît.

Il suivait l'histoire avec la même ferveur qu'il manifestait enfant au cinéma. Déjà à l'époque ma présence le dérangeait, il ne voulait pas m'emmener avec lui. Quand il cédait aux pressions de notre mère, il me faisait jurer que je ne parlerais pas pendant la séance, que je garderais le silence. On appelait *moko* le silence à l'époque. C'est un mot d'argot qui n'a plus cours aujourd'hui, qui a perdu sa voix. Combien de temps vit en moyenne un mot ? Je me suis posé cette question lorsque l'hélicoptère a explosé en plein vol, illuminant le ciel nocturne. Les diamants étaient désormais en possession de deux affreux personnages, un gros et un petit à moustache. Je n'ai pas tardé à deviner qu'ils étaient homosexuels. « C'est le gros qui joue le rôle de la femme, ai-je pensé. C'est lui qui prépare les plats, qui fait les courses au marché. » Auparavant, le petit avait glissé un scorpion dans la chemise de l'homme qui lui avait remis les diamants. « Personne ne mourra de mort naturelle », ai-je présumé.

Malheureusement, je n'ai pas la faculté de me concentrer longtemps sur une histoire. Mon esprit aspire à recouvrer sa liberté. Il recherche dans l'histoire même des issues qui lui permettront de s'échapper. Monsieur Q, le concepteur génial des accessoires de Bond, m'a rappelé le mari de Margarita qui est mort il y a deux ans en tombant d'un aqueduc romain dans la banlieue de Sienne. Il était journaliste, il avait fait jadis une interview de Miltiadis.

Je me tournais régulièrement vers mon frère. Il n'y avait plus la moindre trace de tension sur son visage. Les couleurs vives du film atténuaient la pâleur de son teint, le faisaient paraître plus jeune. J'ai songé que s'il avait été vraiment tourmenté par son état de santé, il ne se serait pas laissé divertir aussi facilement. J'ai réalisé que j'avais commencé à perdre le fil de l'histoire lorsque j'ai vu flotter sur un canal d'Amsterdam une vieille dame que nous avions déjà aperçue en Afrique du Sud. Le cercueil de plomb dans lequel le mari de Margarita avait été rapatrié en Grèce, je l'ai retrouvé à l'aéroport d'Amsterdam puis à Los Angeles. Le mort, que je n'ai pas réussi à identifier, a fini dans un four d'incinération, au milieu des flammes. Je n'ai pas pu supporter cette image et je me suis réfugiée dans la salle de bains. La machine qui approvisionnait mon frère en oxygène produisait un bourdonnement intermittent comme si elle avait, elle aussi, des problèmes respiratoires. J'ai humé les flacons de parfums qui étaient alignés sur le marbre du lavabo et je suis retournée dans la chambre en espérant que la crémation aurait pris fin. J'ai constaté avec écœurement que le four était toujours allumé et que les flammes menaçaient cette fois-ci James Bond ! Mais son supplice a été de courte durée.

– Les diamants découverts dans les cendres du mort étaient des faux, m'a avertie mon frère.

L'amie de Bond, une beauté, s'est emparée d'une carabine au stand de tir d'une fête foraine. Elle a raté sa cible, le gérant du pavillon lui a quand même offert un petit chien en peluche aux oreilles tombantes.

– Les diamants sont dans le petit chien, a dit Miltiadis.

Il m'a semblé qu'il avait envie de bavarder.

– Pourquoi l'inventeur s'appelle-t-il Q ?

– Parce qu'il est très intelligent, je suppose. La lettre *q* renvoie à son quotient intellectuel.

– Tu n'as pas un peu faim ?

Il ne m'a pas répondu. Bond venait de pénétrer dans l'immense bureau de Blofeld où l'attendaient deux hommes absolument identiques. L'homme enseveli dans la boue n'était donc qu'un sosie de plus du malfaiteur. Mais lequel des deux lascars était le véritable Blofeld ?

– Il n'a qu'à leur parler en grec, ai-je suggéré. Seul Stavros le comprendra.

– Et depuis quand James Bond connaît-il le grec ?

Une belle chatte blanche assistait à cette scène cruciale. Bond surveillait ses mouvements, convaincu qu'elle irait se blottir sur les genoux du vrai Blofeld. Mais alors qu'elle s'approchait de l'un des individus, une deuxième chatte a fait son apparition et s'est dirigée vers l'autre. Mon frère était aux anges.

Audrey est rentrée au moment où Blofeld était sur le point d'anéantir une ville des États-Unis par le biais d'une antenne parabolique qu'il avait envoyée dans l'espace sertie des fameux diamants. Peu après, la jeune fille a apporté à mon frère deux yaourts sur un plateau. Son incursion ne l'a pas dérangé.

– Tous les films de Bond se terminent par une confrontation générale plutôt ennuyeuse.

Le clash a eu lieu cette fois-ci sur une plate-forme pétrolière, au milieu de la mer. Le gros et le petit à moustache ont refait surface, ce en quoi ils ont eu tort car Bond leur a définitivement réglé leur compte.

Je me sentais exténuée comme si j'avais pris part aux tribulations de l'agent secret. Alors que je lui souhaitais une bonne nuit, mon frère m'a dit, un peu comme on confie un secret :

– J'ai presque autant de mal à me faire comprendre de Théano que d'Audrey… Nous ne parlons plus la même langue… N'oublie pas de laisser la lumière du couloir allumée.

J'ai pris une douche et me suis écroulée sur le canapé. J'ai de nouveau tenté de commencer le livre sur l'homme de Neandertal, mais mes yeux se sont fermés aussitôt après avoir lu la première phrase qui, je l'avoue, n'a pas éveillé ma curiosité : « *Chacun de nous recherche ses racines.* »

J'étais sûre que le sommeil me gagnerait tout

de suite, mais je me suis trompée. J'ai imaginé que Sarkozy avait d'innombrables sosies et que la France ne parviendrait jamais à se débarrasser de lui. Les gestes qu'avait faits Audrey pour rendre la pensée de Descartes me sont revenus un à un à l'esprit. J'ai aperçu une chatte blanche sur un îlot de la taille d'un radeau, que le cours impétueux du fleuve Parana entraînait vers le large. À deux heures vingt du matin je suis allée, en marchant sur la pointe des pieds, jusqu'à la chambre à coucher pour m'assurer que mon frère dormait paisiblement. Alors que je traversais le couloir en sens inverse, je me suis arrêtée un instant devant la porte ouverte d'Audrey. Elle respirait plus bruyamment que Miltiadis. Elle était couchée sur le dos. J'ai vu ses deux mains se dresser et accomplir quelques mouvements. Je me suis vite remise de mon étonnement. « Elle parle dans son sommeil, comme tout le monde, ai-je songé. Les personnes dont rêve Audrey font partie du même monde qu'elle. Il est naturel qu'elle leur parle avec ses mains. » C'est ainsi que j'ai découvert que les sourds rêvent dans leur langue.

4

Dimanche, 13 janvier. L'appartement a été nettoyé de fond en comble, il « étincelle », comme
aurait dit ma mère. Il me paraît plus silencieux
qu'avant, peut-être parce que Stella a fait disparaître les menus objets qui traînaient et qui tous,
fatalement, me rappelaient un souvenir. Elle est
persuadée qu'il existe pour chaque chose une
place meilleure que celle où elle se trouve. J'ai eu
toutes les peines du monde à la convaincre de laisser le lance-pierres sur le rayon de la bibliothèque,
à côté des photos de mes parents. Ce qu'elle ne
peut cacher, elle le déplace, toujours à la recherche
du lieu idéal. Je suis obligée de la surveiller de près
car elle n'aime pas seulement ranger, mais aussi
jeter. Elle se réjouit quand elle met la main sur des
aliments ou des médicaments périmés. Il s'en est
fallu de peu, avant-hier, qu'elle ne me débarrasse
de la bûche d'Argentine et du numéro du *Monde*.

Elle m'a présenté ses condoléances de façon quelque peu guindée, en me serrant la main.

– Longue vie à vous, m'a-t-elle dit, selon la formule rituelle.

Elle ne s'est plus approchée de moi par la suite, comme si elle craignait d'être contaminée. «Elle assimile la mort aux maladies contagieuses», ai-je pensé. Alors que d'habitude elle fait une longue pause à midi et me raconte ses ennuis en buvant de la bière – son fils, le petit Manolis, Manolakis comme elle l'appelle, présente une défaillance chromosomique, on ne l'accepte pas à l'école –, elle n'a pas interrompu son travail vendredi et elle est partie une heure plus tôt. Sa mine s'est assombrie encore un peu plus lorsque j'ai ajouté à la liste des courses un paquet de cigarettes.

– Vous n'allez pas vous mettre à fumer, madame ?

– Qui sait ? lui ai-je répondu gaiement.

Elle m'a acheté un paquet d'Assos filtre, les cigarettes que fume son mari. Je ne l'ai pas encore ouvert, j'ai juste lu l'avertissement du ministère de la Santé : « *Fumer pendant la grossesse peut nuire à la santé de votre enfant.* » Je l'ai posé à côté du cendrier.

Aliki m'a appris hier que j'avais oublié à Paris une paire de bottes noires. Ce sont les bottes que je portais à l'enterrement.

– Qu'est-ce que tu fais donc à Athènes ? m'a-t-elle questionnée.

– Il faut bien que quelqu'un reçoive les condoléances des amis que nous avons ici.

Je lui ai donné les noms de ceux qui avaient téléphoné, sans omettre celui d'Euthymiadis. Elle s'est emportée à son tour.

– Dieu le châtiera, a-t-elle dit.

« Aucun dieu ne le châtiera. Il vivra sa vie jusqu'au bout et mourra paisiblement dans son lit. » Il n'est pas vrai que je reste ici pour prendre note des messages de sympathie : je pourrais aussi bien les écouter depuis Paris. L'absence de mon frère me pèse moins à Athènes où il n'était que rarement présent. Cet appartement me rappelle le jeune homme qu'il a été. C'est ici qu'il nous a annoncé un dimanche qu'il ne voulait plus que nous l'appelions par le diminutif de Miltos, comme nous l'avions toujours fait. Il venait d'entrer à la fac. Il est arrivé en retard pour le déjeuner mais il ne s'est pas assis tout de suite : il est resté debout derrière sa chaise en tenant son dossier des deux mains. C'est dans cette position qu'il nous a déclaré avec solennité :

– Mon nom est Miltiadis et c'est ainsi que je vous prie de m'appeler à l'avenir.

Malgré le caractère saugrenu de la scène, nous n'avons pas ri. Ma mère avait l'air de méditer profondément. Au bout d'un moment, elle lui a dit :

– C'est bien, Miltiadis. Assieds-toi.

Que signifie Miltiadis ? Voilà une question que je n'ai jamais songé à lui poser. Je sais simplement que c'était le nom du général qui a vaincu les

Perses à Marathon. Je suppose que je trouverai chez mon frère, à Paris, un dictionnaire étymologique de la langue grecque. Je dois dorénavant apprendre à déchiffrer seule les énigmes.

Il me semble que je commence moi aussi à aimer les mots. J'ai le sentiment qu'ils me comprennent, qu'ils comprennent même davantage que je ne leur en dis, comme les bons psychanalystes. Ils sont à l'évidence plus intelligents que moi. Ils décrivent des cercles autour des événements, ils m'obligent à les voir sous un nouveau jour, ils restituent à chacun le mystère qui lui revient. Il y a quelques jours, j'ai observé à travers le store de la porte-fenêtre un oiseau assis sur une branche de l'olivier que j'ai planté dans un tonneau. Il s'est envolé soudainement, a effectué un grand tour dans le ciel, puis il a regagné l'arbuste et s'est posé exactement sur la branche où il était auparavant. « Les mots sont des oiseaux qui reviennent toujours à leur point de départ », ai-je pensé.

Quand nous étions enfants, l'une des occupations favorites de Miltiadis était de me battre. Il me poursuivait armé du parapluie de mon père, qu'il tenait par son embout et dont il utilisait le manche pour m'attraper les pieds. Un jour où j'avais réussi à lui donner un coup de pied, il m'avait enlevé une chaussure et l'avait jetée par la fenêtre. Le défaut de sa cuirasse était son nez, qui saignait régulièrement. Le sang le terrifiait, il se couchait immédiatement sur le dos et me demandait d'appuyer sur l'arête de son nez. Il me promettait qu'il ne me persécuterait plus.

– Je te le jure sur tout ce que j'ai de plus sacré, me disait-il.

Je n'ai pas l'intention de mettre son portrait sous verre comme je l'ai fait pour les photos de nos parents. Cet appartement ne l'a pas vu vieillir ni tomber malade. Il n'y a aucune raison pour qu'il apprenne qu'il ne vit plus.

Je pense partir dimanche prochain. Ce sera mon troisième voyage à Paris en moins d'un mois. Cela m'ennuie de devoir interrompre l'isolement que je me suis imposé et d'être à nouveau confrontée à l'agitation de l'aéroport. C'est là que je fumerai peut-être ma première cigarette. Je prendrai le paquet avec moi, et aussi le bloc de correspondance dans lequel j'écris. J'espère avoir achevé d'ici là le récit de mes deux précédents voyages. « Je raconte l'histoire d'une femme qui a commencé à fumer à un âge avancé. »

Je me suis sentie merveilleusement bien, le dimanche 23 décembre, lorsque Audrey m'a apporté mon petit-déjeuner. Une fois installée le plus confortablement possible, le dos appuyé contre le bras du canapé, j'ai disposé le plateau de cuivre sur mes jambes. Il y avait là un bol de café, une petite casserole à col étroit contenant du lait chaud, un morceau de baguette ouvert en deux comme un livre, du beurre salé de Bretagne et un pot de confiture de griottes. J'ai supposé qu'Audrey avait reçu des consignes d'Aliki, qui connaît mon goût pour ce beurre et pour cette confiture. Au fond du plateau était gravée l'élégante silhouette de la déesse Isis. Au-dessus de son épaisse chevelure se dressaient deux grandes cornes, non moins gracieuses, qui enserraient le soleil. Les cloches de l'église voisine ont sonné de façon moins sinistre que la veille.

Miltiadis n'était pas dans sa chambre. Le lit était fait et l'icône de saint Georges avait repris sa place. J'ai appelé :

– Miltiadis !

Je l'ai trouvé assis comme un pacha sur le canapé du salon. Il avait toujours le plaid vert olive sur les genoux. Il m'a montré une nouvelle fois ses pieds qui s'étaient légèrement dégonflés.

– Je suis allé cinq fois aux toilettes cette nuit ! m'a-t-il annoncé, radieux.

Le papier d'emballage rouge constellé d'étoiles dorées qui était jeté par terre m'a intriguée. C'est alors seulement que j'ai remarqué le gros volume sur le canapé.

– Ne me dis pas que tu as fouillé dans mes affaires !

– Je ne les ai pas fouillées, mais il est vrai que j'ai pris ce volume dans ton sac. Je l'ai vu en entrant dans ta chambre pendant que tu dormais. J'ai deviné que tu l'avais apporté pour moi... Tu as fait un très bon choix. Il existe une autre histoire de la langue grecque, mais elle est d'inspiration idéologique. Elle cultive l'idée que le peuple grec est incomparable.

Audrey a traversé le salon en portant une double échelle qu'elle a installée devant le sapin. Il était posé sur une petite table ovale, au fond de la pièce. Elle a effectué d'autres trajets, sans nous prêter la moindre attention, chargée de boîtes qui débordaient de décorations, de boules, de guirlandes. L'une d'elles lui a échappé des mains, dispersant sur le tapis quelques santons, la Vierge, l'Enfant Jésus, un Roi mage, un âne. Elle nous a regardés d'un air affolé, mais nous n'avions pas bien sûr l'intention de la gronder. J'ai ramassé l'âne, qui était tout noir, harnaché d'une selle marron, et je le lui ai rendu.

— On peut dire beaucoup de choses par ces gestes simples que nous utilisons tous, comme le haussement des épaules ou le poing levé, a dit Miltiadis. Ils n'ont rien de commun avec la langue des signes, sauf qu'ils varient eux aussi d'un pays à l'autre. Un Américain dira *O.K.* en formant la lettre *o* avec le pouce et l'index, geste qui passe pour une grave insulte chez les Arabes.

Il s'est penché sur le livre ouvert et a indiqué un passage du doigt.

— Ici sont mentionnés quelques-uns des gestes des anciens Grecs. Ils embrassaient les êtres chers sur la tête, sur les épaules, sur les mains, mais pas sur les joues. Lorsqu'ils se mettaient en colère, ils se frappaient les cuisses du plat de la main. Ils exprimaient le refus comme nous continuons à le faire, en rejetant la tête en arrière. Les Français disent la même chose en la secouant de gauche à droite et de droite à gauche.

– Je me rappelle que papa se caressait longuement les cuisses d'avant en arrière.

– Il faisait cela quand il était vaguement soucieux, sans trop savoir ce qui le préoccupait.

– Est-ce que l'homme de Neandertal s'exprimait par gestes ?

– J'ai remarqué que tu as pris dans ta chambre le livre de mon amie Marylène Préaud. Je ne peux pas te répondre car je ne l'ai pas lu. Sur l'une des façades de l'Institut de paléontologie figure un bas-relief qui le représente au milieu d'un groupe de chimpanzés. Marylène pense qu'il était beaucoup plus évolué que nous ne le croyions jusqu'à présent. Elle a de la sympathie pour lui, peut-être parce qu'il fut le premier habitant du continent européen. Le crâne qui a été exhumé en Grèce du Nord, à Pétralona, appartient à l'un de ses ancêtres qui a vécu il y a environ deux cent mille ans. J'aimerais bien savoir quand les hommes ont commencé à parler, à quel moment de leur évolution les moyens de communication plus rudimentaires dont ils disposaient jusque-là ont cessé de leur suffire. Quelle nécessité les a donc poussés à faire ce grand pas que constitue le premier mot ? Qu'ont-ils dit, lorsqu'ils ont enfin parlé ?

Une poussière dorée, qui provenait sans doute des boîtes transportées par Audrey, était disséminée sur le tapis et sur la couverture de Miltiadis.

Tantôt elle brillait vivement et tantôt elle devenait invisible.

– Nous n'en avons pas la moindre idée, n'est-ce pas ?

– J'aimerais bien savoir quel a été le premier mot. Je voudrais qu'on me le dise à la fin de ma vie, juste avant que je ferme les yeux. Je partirais ainsi plus tranquille.

– Ce ne serait pas seulement le premier mot, mais aussi le dernier.

Il a paru agréablement surpris, comme s'il me croyait incapable d'une telle réflexion, mais il n'a fait aucun commentaire. Audrey, juchée sur l'échelle, disposait sur la cime de l'arbre une boule rouge surmontée d'une pointe. J'ai songé à ma mère car c'était elle qui décorait l'arbre de Noël. Elle achetait chaque année de nouveaux ornements, elle tenait à faire mieux que l'année d'avant, à nous épater toujours, elle était heureuse quand nous nous exclamions : « Bravo maman ! »

Mon père exprimait sa satisfaction en déposant un baiser sur son front. Elle me rappelait régulièrement, au moment où je plaçais mes chaussures sous l'arbre, que je ne parvenais pas à prononcer le mot *papoutsia*[1] quand j'étais petite, que je disais *tsatsoukia*, un mot de mon invention. Elle ne fabriquait pas de crèche cependant puisque, selon ses informations, la coutume de l'habillage du sapin n'avait aucun rapport avec la naissance du

1. Chaussures.

95

Christ. Je dois ajouter qu'elle n'était pas particulièrement pieuse et qu'elle ne fréquentait guère les églises. Sa foi en Dieu reposait sur un raisonnement simple : elle estimait peu probable que l'univers, qui est si grand, ne soit habité par personne.

– À quoi penses-tu ?

– Je me demande ce que j'ai fait des décorations de Noël que nous avions à la maison.

– Ne cherche pas, ce sont celles qu'Audrey tient dans ses mains ! Si tu les examines de plus près, tu les reconnaîtras. Je les ai dérobées jadis à l'appartement de la rue Lucien, étant sûr que tu n'en ferais rien.

Il m'a semblé superflu de protester car il n'avait pas tort : pas une seule fois au cours de toutes ces années je n'avais songé à décorer un arbre de Noël. L'idée ne m'en serait venue que si j'avais eu des enfants. J'ai préféré ramener la conversation aux balbutiements des hommes d'autrefois.

– Est-il exclu que le premier mot ait été l'un de ceux que nous utilisons encore aujourd'hui ?

– Nous poserons la question à Jean-Christophe Hervouët. Il passera prendre Audrey à midi, il doit la conduire chez ses parents.

J'ai supposé qu'il s'agissait du linguiste qui avait présenté la jeune fille à mon frère.

– À propos du mot *moko*, Andriotis note dans son dictionnaire étymologique que *moccio* signifie en italien « muet ». Dans un film policier de Julien Duvivier, Jean Gabin s'appelle Pépé le Moko, surnom qui constitue d'ailleurs le titre du film.

Moko pourrait bien avoir le sens de « silencieux »
dans ce cas, étant donné que Gabin incarne un
gangster peu prolixe. Mais l'argot français nomme
« Moko » l'habitant de la Provence qui, lui, est
plutôt réputé pour sa faconde... Est-ce que tu as
remarqué que Blofeld cite une maxime de La
Rochefoucauld selon laquelle l'humilité est l'un
des déguisements préférés de l'orgueil ?

– Ce que j'ai remarqué, c'est qu'il faisait très
beau tout au long du film. Un soleil splendide
éclairait tous les paysages.

– Tu as raison, il ne pleut jamais dans les films
de Bond. Je ne l'ai jamais vu tenir un parapluie.

J'ai eu envie d'écouter un peu de musique. Il
m'a indiqué un disque de tango qu'il avait rapporté d'Argentine. La musique ne me manque que
lorsque je suis de bonne humeur. Elle approuve
mon état d'esprit, elle me protège des pensées
funestes, elle me donne des ailes. J'ai trouvé le
disque à côté de la chaîne stéréo, sur le dictionnaire espagnol-maka. La voix douloureuse déver-
sée par les enceintes m'a fait sourire. J'ai imaginé
que le chanteur tenait un mouchoir à la main pour
essuyer ses larmes.

Audrey se tenait toujours sur l'échelle. Brusquement, elle s'est tournée vers nous comme si
elle avait réalisé, avec un certain retard, que nous
avions mis de la musique.

– Elle est extrêmement sensible aux vibrations
des fréquences basses, m'a expliqué Miltiadis. Elle

les perçoit à travers le plancher. Elle écoute d'une certaine façon la musique avec ses pieds.

J'ai imaginé que l'échelle multipliait ces battements, que chaque barreau ajoutait à leur puissance.

– Je n'ai pas réussi à me faire une opinion sur le tango pendant que j'étais en Argentine. Il est surtout populaire parmi les habitants de Buenos Aires, qui se qualifient de *porteños*, peut-être pour éviter d'oublier que leur ville est aussi un port. Ni les *gauchos* ni les Indiens ne dansent le tango. Mais dans la capitale il y a des centaines d'écoles et de boîtes consacrées à cette danse. J'ai rencontré une journaliste qui avait en permanence dans son sac à main une paire de chaussures de danse car elle n'excluait pas que le désir d'esquisser quelques pas puisse la gagner même en pleine rue. De nombreux Argentins, jeunes et vieux, n'envisagent pas de rentrer chez eux après le travail sans avoir dansé un tango. Mais seuls ceux qui connaissent bien les pas, qui ne sont pas faciles, d'où l'existence de tant d'écoles, s'élancent sur la piste. Ils font des demi-tours si brusques que je perdrais sûrement l'équilibre si je m'y essayais. L'habileté dont ils font preuve quand ils jouent au football est due à mon avis à leur pratique du tango. Les *tangueros* ne sourient jamais, ils arborent presque en permanence un air grave, un peu comme s'ils dansaient avec leur destin et craignaient de lui marcher sur les pieds.

» Un midi, alors que je mangeais avec Monica dans le jardin d'un restaurant, sur la fameuse Montagne aux Sept Couleurs, un jeune Indien qui portait un chapeau de cuir à large bord m'a chanté l'hymne de la ville de Jujuy, qui commence par le vers : « *Viva Jujuy, viva la Puna !* » Puna est le nom de la région environnante, c'est ainsi également qu'on appelle le mal des hauteurs. Comme je te l'ai dit, je mâchais en permanence des feuilles de coca pour mieux respirer. On les vend sur les marchés, dans des sachets en plastique. Elles m'ont quand même fait faire un affreux cauchemar : j'ai rêvé que des chats étaient pendus à mes bras et qu'ils m'écharperaient si j'essayais de me débarrasser d'eux.

– Tu as toujours eu peur des chats.

Il a pris conscience qu'il s'était privé depuis un moment de l'oxygène fourni par la machine.

– Tu ne veux pas qu'on aille dans ma chambre ?

Audrey était en train de froisser une feuille de papier kraft qu'elle destinait à la grotte de la Sainte Famille. J'ai songé à éteindre la chaîne stéréo, mais au dernier moment je me suis ravisée et j'ai augmenté le volume de la musique.

Mon frère marchait mieux, il s'appuyait moins sur mes jambes et davantage sur les siennes. J'ai réalisé qu'il m'aurait été bien agréable de l'accompagner en Argentine, en dépit du fait que je n'aime pas non plus énormément la viande et que je ne dois pas abuser du sel. J'étais désolée de ne pas avoir vu la Montagne aux Sept Couleurs.

– Est-ce que Monica a des enfants ?

– Oui, deux filles et un garçon.

– Si je t'avais accompagné, j'aurais gardé les enfants pour vous permettre de sortir le soir.

J'ai vu un ciel piqué d'étoiles au-dessus d'une chaîne d'énormes montagnes. J'ai entendu le vent siffler en dévalant leurs pentes. Nous étions, Miltiadis, Monica et moi, dans une maison en bois sur un versant désert. Il faisait froid. J'ai préparé un potage chaud pour le couple et je me suis char-gée d'entretenir le feu. Je n'ai pas arrêté de mettre des bûches dans le poêle jusqu'au matin où un jour ensoleillé s'est levé. Nous avons pris le café sur la véranda en admirant un condor qui planait haut dans le ciel sans remuer ses ailes.

– Quel temps fait-il en Argentine au mois de novembre ?

– C'est le printemps.

J'ai pensé que mon frère avait vécu un deuxième printemps au cours de la même année.

Après l'avoir aidé à installer le tube respiratoire sous ses narines, je lui ai demandé quelle langue parlait le Christ.

– L'araméen. C'est un des idiomes sémitiques qui ont succédé à l'hébreu ancien. Peut-être avait-il entendu un peu de grec, qui était l'une des langues internationales de son temps. Ponce Pilate connaissait certainement le grec, mais dans quelle langue a-t-il parlé avec le Christ ? Il n'est pas exclu qu'ils aient communiqué par l'intermédiaire d'un interprète, bien que l'intervention de ce dernier ne soit mentionnée nulle part. L'expansion de notre langue a eu pour effet d'accélérer son évolution et de l'éloigner du dialecte attique. L'influence de l'araméen est sensible, par exemple, dans le vocabulaire et la syntaxe du Nouveau Testament. Des mots comme *alléluia*, *amen*, *Pâques*, *samedi* ne sont pas grecs. La répétition fréquente de la conjonction « et », « *et il advint ceci, et il advint cela* », est un élément de la rhétorique sémitique. Il est étrange que le Christ, qui savait écrire, n'ait jamais rien écrit.

Il a inspiré profondément, à plusieurs reprises. J'ai eu peur que mes questions ne l'aient fatigué. Il a cependant continué à parler pendant un bon moment, comme si ses connaissances étaient une charge dont il souhaitait se libérer. La musique parvenait jusqu'à la chambre à coucher. Je percevais en même temps un bruit monotone, une espèce de gargouillement que j'ai attribué un instant à l'appareil qui était dans la salle de bains. Il provenait en réalité d'un pigeon qui se tenait devant la fenêtre. Il avait tourné la tête de telle façon qu'il pouvait regarder dans la pièce. Mon frère l'a vu aussi.

– Le mot *peristeri*[1] est d'origine phénicienne.

J'ai tapé contre la vitre, l'obligeant à partir. Les cheveux de mon frère étaient totalement emmêlés.

1. Pigeon.

– Tu ne veux pas que je te coiffe ?

– Bonne idée.

J'ai utilisé mon propre peigne. Je me suis acquittée de ma tâche avec grand plaisir, en prenant garde de ne lui faire aucun mal. J'ai commencé par l'arrière de sa tête après avoir réussi, non sans difficulté, à me glisser entre le fauteuil et le mur.

– J'aimerais écrire quelque chose de plus personnel que les travaux que j'ai publiés. En suis-je capable ? Comment le savoir puisque je ne me suis jamais essayé à la narration ? Je vais peut-être m'y appliquer maintenant, dès que je me sentirai mieux.

En écartant ses cheveux, j'ai découvert une tache brune, de forme allongée, au sommet de son crâne. L'avait-il déjà aperçue ? J'ai évité de lui poser la question.

– Les Grecs de l'Antiquité estimaient davantage les orateurs, qui étaient capables d'improviser et faisaient preuve d'une grande vivacité d'esprit, que les écrivains qui, eux, ont besoin de beaucoup plus de temps pour mettre leurs idées en ordre.

Lorsque je suis passée devant lui pour refaire sa raie, il m'a dit :

– Ma peau sous mes bras est dans un état pitoyable, elle forme d'innombrables plis. Elle ressemble à celle d'un reptile dont j'oublie le nom… Tu ferais bien d'aller prendre l'air.

J'ai ramassé les cheveux qui s'étaient accrochés au peigne, j'en ai fait une petite boule que j'ai mise dans la poche de mon gilet.

– Tu devrais sortir maintenant, tant qu'Audrey est encore là, a-t-il insisté.

Je n'avais pas la moindre envie de sortir, c'est pourtant ce que j'ai fait. Il m'a demandé de lui acheter *Le Monde* au kiosque qui se trouve sur le carrefour, devant l'église Saint-Augustin.

– D'accord, lui ai-je dit, j'irai jusqu'à Saint-Augustin puis je reviendrai.

Je suis passée par le salon pour signaler à Audrey mon départ. Elle se tenait devant la chaîne stéréo qu'elle considérait avec beaucoup d'attention, un peu à la manière d'un technicien. « Elle essaie de voir la musique », ai-je songé. Mais il n'y avait plus de musique. Le disque était fini.

Les magasins devaient être ouverts car j'ai croisé pas mal de gens sur le boulevard Haussmann où habite mon frère. J'ai resserré l'écharpe autour de mon cou et enfoncé les mains dans les poches de mon manteau. Le soleil qui baignait le trottoir rendait la température supportable. Devant une cave à vins à la devanture rouge bordeaux se dressait un monticule dissimulé sous une couverture. Il faisait à peu près un mètre de hauteur. Un pot de yaourt blanc contenant quelques pièces de monnaie était placé devant cet îlot. J'y ai déposé moi aussi une pièce qui a fait un certain bruit en tombant, mais l'homme sous la couverture n'a pas bougé. « Il doit dormir », ai-je pensé. Au bout de cent mètres je me suis rendu compte que je faisais fausse route. Un militaire qui portait un képi et un imperméable vert me l'a confirmé. Il a tendu vivement le bras dans la direction opposée comme il aurait montré un bastion ennemi à ses hommes.

– C'est par là, m'a-t-il dit.

Le carrefour devant l'église est formé par trois avenues qui créent un vide immense. Il n'a pas été facile de le franchir car les voitures surgissaient de toutes parts en roulant très vite. Je me suis sentie comme une provinciale, même devant le marchand de journaux qui s'est impatienté parce que je tardais à sortir la monnaie de mon portefeuille. Pourtant, personne n'attendait derrière moi, à l'exception du militaire qui regardait les magazines et qui m'a saluée courtoisement en me disant :

– Re-bonjour, madame.

Le kiosque avoisinait une petite forêt de sapins que gardait une grosse femme aux joues roses, coiffée d'un fichu. Les arbres étaient fixés sur des croix en bois blanc et étaient attachés tous ensemble par une chaîne.

J'ai décidé de prolonger ma promenade pour laisser un peu plus longtemps mon frère en paix. Des milliers d'ampoules esquissant des figures géométriques étaient suspendues au-dessus du prolongement du boulevard Haussmann qui traversait le carrefour sans changer de nom. Je n'ai pas réussi à localiser la source électrique qui devait les alimenter la nuit. Je n'ai aperçu aucun de ces poteaux qui poussent un peu partout à Athènes et qui nous obligent à regarder le ciel à travers des fils. J'ai réalisé soudain que le baron Haussmann portait un nom assez proche du turc Osman, que tant de sultans et de pachas de l'Empire ottoman ont rendu célèbre. Il m'a plu d'imaginer que le baron était en réalité d'origine turque et qu'il avait trafiqué son patronyme juste pour pouvoir faire carrière à Paris.

Un magasin de jouets a attiré mon attention. C'était une boutique élégante avec des jouets à l'ancienne, la plupart en bois, aux couleurs brillantes. Je me suis arrêtée devant une chaise longue qui était de la taille d'un enfant de deux ou trois ans et dont la toile était partagée par de larges bandes verticales jaunes et blanches. Elle était si ravissante que je l'aurais volontiers achetée, mais pour qui ? Mes amies ont des enfants de l'âge de Théano. Une seule est grand-mère, Calliopi, mais son petit-fils, Nicos, n'a que cinq mois. Je n'ai réussi à me détacher de la vitrine qu'après avoir salué la chaise :

– Au revoir, petite chaise longue, lui ai-je dit.

– À très bientôt, madame, l'ai-je entendue me répondre à travers la vitre.

J'ai poursuivi mon chemin jusqu'à l'autre grande église du quartier, la Madeleine, qui n'a pas du tout l'air d'une église. Elle est construite sur le modèle des temples antiques, mais leur harmonie lui fait défaut. Elle essaie de concilier deux univers qui n'ont rien de commun, le monde gréco-romain et le monde chrétien, il est normal par conséquent qu'elle ne ressemble à rien. Il était onze heures moins dix. J'ai vu quelques personnes sortir de l'édifice et je me suis demandé si elles avaient philosophé pendant leur visite ou si elles avaient prié. Les marches de l'entrée, qui étaient nues naguère, avaient été aménagées en parterres fleuris. Que signifiait cette innovation ? Les fleurs brouillaient encore plus l'identité incertaine du lieu.

Les célèbres épiceries Fauchon et Hédiard se trouvent derrière l'église. J'avais acheté jadis pour Aliki une bouteille d'huile d'olive grecque chez Fauchon. Ses vitrines rappellent celles des bijouteries car elles sont à peu près vides : on n'y voit qu'un morceau de chocolat, un peu de caviar logé dans une cuillère à soupe en argent et, deux mètres plus loin, une boîte de thé noir de l'Himalaya. Je n'ai repéré aucun mendiant autour de ces établissements, alors que j'en avais vu plusieurs à la sortie de l'église. « Ils sont tenus à l'écart par les patrons », ai-je supposé. Je n'ai pas vu non plus de prostituées. J'ignore si sainte Marie-Madeleine est considérée comme leur protectrice, je sais en revanche que les alentours de l'église étaient il y a quelques années un de leurs quartiers parisiens de prédilection.

J'ai estimé qu'il était encore tôt pour rentrer et je me suis dirigée vers la Seine. Je ne manque jamais de marcher le long de ses quais quand je suis à Paris, je la préfère aux avenues et aux monuments de la ville. Elle me parle d'un temps où ses rives étaient vides, elle fait disparaître les bâtiments, elle véhicule une belle sérénité qui me manque tant à Athènes et qui me donne l'agréable illusion que je pourrais moi aussi concevoir une idée. Je la contemple en fait sans réfléchir, je me rappelle juste une chanson française que fredonnait mon père, mais au moment de prendre congé d'elle j'ai toujours le sentiment que nous avons échangé quelque chose d'important. Je préfère son nom grec, *Sikouanas*, à son nom français qui me paraît bien pauvre et qui nuit forcément à sa grandeur.

J'ai emprunté une rue longue et étroite en marchant aussi vite que je le pouvais. J'étais gelée. Le froid est devenu encore plus perçant lorsque j'ai débouché rue de Rivoli, à la lisière du jardin des Tuileries, dont le nom rappelle l'ancien quartier du Céramique à Athènes, étant donné que « tuile » a le même sens que *keramos*. Ce n'est qu'après avoir traversé ce jardin que j'ai eu enfin accès au fleuve et que j'ai pu appuyer mes coudes sur l'épais muret qui le borde. J'ai cru apercevoir à la surface des eaux le cadavre de la vieille Sud-Africaine que j'avais vue la veille, dans le film de James Bond, dans un canal d'Amsterdam. « Elle fait le tour des capitales européennes », ai-je pensé. Puis j'ai vu s'approcher un bateau touristique, l'un de ceux que les Français appellent curieusement « bateaux-mouches ». Je ne sais pourquoi, je me suis mise à l'observer attentivement. Le fait est que lorsqu'il est arrivé à ma hauteur, j'ai eu une surprise de taille : sur son pont désert se tenait, dans l'attitude altière des héros de Jules Verne, le militaire que j'avais déjà croisé à deux reprises. Son apparition m'a paru si surprenante que j'ai cru tout d'abord qu'il s'agissait de quelqu'un d'autre. Mais il a effacé mes doutes en m'adressant de grands signaux de la main. Il est resté le bras levé jusqu'au pont de la Concorde où je l'ai perdu de vue.

Un peu plus tard j'ai regagné le boulevard Haussmann en taxi.

Jean-Christophe Hervouët s'était installé sur mon coussin. Il s'est dressé d'un bond en me voyant et m'a saluée d'une forte poignée de main et d'un large sourire, comme s'il avait entendu tant de bien de moi qu'il ne rêvait que de me connaître. C'est un homme de taille moyenne, plutôt maigre. Il n'a presque pas de cheveux et porte des lunettes à fine monture. Il s'est proposé d'aller me chercher une chaise dans le salon.

– Où est-ce que tu es allée ? m'a questionnée Miltiadis tout en jetant un coup d'œil aux titres du *Monde*.

Je lui ai parlé du mendiant que j'avais vu devant la cave à vins, je lui ai dit que j'avais regardé la Seine.

– Ce n'est pas un mendiant mais une mendiante. Elle a un bébé avec elle. Elle passe ses nuits dans un centre du Secours populaire. Elle est roumaine, Aliki la connaît un peu.

Jean-Christophe m'a finalement apporté un fauteuil, aidé par Audrey. La jeune fille avait changé de tenue, elle portait une jupe grise démodée, une chemise blanche à manches longues et un gilet de laine au bas duquel étaient brodés de petits personnages se tenant par la main. J'ai supposé qu'elle s'était habillée selon le goût de ses parents et que son gilet avait été tricoté par sa mère.

– Jean-Christophe me disait que les États-Unis, où la langue des signes n'a jamais été interdite, possèdent depuis le milieu du XIXe siècle une université pour sourds où l'on enseigne notamment le droit. Il existe des avocats sourds qui travaillent en liaison avec un interprète.

Il m'a dit cela en français, ce qui m'a choquée, car je n'ai évidemment pas l'habitude de parler avec lui dans cette langue. Une distance s'est immédiatement créée entre nous. « C'est la distance qui sépare le français du grec. » Les mots étrangers altéraient légèrement sa voix, lui donnaient un timbre plus aigu. « Chaque langue a sa propre gamme musicale », ai-je songé. Je crois que ma voix change également quand je m'exprime en français. Je parle d'abord beaucoup moins fort qu'en grec afin de dissimuler mes maladresses.

Il a informé son ami que je fabriquais des bateaux, « pas des maquettes, a-t-il précisé, elle les sort de son imagination ». Il lui a annoncé que j'allais prochainement les exposer dans une galerie d'Athènes.

– Et pourquoi pas à Paris ? a soufflé Jean-Christophe.

Il avait repris place sur le coussin, les jambes repliées contre sa poitrine. « C'est dans la même posture qu'est assise la Roumaine. » L'idée pernicieuse m'est venue qu'il n'y avait personne sous la couverture, juste un tas de cartons et de planches, et que la femme passait par là une fois par jour pour ramasser la monnaie.

J'ai appris à mon tour que Jean-Christophe s'était intéressé par hasard à la langue des signes, qu'il lui avait consacré sa thèse de doctorat et qu'il dirigeait l'unique centre de formation des interprètes de cet idiome qui fonctionne en France. Il est rattaché à l'université de Saint-Denis, dans la banlieue de Paris.

– Nous manquons désespérément d'interprètes, s'est-il plaint.

– Vous ne connaissez pas du tout le grec ?

Le sens de ma question ne lui a pas échappé car il s'est empressé de m'assurer que mon français était parfait. Les Français complimentent d'autant plus volontiers les étrangers qui parlent leur langue qu'ils n'ont aucune envie de s'exprimer, eux, dans un idiome étranger.

– J'ai étudié le grec ancien quand j'étais jeune, a-t-il ajouté, mais avec la prononciation érasmienne.

La découverte que même le mot « cimetière » est grec m'avait fait grande impression. Il vient du mot *koimeterion*, « dortoir », n'est-ce pas ? Je sais que vous continuez à utiliser une bonne partie du vocabulaire platonicien.

– Le grec moderne prend sa source dans l'idiome qui a été forgé à l'époque d'Alexandre, est intervenu Miltiadis. Les mots de la langue de Platon qui ont survécu ont parfois changé de sens. *Exodevo*, qui signifiait alors « sortir », a pris le sens de « dépenser »... Quelle est la durée de vie des mots ?

– On sait qu'en mille ans chaque langue perd à peu près le cinquième de son vocabulaire, ce qui signifie qu'au bout de cinq millénaires il n'en reste plus qu'un tiers. Toutefois le lexique de base, qui se rapporte aux parties du corps, aux degrés de parenté, aux éléments naturels et qui comprend les pronoms personnels, certains adjectifs numéraux et des verbes comme « aller », « venir », « manger », une centaine de mots en tout, résiste mieux au temps. Si je ne me trompe, vous continuez à appeler le père *pater* : c'est un mot d'au moins cinq mille ans, apparenté au sanscrit *pitar*.

Certains des termes que j'ignore me paraissent plus obscurs que d'autres. Ils ne sont pas simplement incompréhensibles, ce sont des clefs qui ouvrent sans bruit les portes de territoires mystérieux. Je viens tout juste de lire dans le

dictionnaire que le sanscrit est l'ancienne langue
de l'Inde et qu'il fait partie de la même famille que
le grec, le latin et les langues germaniques.

– Comment communiquaient nos ancêtres
quand ils ne savaient pas encore parler ?

– Par des gestes et des cris, comme les chimpanzés et les orangs-outangs. Je ne pense pas
cependant qu'ils avaient vraiment développé la
langue des signes, car dans ce cas ils s'en seraient
contentés… Je connais un sourd qui a la possibilité de recouvrer l'audition et qui refuse de subir
l'opération qui la lui rendrait par amour de sa
langue. Il n'a pas envie de devenir un autre
homme.

– Mon frère aimerait savoir quel a été le premier mot, ai-je cru bon de préciser.

Il a levé les bras au ciel en signe d'impuissance.

– Pour saint Augustin, la mère de toutes les
langues, la langue de Dieu par conséquent, est
l'hébreu. Pour les musulmans c'est l'arabe, la
langue du Coran, qui a été rédigé comme on le sait
sous la dictée d'Allah. Bien des peuples ont soutenu au cours des siècles que leur langage était
antérieur à tous les autres, qu'il avait inauguré le
verbe humain. Un médecin hollandais, à l'époque
où son pays était au faîte de sa puissance, a essayé
de démontrer que la langue du paradis n'était
autre que le flamand. Il prétendait que le mot
phrygien *bekos*, « pain », provenait du flamand
bakker, qui signifie « boulanger ». Le titre du plus

ancien idiome a également été revendiqué par le turc.

– Notre ministre de l'Éducation nationale affirmait récemment lors d'une conférence que la plus subtile et la plus riche des langues était le grec. Cette opinion compte des adeptes même parmi les linguistes de l'université d'Athènes. Elle est cependant rejetée par leurs confrères de Thessalonique.

J'ai songé non sans satisfaction que l'*Histoire de la langue grecque* que je lui avais offerte était publiée par l'Institut d'études néohelléniques de l'université Aristotelès de cette ville.

– Au fait, quelle langue parlaient donc les anciens Macédoniens ?

Qu'avais-je besoin de poser cette question ? Miltiadis m'a lancé un coup d'œil noir.

– Je ne vois pas le rapport avec ce qu'on est en train de dire, m'a-t-il rabrouée.

– J'aimerais bien savoir, moi aussi, quelle langue ils parlaient, est intervenu Jean-Christophe en tirant de la poche de son pantalon un mouchoir blanc.

Tandis qu'il continuait à l'extraire, comme les magiciens qui sortent de leurs manches des foulards sans fin, il a posé sur moi, un bref instant, un regard intense. Il m'a regardée comme les hommes regardent les femmes depuis toujours, peut-être depuis le temps où ils n'étaient pas encore en mesure de faire des phrases. « Le premier mot qui a jamais été prononcé était un mensonge... Les hommes ont inventé la parole pour pouvoir

113

mentir. » Lorsque le mouchoir a jailli dans son entier, j'ai souri, car il était grand comme une serviette de table.

– Je suis perpétuellement enrhumé, depuis mon enfance, s'est-il excusé. Je crois que j'ai pris froid à la naissance, que j'ai attrapé un sérieux rhume en sortant du ventre de ma mère.

J'ai voulu lui caresser la tête pour le consoler. Jamais de ma vie je n'avais caressé un crâne nu. Avait-il des enfants ? « Il me dira que nous devrions adopter Audrey. » Miltiadis s'est raclé la gorge comme le font tous les professeurs lorsqu'ils veulent mettre un terme au brouhaha de leur auditoire.

– Tu n'ignores pas que nous contestons à nos voisins le droit d'utiliser le nom de Macédoine, bien que leur pays, comme la Grèce du Nord, occupe une partie de la Macédoine antique. Nous considérons que la gloire d'Alexandre le Grand fait partie de notre histoire et non pas de la leur, comme ils le prétendent. Ils parlent un dialecte bulgare qui comprend de nombreux emprunts au serbe. Quant aux Macédoniens de l'Antiquité, ils ne nous ont laissé aucun texte. Certains linguistes avancent qu'ils s'exprimaient dans un idiome gréco-phrygien. Il existe des inscriptions macédoniennes écrites dans notre langue, mais elles sont relativement récentes et nombre des noms qu'elles mentionnent, comme le masculin Sikkitas, ne sont pas grecs.

– Alexandre est un nom grec, a observé Jean-Christophe.

– Celui de sa sœur, Thessalonique, est plus obscur. Il ne fait pas de doute qu'Alexandre a contribué de manière décisive à l'unification et à la diffusion de la langue grecque. Il n'est pas moins vrai que l'histoire de la Macédoine diffère radicalement de celle de la Grèce, où se sont développées très tôt des cités-États autonomes. À la même époque, les Macédoniens vivaient disséminés dans les montagnes, sous la coupe d'un monarque absolu. Thessalonique n'a été édifiée qu'en 300 av. J.-C., à la suite d'un décret du roi Cassandre.

» Je ne sais pas si les Hellènes avaient conscience alors d'appartenir à la même ethnie. Ils parlaient divers dialectes, l'ionien, l'attique, l'éolien, le dorien. Ils étaient d'abord citoyens d'une ville.

Il s'est brusquement tourné vers moi :

– Est-ce que tu avais remarqué la similitude entre les mots *polis*, la cité, et « police » ?

Je lui ai confié qu'une autre parenté m'avait intriguée un peu plus tôt, entre les noms Haussmann et Osman. Ma remarque a eu un succès inattendu : mon frère et Jean-Christophe sont partis d'un grand rire.

– Il est étrange que je n'aie jamais fait le rapprochement, après tant d'années passées à cette adresse, a dit Miltiadis.

– Il faut croire que nous percevons les mots à travers leur forme écrite, a dit Jean-Christophe. Leur transcription nous empêche de les entendre.

115

Je parle bien sûr de la langue française, qui s'écrit bien autrement qu'elle ne se prononce.

– Je viens tout juste de découvrir pour ma part que le mot « eau » pourrait être noté d'un simple *o*. C'est un de tes confrères de l'université de Buenos Aires qui me l'a fait remarquer, José Luis Aguilar.

– Ne me dis pas que tu as rencontré José Luis ! s'est exclamé Jean-Christophe. C'est un ami. Je l'ai connu moi aussi à Buenos Aires, à l'occasion d'un colloque, et depuis nous échangeons régulièrement des mails. J'ai dansé le tango avec sa secrétaire, Elvira, une magnifique métisse, fille d'un Allemand et d'une Indienne guarani.

– Est-ce que tu sais comment on dit « eau » en guarani ?

– Non !

– *I* !

Ils ont de nouveau éclaté de rire.

Nous avons déjeuné tard, vers quinze heures. Le repas a eu lieu cette fois dans la salle à manger, une pièce assez exiguë qui communique avec le salon et d'où nous pouvions voir le sapin de Noël. Il ressemblait forcément à celui que décorait ma mère puisqu'il portait les mêmes boules et les mêmes lumières. Audrey, qui a pris part au déjeuner, avait cuisiné une excellente soupe de légumes. Je devais être un peu distraite, car je lui ai parlé en grec :

116

– *Syncharitiria, pédi mou*[1], lui ai-je dit.

Nous avons mangé un moment en silence, comme les hommes primitifs l'ont fait durant des millénaires. « Le premier qui parlera prononcera le premier mot qui a jamais été dit », ai-je pensé. Mon frère et Jean-Christophe considéraient leur soupe du même air pénétré que les pêcheurs scrutent les eaux avant de jeter leur ligne. Mon impatience ne faisait que croître à mesure que leur silence se prolongeait. Audrey produisait de temps en temps un bruit de bouche, comme si sa respiration butait sur certaines consonnes qu'il m'a été impossible d'identifier. « Ce sont des consonnes qui n'existent dans aucune langue. » J'ai vu mon frère entrouvrir la bouche, j'ai cru qu'il allait dire quelque chose, mais il a juste aspiré de l'air. J'ai imaginé un groupe d'hommes préhistoriques assis en cercle autour d'un grand feu, soufflant de temps en temps sur les braises en émettant un *f* prolongé. « Le mot "feu" commence par un *f* pour nous indiquer le moyen de l'attiser. » Je n'ai pu garder cette observation pour moi et j'en ai fait part aux deux hommes. Jean-Christophe l'a jugée très intéressante.

– Bien des mots associés au feu ont la même initiale, en français tout au moins, comme « flamme », « fumée », « four », « fièvre ». En occitan, la langue romane qui dominait autrefois dans le sud de la

---

1. « Félicitations, mon enfant. »

France, « feu » se dit *fuoc*. Mais ma grand-mère, qui parlait le breton, l'appelait *tan*.

En grec, on nomme le feu *fotia*, *floga* la flamme, *kapnos* la fumée, *fournos* le four et *pyretos* la fièvre. Je traduis ces mots pour Margarita, qui ne connaît pas le français. Sans doute lui ferai-je lire un jour mon manuscrit.

– Tu ne veux pas regarder dans le dictionnaire comment les Makas disent « feu » ? m'a demandé mon frère. Tu le trouveras dans le salon, sur le meuble de la chaîne stéréo.

C'est un gros volume relié, de couleur saumon. J'y ai tout de suite repéré le mot *fuego*.

– Ils disent *fet* ! leur ai-je déclaré joyeusement en reprenant ma place.

– Platon écrit dans le *Cratyle* que les noms révèlent l'essence des choses, qu'ils sont transparents. Tantôt il examine les sons qui les composent et tantôt il analyse leur étymologie. Il considère que la lettre *r* transcrit le mouvement de l'eau et qu'il est bien naturel que le verbe *rheo*, couler, commence par elle. Des mots tels que rivière, *river* ou *rio* auraient certainement reçu son approbation, il ne nous explique pas cependant pourquoi cette lettre est absente du mot grec correspondant, *potamos*. Le *a* désigne quelque chose de grand, le *i* quelque chose de léger... Il ne se préoccupe pas des langues étrangères et il semble ignorer que le grec a des dettes envers elles. Il interprète d'une façon totalement arbitraire les noms d'Apollon, d'Artémis, d'Aphrodite, et associe tout aussi arbitrairement les mots « héros » et « éros ».

J'ai eu l'intuition que le *r* ne convenait vraiment qu'à *aros*, le malheur.

– L'un de mes professeurs avait la même opinion concernant le *i*, a dit Jean-Christophe. Il l'opposait à la voyelle *ou*, laquelle, toujours selon lui, exprimait la lourdeur. Il nous citait à tout bout de champ les vers de Hugo : « *Le vieux Louvre ! / Large et lourd, / Il ne s'ouvre / Qu'aux grands jours* »... Il nous disait que le mot « nuit », en raison de sa légèreté, devrait s'appliquer au jour, et « jour » à la nuit !

« Ils vont se remettre à rire, ai-je pensé. Je vais m'énerver et je viderai la soupière sur le crâne de Jean-Christophe. Ensuite je courrai me cacher sous la couverture de la Roumaine. Je partagerai avec elle la petite obscurité qu'elle habite. »

– La langue grecque n'est pas réputée pour son expressivité, a reconnu Miltiadis. Je crois que le français est plus riche en onomatopées, et l'anglais encore davantage. La musique de la poésie anglaise passe difficilement dans les autres langues. Le verbe *to buzz* rend mieux le bourdonnement que le français « bourdonner » et le grec *vouizo*, peut-être parce qu'il n'a qu'une syllabe. D'ailleurs les Français sont en train de l'adopter, je l'entends de plus en plus souvent à la télévision, « *C'est un buzz* », disent les présentateurs, c'est-à-dire une nouvelle qui fait du bruit... Je m'étonne tout de même que Platon ne

119

voie pas que les mots, dans leur grande majorité, sont des constructions improvisées, qu'il n'y a aucune affinité entre le mot « arbre » et la chose, que les arbres pourraient aussi bien être appelés montagnes, les chevaux lions, et ainsi de suite. Il s'agit de conventions qui nous permettent de nous comprendre. Les mots et les choses se dévisagent par-dessus un gouffre.

– Un autre vers, de Racine celui-là, me vient à l'esprit : « *Pour qui sont ces serpents qui sifflent sur vos têtes ?* »

La répétition du *s* a donné vie un instant aux serpents mis en scène par le poète. Audrey n'essayait pas de suivre la conversation. Elle nous avait oubliés. « Elle songe aux chemins pavés de son village. Jean-Christophe garera sa voiture devant l'église. Le bar-tabac à moitié masqué par un auvent de toile rouge sera ouvert. "Audrey !" s'écriera le cafetier. La jeune fille le saluera dans sa langue à elle. Jean-Christophe dira : "Joyeux Noël, monsieur Plouiden !" » Plouiden était le nom de mon professeur à l'Institut français d'Athènes, il était originaire de Brest. Jean-Christophe a regardé sa montre.

– Il ne faut pas qu'on tarde trop, a-t-il dit. J'ai promis à son père qu'on serait là avant dix heures du soir.

Comment la jeune fille communiquait-elle avec ses parents ? Lui envoyaient-ils des messages sur son téléphone portable ? Avaient-ils appris la langue des signes ? Étaient-ils en mesure d'en

rendre toutes les nuances avec leurs mains abî-
mées par les travaux des champs ?

– Vous ne nous avez pas encore donné votre
avis au sujet du premier mot.

– Je l'imagine court, de deux syllabes tout au
plus. Les premiers hommes n'étaient certainement
pas capables de produire une grande variété de
sons. Les consonnes nasales leur étaient probablement plus accessibles que les autres. Ce sont les
premières qu'émettent les enfants, ils les prononcent involontairement en ouvrant et en refermant la bouche. Les petits Français disent « miam-
miam » quand ils aiment un plat.

– Les petits Grecs disent « mam » quand ils ont
faim, ai-je observé.

– Si l'on admet que la lettre *m* renvoie à la nourriture, il n'est pas surprenant qu'elle se retrouve
dans le mot « mère », comme c'est le cas dans de
nombreuses langues, mais pas dans toutes. En
sanscrit on l'appelle *matar*. J'ignore dans quelles
circonstances nos ancêtres ont inventé le langage
articulé, aucune image ne me vient à l'esprit.

Miltiadis s'est brusquement levé de table. Il
s'est agrippé à l'épaule de son ami et tous deux
ont pris la direction de la chambre à coucher. J'ai
aidé Audrey à débarrasser et à porter les assiettes
dans la cuisine. Nous n'avions bu que de l'eau
pendant le repas. Je me suis souvenue qu'il restait
un fond de vin dans le frigidaire et je lui ai proposé que nous le terminions ensemble. Après un

instant d'hésitation, elle m'a montré son petit doigt. Je lui ai donc versé une goutte.

– *Cala Christougenna*[1], Audrey, lui ai-je dit tandis que nous trinquions.

J'étais fatiguée de parler en français et d'écouter du français. J'ai même songé que Jean-Christophe, en partant, emporterait avec lui la langue française.

Mon frère était assis sur le bord de son lit, les pieds posés sur le tabouret. Il avait déboutonné son pyjama et s'apprêtait à se faire une piqûre avec une seringue comme je n'en avais jamais vu, qui ressemblait plutôt à l'appareil qui lui servait à mesurer son diabète et qui se terminait par une courte aiguille. Il a piqué son ventre sans faire la moindre grimace.

– D'après Hésiode, les mots ont été enfantés par les Muses. Platon les attribue à un mystérieux législateur, un esprit supérieur qui n'appartient sûrement pas à notre monde… Au milieu de son dialogue avec Cratyle, Socrate est gagné par une étrange inquiétude : ne risque-t-il pas, à force de réfléchir avec autant d'intensité, de devenir plus sage qu'il n'est raisonnable ?

Il m'a tendu la seringue puis il s'est engouffré sous la couette.

– La Société de linguistique de Paris avait interdit à ses membres, au XIXᵉ siècle, de se pencher sur la question de l'origine du langage, sur un sujet

1. « Joyeux Noël. »

inaccessible à la science et qui avait déjà inspiré une foule de conjectures fantaisistes, a dit Jean-Christophe.

Il se tenait devant la fenêtre et regardait le ciel qui s'était légèrement empourpré.

– Comment se fait-il que dans un pays ayant la tradition libérale de la France on aime autant les interdictions ? a-t-il poursuivi. Voilà encore un mystère. La société en question est revenue depuis sur sa décision, mais le problème reste insoluble. Certains linguistes américains prétendent que toutes les langues sont issues d'un idiome commun, d'une protolangue qui se serait dispersée aux quatre vents, hypothèse qui n'est pas sans rappeler l'épisode de la Tour de Babel, et d'autres, des Européens pour la plupart, que l'humanité a toujours été multilingue.

Mon frère avait fermé les yeux.

– Comme ni les uns ni les autres ne peuvent rien prouver, la discussion se prolonge sur le ton aigre qui caractérise les échanges entre Américains et Européens.

Alors que je le croyais endormi, Miltiadis a murmuré, sans ouvrir les yeux :

– Sais-tu quel est le véritable nom de lady Macbeth ? Gruoch !... C'est un nom affreux, tu ne trouves pas ? Il faut bien entendu prononcer le *ch* comme le *khi* grec, en se raclant le fond de la gorge... On croirait entendre un rugissement. Shakespeare ne le mentionne pas, il a préféré l'ignorer, peut-être pour ne pas révéler d'emblée la nature abominable de son héroïne.

Il m'a légèrement vexée en n'adressant cette remarque qu'à son ami, comme s'il me jugeait inapte à l'apprécier.

Je n'ai pas bonne mémoire. Je me souviens cependant très bien de ces trois jours que j'ai passés en compagnie de mon frère. Je les ai vécus comme si je pressentais que je ne le reverrais plus et je me les suis remémorés à de nombreuses reprises depuis lors. Je les connais « par cœur et dans le désordre », selon une expression qu'affectionnait ma mère.

– Tu ne sortiras pas tant que tu n'auras pas appris tes leçons par cœur et dans le désordre, me disait-elle.

Mon terrain de jeux favori était la place d'Ayia-Varvara, à Callithéa, où nous habitions alors. Je courais tant que je rentrais à bout de forces à la maison. Mes bras luisaient de sueur comme ceux des gladiateurs romains que je voyais parfois au cinéma. Je faisais le vœu de devenir aussi forte qu'eux pour pouvoir corriger mon frère.

Mes parents ne me croyaient pas particulièrement douée et ils n'avaient pas tort. Les résultats que j'obtenais à l'école étaient médiocres. Ce n'est qu'en langues que je réussissais mieux que la moyenne de la classe, et en dessin. Le seul prix que j'aie jamais obtenu au lycée Arsakio, je le dois à un Christ en croix que j'avais peint avec des couleurs à l'huile. Mon œuvre avait suscité la fureur de Mme Gérolimatou car j'avais gratifié le Christ de clous supplémentaires par rapport aux trois que représentent habituellement les artistes. Mais M. Véronis l'avait trouvée exceptionnelle.

Jean-Christophe et Audrey sont partis à sept heures du soir. Je les ai raccompagnés jusqu'à l'ascenseur. La jeune fille portait une vieille valise à poignée.

– Je suis très heureux de vous avoir rencontrée, m'a dit Jean-Christophe. J'espère que nous nous reverrons.

– Je l'espère aussi.

Il m'était bien sympathique en effet, mais je ne désirais rien d'autre, à ce moment précis, que me retrouver au plus vite seule avec mon frère. À l'instant où démarrait l'ascenseur il m'a semblé que j'avais oublié de demander quelque chose à Audrey. Je m'en suis souvenue en rentrant dans l'appartement : je voulais qu'elle me traduise en langage gestuel ce vers de Sophocle qui nous avait tant fait rire en classe.

La fin de la journée s'est écoulée sans grandes conversations. Mon frère a lu *Le Monde* de la première à la dernière page pendant que je tâchais de m'intéresser à l'homme de Neandertal. Les paléontologues, à l'instar des naturalistes, préfèrent le latin au grec. C'est ce qui explique que nos ancêtres, qui appartiennent comme nous à la grande famille des hominidés, portent des noms latins : l'un s'appelle *Homo habilis*, « adroit », l'autre *erectus*, « debout », le plus évolué *sapiens*, « sage ». Il existe également un *Homo pekinensis*, originaire de Pékin. *Homo erectus* porte également le nom de pithécanthrope, mais j'admets volontiers que son sobriquet latin est plus flatteur, qu'il l'éloigne davantage des arbres où, si j'ai bien compris, il vivait autrefois.

– Comment dirais-tu en latin « homme parlant » ?

Il ne s'est pas donné la peine de lever les yeux de son journal.

– *Homo loquens*, a-t-il dit.

J'ai pris la résolution de ne plus le déranger avant un bon moment. Quelles étaient donc les connaissances d'*Homo neandertalensis* ? J'ai découvert qu'il savait travailler la pierre et le bois, traiter les peaux, allumer du feu, cuisiner. Il avait du respect pour les morts puisqu'il les enterrait avec soin. Était-il anthropophage ? Marylène ne l'exclut pas. Il faut dire que les conditions de vie étaient très difficiles en Europe il y a trois cent mille ans et que la plus grande partie du continent était couverte de glaces. Le temps ne changeait pas alors d'un jour à l'autre, le froid pouvait durer des siècles. Tandis que je me renseignais sur le climat de cette époque reculée, Miltiadis m'apprit que le froid parisien avait tué cent dix-sept sans-abri depuis le début de l'hiver.

– La plupart d'entre eux vivaient sous des tentes dans les bois de Boulogne et de Vincennes.

L'homme de Neandertal était manifestement plus résistant. Marylène note qu'il mesurait un mètre soixante-cinq, qu'il avait l'oreille fine, la peau claire, et qu'il possédait une nuque de taureau. « *Il ressemblait aux Esquimaux et aux Lapons* », écrit-elle. Ce n'était pas un égoïste : il semble qu'il portait secours à ses camarades frappés d'invalidité, qui étaient incapables de subvenir seuls à leurs besoins. J'ai lu ce passage à mon frère qui l'a écouté en remuant la tête d'un air songeur.

Le crâne de l'homme de Neandertal était bombé à l'arrière, il avait une forme de melon et son cerveau était à peine plus petit que le nôtre. C'était un excellent chasseur : il avait recours à des stratagèmes complexes pour piéger les animaux. Il chassait les chevaux sauvages, les bisons, les rennes. Il n'était en somme ni bête ni méchant.

– Marylène croit savoir que l'homme de Neandertal possédait une sorte de langage. Mais elle ne s'étend pas sur la question.

– Je lui demanderai des explications quand je la reverrai.

Comment cet homme robuste, qui était peut-être capable de parler, a-t-il disparu ? A-t-il été victime d'une épidémie ? A-t-il fini par succomber lui aussi au froid ? Ses traces se sont bel et bien perdues il y a trente mille ans.

– La dernière fois que je suis allé à Thessalonique, j'ai eu l'occasion de voir le crâne de l'homme de Pétralona, qu'on appelle également *Homo petraloniensis*, a dit Miltiadis. Il est conservé dans une petite valise métallique enfermée dans un coffre-fort au musée du Laboratoire de géologie et de paléontologie. Le professeur qui me l'a montré m'a expliqué que les os se pétrifient avec le temps en absorbant du carbonate de calcium. Il m'a permis de prendre le crâne dans mes mains. J'ai éprouvé une certaine exaltation au contact d'un homme aussi ancien, qui n'était cependant âgé que d'une trentaine d'années. Il avait conservé certaines de ses dents. Ses arcades sourcilières proéminentes lui donnaient un air pensif et un peu triste. J'ai vu dans le même musée des ossements d'ours dont la taille atteignait trois mètres. « Ce sont peut-être les ours géants qui ont éliminé l'homme de Neandertal », ai-je dit à mon accompagnateur. « Non, m'a-t-il répondu, c'est lui qui les a éliminés. »

Il a plié son journal, et j'ai fermé mon livre. Il m'a parlé de Jean-Christophe.

– Je crois que tu lui as plu. Je le connais depuis longtemps, mais je ne sais pas vraiment qui il est. Quand nous étions étudiants, il me rendait visite dans ma chambre et me lisait ses poèmes. Il portait en permanence à l'époque un costume gris et une chemise blanche boutonnée jusqu'au cou. Il avait encore des cheveux, qu'il plaquait avec du gel afin qu'aucun ne dépasse. Il n'aimait pas la vie, c'était du moins ce qu'il affirmait, il évitait les groupes, il ne reconnaissait à personne le droit de lui poser des questions. Il n'était pas engagé politiquement, il se renseignait cependant sur les activités des autonomistes bretons et basques. Ses écrits faisaient l'éloge de la violence, il aurait aimé vivre à l'époque de la Révolution française. Le mouvement de Mai 68 lui avait paru insipide, il avait vécu les événements enfermé chez lui. Il habitait chez sa mère, place d'Italie. Il était convaincu qu'aucune femme ne l'aimerait jamais.

Pourquoi me racontait-il tout cela ? Et qu'avait-il en commun avec Jean-Christophe ?

– J'étais flatté par la confiance qu'il me témoignait, j'étais la seule personne à qui il lisait ses poèmes, qu'il brûlait ensuite dans la cheminée de son appartement. J'avais de la compassion pour lui, je le croyais capable de sauter par la fenêtre. Nous nous sommes perdus de vue quand il a décidé de se consacrer à la linguistique. Il a achevé ses études à Lyon, ensuite il est parti pour l'Asie. Je l'ai revu trente ans plus tard, il m'a téléphoné un jour à la Sorbonne. Je me suis trouvé devant un étranger, ce n'est que lorsque nous avons commencé à parler que je l'ai reconnu. Il évite d'évoquer nos années de jeunesse, il tient le passé à distance. Il m'a néanmoins avoué une fois qu'il était bien plus optimiste aujourd'hui qu'à vingt ans. Il craint peut-être que le jeune homme qu'il a été ne le déstabilise en faisant irruption dans sa vie actuelle... Le plus étonnant dans cette histoire c'est que sa mère vit encore ! Elle a quatre-vingt-dix-huit ans !

Il a frotté ses doigts entre eux comme s'il comptait des billets de banque.

– Je fumerais bien une cigarette… Tu lui as plu, mais il est un peu âgé pour toi.

– Il n'y a plus que les hommes vieillissants qui daignent s'intéresser à moi ! Ils me pardonnent mon âge dans l'espoir que j'excuserai le leur… Tu penses que tu as changé, toi ?

– Oui, bien sûr… J'étais beaucoup plus enthousiaste autrefois… Je m'enflammais facilement pour un écrivain, un peintre, un philosophe… Le temps a amplifié mes doutes… Le point d'interrogation français ressemble à un point d'exclamation voûté. Je suis un point d'exclamation qui a vieilli.

Il s'est tu un instant.

– Jean-Christophe aussi a arrêté de fumer il y a quelques mois… Il a vu en rêve un énorme paquet de cigarettes. Il était couché dans son lit… Le paquet avait pris la place de l'armoire et n'était pas moins grand qu'elle… Il a été saisi d'une telle envie de fumer qu'il s'est mis à saliver, tant et si bien qu'il a fini par se noyer dans sa salive !

Pourquoi ai-je songé à dame Marie, un jeu que nous pratiquions mes amies et moi place d'Ayia-Varvara ? Bien que Miltiadis n'aime guère qu'on change inopinément de sujet, il n'a pas été contrarié quand je lui ai parlé de dame Marie, ni même surpris.

– Quelle était la règle du jeu ?

– On formait un cercle en se prenant la main autour de la fille qui incarnait dame Marie. On chantait : « *On ne passe pas, dame Marie, ne passe pas, ne passe pas.* »

– Et que faisait dame Marie ?

– Elle chantait à son tour : « *J'irai dans les jardins, je ne passe pas, ne passe pas, j'irai dans les jardins, je ne passe pas, je passe.* »

– Elle n'essayait pas de briser le cercle ?

– Non, je ne crois pas... Elle voulait se rendre dans les jardins pour cueillir deux violettes qu'elle offrirait à sa bien-aimée. « *Et quelle est ta bien-aimée ?* » lui demandions-nous en chœur. Elle devait désigner alors l'une des filles qui l'entouraient en disant par exemple « *C'est Phrosso ma bien-aimée* », après quoi elle cédait la place à Phrosso et nous reprenions la chanson depuis le début.

– « *On ne passe pas, dame Marie...* », a-t-il murmuré. Ce n'est pas une mauvaise chanson... Elle a sûrement été composée par quelqu'un.

Pourquoi ai-je choisi le prénom de Phrosso ? Aucune de mes camarades ne s'appelait ainsi, et je n'ai jamais connu de femme portant ce nom.

5

Bien que je doive à Thessalonique une des plus grandes joies de ma vie, la distinction que son université a décernée à mon frère en 2000, je n'ai pas d'affection particulière pour cette ville. Elle occupe certes une position privilégiée sur la mer. Cependant, la mer de Thessalonique ne ressemble pas à l'Égée dont elle fait pourtant partie : elle n'en a pas les couleurs et ne produit aucune vague, comme si le vent ne l'atteignait pas. Les ordures que les Thessaloniciens lui offrent ne prennent jamais le large. Elle n'a d'autre spectacle à offrir que celui de ces détritus qui s'éloignent parfois de trois mètres du quai mais reviennent toujours se heurter contre ses pierres. Aucun bateau ne la traverse. On aperçoit juste quelques épaves rouillées. La mer ne participe pas à la vie de la cité, elle intéresse aussi peu les Thessaloniciens que, aux dires de mon frère, les habitants de Buenos Aires. Ce sont des ports sans marins.

Je ne conteste pas que la ville ait une histoire longue et riche. Mais elle n'a conservé de son passé que le fanatisme religieux de l'Empire byzantin. Elle est pleine d'églises et de popes. La voix la plus retentissante est celle de son métropolite qui, chaque dimanche, prononce des diatribes enflammées contre les Macédoniens du Nord, les Turcs, les Européens, parfois même contre le gouvernement d'Athènes. La deuxième voix qui se fait entendre est celle de l'extrême droite : elle a son siège dans cette ville et délivre sensiblement le même message. C'est une cité étouffante, construite sur une mer morte.

Elle dispose toutefois de quelques fenêtres qui permettent de respirer un air meilleur : l'une est la grande foire commerciale qu'elle organise chaque année avec la participation de tous les pays balkaniques, l'autre le festival international de cinéma, la troisième l'université Aristotelès. La cérémonie en l'honneur de mon frère s'est tenue à la faculté de philosophie, dans un bâtiment du XIXᵉ siècle aux murs ocre, percés de fenêtres hautes et étroites, dans une salle plutôt austère habillée de boiseries jusqu'à mi-hauteur. Nous étions entourés par les portraits des anciens recteurs, qui arboraient tous un air consterné comme s'ils avaient sous les yeux une assemblée d'illettrés. Les pots de fleurs exotiques qui ornaient l'estrade donnaient une touche funèbre à l'atmosphère, qui est devenue plus pesante encore lorsque, par les portes du fond, une trentaine de professeurs drapés de toges noires ont surgi et ont pris place au centre du parterre. Ils étaient tous coiffés d'un bonnet carré.

J'étais assise au premier rang, entre Panayiotis et une vieille dame dont j'ai appris par la suite qu'elle était l'aînée de l'association des anciens professeurs de l'université, et qui s'est endormie lorsque le doyen de la faculté a pris la parole. Par bonheur, le langage qu'il a tenu était dépourvu d'affectation. Il a moins parlé de l'œuvre scientifique de Miltiadis que de sa vie. Ils avaient effectué ensemble leur service militaire au milieu des années 60. Il a raconté divers épisodes datant de cette période, deux dîners mémorables qu'ils avaient faits à Paris, l'un avec le poète italien Giuseppe Ungaretti, l'autre avec Loula Anagnostaki et Giorgos Cheimonas, il a évoqué un article ironique sur l'hymnographie byzantine que mon frère avait publié dans *Le Monde* et qui avait profondément déplu au quotidien *I Kathimerini*, ainsi que sa passion pour la culture populaire. L'ambiance s'est complètement détendue lorsqu'il a remis à Miltiadis, qui était resté jusque-là à l'autre bout de l'estrade en compagnie du recteur, une toge toute neuve, et qu'il a entrepris de l'aider à l'enfiler sur-le-champ. Les deux hommes ont disparu un instant sous le tissu noir à travers lequel nous avons vu apparaître finalement non pas la tête de mon frère, mais le bras du doyen. Un rire général a accueilli cet incident, qui a réveillé ma voisine en sursaut. Elle a regardé autour d'elle d'un air égaré, puis elle m'a demandé discrètement :

– C'est fini ?

Jugeant probablement que le doyen l'avait suffisamment complimenté, Miltiadis a évité de parler de lui-même. Il a préféré remercier la communauté universitaire en faisant l'éloge de *Don Quichotte*, que je ne connais, je dois l'avouer, que par les extraits qui figuraient au programme de mon cours d'espagnol. Il a rappelé que dans le second volume du roman, qui a paru dix ans après le premier, le chevalier apprend par un étudiant l'existence d'un ouvrage relatant ses aventures, ce qui le jette dans un trouble profond. Il se demande comment un inconnu a pu être au courant de ses faits et gestes. Son émotion s'accroît encore lorsqu'il découvre que l'homme en question est un Arabe : « *Mais les Arabes sont des fabulateurs !* » assure-t-il. Un autre détail le préoccupe : l'auteur aurait la manie d'agrémenter sa narration de nouvelles et de contes sans rapport avec l'intrigue principale. « *Quel besoin a-t-il de ces digressions alors qu'il y a tant à dire sur ma personne ?* » s'interroge-t-il. La seule pensée qui le console, c'est qu'aucun livre ne peut être entièrement mauvais. Don Quichotte, avait conclu Miltiadis, est le premier personnage de roman qui commente l'œuvre qui lui est consacrée, qui critique son créateur.

D'abord dérouté par le sujet que mon frère avait choisi, le public l'a néanmoins suivi avec sympathie et l'a chaleureusement applaudi. Avant que les acclamations ne s'arrêtent, Théano est montée sur la scène et a embrassé son père. Le lendemain, le quotidien *Macédonia* a publié en première page la photo de Miltiadis et de sa fille enlacés.

Je me souviens assez bien de notre promenade en ville après la cérémonie, nous étions nombreux, les uns marchaient devant, les autres derrière, Aliki assurait la liaison entre les deux groupes. Nous nous sommes arrêtés une première fois sur la place Aristotelès pour prendre une coupe de champagne et une deuxième fois aux halles, dans un bistrot exigu et enfumé. Là, nous avons bu de l'ouzo et nous avons chanté. Panayiotis, qui croit avoir une belle voix, a entonné un air du *Filleul*, l'opérette de Sakellaridis. Calliopi et Margarita riaient sans discontinuer. La plupart des plats, comme les pâtisseries que nous avons mangées le soir sur le front de mer, portaient des noms turcs. Le doyen nous a informés que le parler local doit beaucoup à la Turquie.

– Mais les Thessaloniciens persistent à nier l'apport de celle-ci à leur culture. Ils ont éliminé les Turcs de leur mémoire, de la même façon qu'ils en ont effacé les Juifs, qui constituaient autrefois la plus importante communauté de la ville.

Panayiotis m'a proposé de me montrer la maison où est né Kemal Atatürk, le père de la Turquie moderne, mais je ne voulais pas m'éloigner, pas même un instant, de mon frère. Je l'avais rarement vu aussi insouciant, aussi joyeux. Le soir, dans le restaurant où nous avons été invités par le recteur, un établissement où se produisent des groupes de musiciens, Miltiadis a accompli un geste tout à fait inhabituel : il a dansé un *zeïbekiko*, seul au milieu de la piste, les bras déployés et les yeux fixés au sol, comme si ses pas étaient des questions qu'il adressait à la terre et dont il attendait une réponse. Les quatre musiciens appartenaient au groupe Olmaz, ce qui signifie en turc « irréalisable ».

Lundi soir. J'ai réservé un billet pour ce mercredi, je partirai tôt le matin par Olympic. J'apprends que la compagnie est au bord du dépôt de bilan. Qu'adviendra-t-il si elle fait faillite pendant le vol ? On nous laissera à l'aéroport le plus proche ?

Il me reste une journée pour achever le récit que j'ai commencé. Je crois pouvoir y arriver, j'écris plus vite à présent. Il faut croire que j'ai acquis de l'assurance. Continuerai-je à écrire quand j'en aurai terminé avec cette période ? Et que ferai-je, si j'arrête d'écrire ? Recommencerai-je à construire des bateaux pour le magasin de Margarita ? Mais cette activité suppose une certaine exaltation qui me fait totalement défaut en ce moment. J'ai d'autre part le sentiment qu'elle ne convient plus à mon âge. Les clients de Margarita sont toujours surpris quand ils me rencontrent, ils m'imaginent tous beaucoup plus jeune. Ils considèrent sans doute mes réalisations comme des jouets plutôt que comme des œuvres d'art. C'est d'ailleurs ainsi que je les vois moi aussi.

Ma dernière œuvre date de la veille de Noël, je l'ai exécutée à Paris pour faire plaisir à Aliki.

– Elle se plaint que tu ne lui as jamais offert le moindre bateau, m'a confié mon frère. Tu ne veux pas lui en fabriquer un maintenant ? Tu le lui donneras ce soir, à table.

– Mais je ne peux pas travailler sans mes outils ! Et où trouverai-je le bois pour faire la coque ?

– J'ai des outils, ils sont dans une boîte en fer rouge, dans ta chambre. Certaines grandes surfaces vendent du bois au détail.

– J'ai besoin d'un vieux bout de bois qui stimule l'imagination, pas de planches rabotées ! Je ne fabrique pas des étagères !

Aliki était revenue de Montpellier aux aurores, épuisée par les efforts qu'elle avait fournis pour réconcilier ses parents. Ils vivent séparés depuis vingt ans. Lui habite la principauté de Monaco, il est marchand d'art, il a tenu autrefois une galerie à Athènes. Zoé persiste à lui refuser le divorce car elle est persuadée qu'il lui dissimule sa véritable fortune. Personne ne peut lui enlever de la tête que Philippe possède d'autres biens immobiliers que ceux qu'il déclare, achetés par l'intermédiaire de sociétés offshore qu'il crée avec la complicité de ses petites amies. Je l'ai rencontré quelquefois et je peux affirmer qu'il n'a l'air ni d'un million-naire, ni d'un don Juan. Il m'a confié jadis qu'il vouait une grande admiration à son beau-père, un pharmacien fantasque qui tenait boutique dans l'île de Cos, et qu'il avait consenti à épouser Zoé en succombant moins à son charme à elle qu'à son charme à lui. Hélas, le pharmacien est mort un mois après le mariage en abandonnant le jeune couple à son sort.

Je me suis résignée à arpenter encore les rues. Il m'a semblé que l'abri de la Roumaine avait gagné en volume. « Aurait-elle des visites ? » me suis-je demandé. Je ne me suis pas approchée d'elle, j'ai suivi au début le même itinéraire que la veille jus-qu'à l'église Saint-Augustin, où j'ai pris légère-ment sur la gauche la rue de la Pépinière qui conduit à la gare Saint-Lazare. Je crois savoir que c'est l'une des plus grandes gares d'Europe pour ce qui est du nombre de passagers qu'elle accueille quotidiennement. Je pensais avoir des chances de trouver là le bois dont j'avais besoin mais je n'ai rien vu traîner par terre, ni sur les quais, ni dans les galeries marchandes alentour. La gare était étonnamment propre, comme si l'on venait de la laver.

J'ai continué à avancer sans détacher une seconde les yeux du trottoir et de la bordure de la chaussée. La terre autour des arbres était couverte par des grilles de fer forgé aux interstices pleins de mégots. J'en ai déduit que l'on ne pouvait pas fumer dans les lieux fermés. Je ne regardais même pas les noms des rues que je traversais, je n'ai pas davantage prêté attention aux vitrines des Galeries Lafayette qui attiraient des hordes d'étrangers. « Je suis à coup sûr la seule touriste qui recherche un vieux morceau de bois. » Le fait que personne d'autre ne convoitait un tel objet augmentait forcément mes chances de le trouver. J'ai vu des lambeaux de journaux, des canettes de bière écrasées, des étuis de mouchoirs en papier, des petites cuillères en plastique, quelques crottes de chiens, une orange pourrie, un paquet de chewing-gums Hollywood, des emballages de bonbons, une brochure intitulée *Un seul Dieu*, une boîte en carton pleine de magazines. Le seul objet en bois que j'ai aperçu a été un cure-dents. À côté de l'entrée des immeubles étaient parquées de grandes poubelles vertes montées sur deux roues. Le couvercle de certaines d'entre elles était relevé, ce qui m'a permis de constater qu'elles étaient vides. « J'aurais dû me mettre en route avant le passage des éboueurs. »

Une heure plus tard, alors que j'étais sur le point de renoncer à ma quête, j'ai aperçu au tournant d'une rue plusieurs lattes posées contre un mur, d'un mètre environ chacune, qui provenaient d'une ancienne bibliothèque. Elles ne pouvaient pas m'être utiles, mais elles m'ont tout de même remonté le moral. J'ai réussi à me persuader que le morceau de bois dont je rêvais m'attendait quelque part et qu'il était impatient d'entrer

141

en ma possession. « Il m'apercevra de loin et m'appellera : "Je suis là, madame !" »

Sans le vouloir, j'ai abouti une fois de plus aux Tuileries. J'ai inspecté le jardin de long en large, sans résultat. Il y avait bien des branches cassées ici ou là, mais elles n'étaient pas suffisamment grosses pour fournir la carcasse d'un navire. J'ai cependant trouvé une tige de fer pareille à un rayon de vélo, que j'ai mise dans mon sac. Je me suis souvenue que mon frère avait pêché la bûche qu'il m'avait rapportée d'Argentine dans le delta du Rio de la Plata, ce qui m'a incitée à me pencher de nouveau sur la Seine. Après avoir constaté que rien ne flottait sur ses eaux, j'ai eu la bonne idée de lever les yeux. J'ai aperçu alors la fumée qui s'échappait d'une cheminée, de l'autre côté du fleuve. J'ai songé que, les habitants de cette rive ayant gardé l'habitude de se chauffer au feu de bois, je trouverais là la pièce qui me manquait. J'ai donc traversé le pont de Solferino et j'ai poursuivi ma recherche dans un labyrinthe de ruelles étroites bordées d'immeubles d'un autre temps.

Une heure encore s'était écoulée lorsque je suis arrivée devant un petit parc, partagé en deux par un chemin de terre le long duquel étaient alignées des chaises métalliques. Je me suis laissée choir sur l'une d'elles. « Je vais me reposer un instant puis j'irai dans un café. » J'ai enlevé mes chaussures et je me suis mise à me frotter les pieds avec toute l'énergie qui me restait. Un gardien en uniforme bleu sombre est passé derrière les buissons. Je n'ai pas tardé à me lever. Est-ce mon intuition qui m'a conseillé de sortir du parc par l'issue opposée ? Là, juste à droite du portillon, dans une poubelle deux fois plus grande que celles des immeubles, j'ai enfin trouvé ce que je cherchais : au sommet d'une pyramide de sacs en plastique reposait un morceau de bois de vingt centimètres environ, légèrement recourbé, qui avait dû servir de manche à un outil. J'ai dû plonger à moitié dans la cuve pour l'attraper. En relevant la tête, je me suis trouvée nez à nez avec le gardien.

– Que faites-vous là, madame ? m'a-t-il demandé d'un ton sec.

– J'ai pris cela, lui ai-je dit, et je lui ai montré le manche.

Il s'est rapproché pour mieux voir ma trouvaille.

– Très bien, a-t-il dit. Êtes-vous française, madame ?

Il aimait répéter le mot « madame », qui conférait à son hostilité un vernis de civilité. « Il m'a déjà cataloguée parmi les gens qui font les poubelles… Il m'a peut-être vue en train de me frotter les pieds. »

– Je suis grecque.

– Cette poubelle est la propriété de la mairie de Paris.

– Vous voulez dire que son contenu aussi appartient à la ville ?

Il a haussé les épaules.

– Ce qui est sûr, madame, c'est que je ne me serais jamais permis d'ouvrir une poubelle grecque.

143

– Mais elle était ouverte ! ai-je protesté.

Il me fallait trouver sur-le-champ un argument capable de le déstabiliser.

– La Grèce est membre de l'Union européenne, tout comme la France. Il n'existe plus de frontière entre nos deux pays. J'estime donc que nous pouvons au moins partager désormais les choses dont nous n'avons plus besoin !

Il s'est contenté de rabattre vigoureusement le couvercle de la poubelle.

– C'est bon, a-t-il maugréé. Depuis quand la Grèce fait-elle partie de l'Europe ?

J'ai été sur le point de lui dire que le nom même de l'Europe était grec, mais je me suis retenue car je n'en étais pas absolument certaine.

– Depuis toujours, lui ai-je dit et, dissimulant de mon mieux mon envie de courir, je me suis éloignée d'un pas lent.

J'ai pensé à plusieurs reprises à cet homme pendant que je construisais le bateau, enfermée dans ma chambre. Le bois que j'avais sous les yeux me rappelait sans cesse sa voix : « Qu'est-ce que vous faites là, madame ? » Je l'ai même entendu prononcer des mots qu'il n'avait pas dits : « C'est un bout de bois français, madame ! » Mais peu à peu sa voix s'est affaiblie, ses traits se sont estompés, il a cessé de me harceler.

J'ai fabriqué une sorte de galère égyptienne à rames. Aux deux trous qui traversaient les parois du manche, j'en ai ajouté dix autres à la perceuse électrique, dans lesquels j'ai planté des cure-dents enduits de colle. J'ai réussi ainsi à faire tenir la coque en équilibre, malgré sa forme de croissant. À l'extrémité apparente des cure-dents, c'est-à-dire là où les rames s'aplatissent, j'ai collé de petits cartons carrés que j'ai découpés dans un dossier orange. Le bois provenait probablement d'une de ces scies arquées qu'utilisent les jardiniers pour élaguer les arbres. Il portait en tout cas une entaille transversale susceptible de recevoir une lame. J'ai également fait un trou dans le creux de la coque, où j'ai fixé, en guise de mât, la tige de fer. J'avais cependant besoin de deux baguettes supplémentaires, plus petites, qui porteraient la voile. Après avoir cherché dans toutes les armoires et tous les tiroirs, j'ai opté pour deux crayons intacts, l'un rouge sombre et l'autre bleu, que j'ai attachés au sommet et à la base du mât. J'ai enfin sacrifié un de mes mouchoirs pour fabriquer la voile, un joli mouchoir blanc orné de broderies blanches. Après avoir gravé avec un clou le nom d'Aliki sur les deux flancs de la galère, je me suis levée et je l'ai examinée de haut. Elle avait l'air d'un gros insecte dont les cure-dents auraient été les pattes. Je l'ai cachée sous le canapé et je suis allée rejoindre mon frère.

– Le bateau est prêt, lui ai-je annoncé.

Il était seul dans la chambre à coucher. Je lui ai raconté l'épisode avec le gardien du parc.

– Il a raison de veiller sur les poubelles car elles assurent la survie d'une foule de gens… À Buenos Aires les pauvres récupèrent les cartons. Ici, ils cherchent surtout de quoi manger.

– C'est dommage qu'on ne puisse pas survoler les statues, les voir ne serait-ce que de la place qu'occupait l'artiste lorsqu'il sculptait les cheveux de la *Vénus de Milo* ou l'extrémité des ailes de la *Victoire de Samothrace*. J'aimerais posséder une vue aérienne de ces œuvres.

Il ne m'écoutait pas.

– Les poubelles sont les frigidaires des pauvres, a-t-il plaisanté.

Aliki nous a annoncé que le déjeuner était prêt. La plus belle journée que j'ai vécue à Paris fut certainement la dernière. J'avais acquis la conviction que mon frère était hors de danger, les heures que je venais de passer avec lui avaient achevé de me rassurer. Mon optimisme n'a pas été ébranlé lorsque Aliki m'a dit qu'il devait se faire une injection d'insuline chaque jour. J'ai supposé que l'insuline accélérerait encore sa convalescence, je l'ai vue comme un élixir efficace. Miltiadis a mangé de meilleur appétit que les jours précédents et nous a demandé ensuite de le conduire au jardin. Il entendait par là la cour qui se trouve derrière l'immeuble et que je n'avais jamais eu l'occasion de visiter.

Comme nous ne pouvions pas tenir tous les trois dans l'ascenseur, il a dû se contenter de ma compagnie. Nous avons traversé un couloir sombre et nous sommes passés à l'extérieur par une porte dont la partie vitrée était composée de plusieurs carreaux. Miltiadis a respiré profondément en regardant la cime des trois arbres plantés dans un parterre circulaire surélevé. Une chaussette noire que j'ai d'abord prise pour un oiseau était suspendue à une branche. L'endroit n'avait rien de bien séduisant, coincé entre quatre immeubles, cependant mon frère a été d'un avis différent :

– C'est beau, a-t-il dit.

J'ai songé que cette petite sortie était peut-être plus importante pour lui que le voyage qu'il avait fait en Argentine. L'espace pavé autour du parterre était légèrement incliné vers sa périphérie. Miltiadis l'a franchi avec une certaine difficulté, en me serrant fermement la main, et a pris place sur le muret du parterre.

– Tu ne crois pas en Dieu, toi, n'est-ce pas ? m'a-t-il demandé doucement.

En face de nous se dressaient trois poubelles.

– Il se peut que je croie un peu, mais je n'en suis pas certaine, et je ne saurais te dire en quoi.

Ma réponse l'a fait sourire.

– Tu parles comme notre mère. Nous l'avons perdue beaucoup trop tôt, tu ne trouves pas ? Je pense souvent à elle ces derniers temps mais je ne perçois plus sa voix. J'ai oublié la voix de notre mère.

Nous regardions tous les deux les poubelles comme si nous étions en conversation avec elles.

– Bizarrement, je me souviens mieux de la voix

de notre père. Mais je l'entends seulement chanter. La mort n'est pas parvenue à entamer sa bonne humeur... L'icône qui se trouve dans la chambre à coucher m'a été offerte par une de ses anciennes patientes, elle me l'a apportée lors de la messe anniversaire de sa mort. « Saint Georges te rappellera ton papa », m'a-t-elle dit. Je ne l'ai jamais vu en rêve.

– Moi non plus.

– Il n'aime peut-être pas se produire dans les rêves. Ça ne doit pas lui être agréable de jouer les fantômes.

Des battements d'ailes et des cris aigus ont retenti au-dessus de nos têtes. Une nuée d'oiseaux avait envahi les arbres, en donnant vie à leurs branches. Nous avons été un peu effrayés par cette incursion qui m'a paru en même temps magique. Elle n'a duré que quelques minutes. Les oiseaux sont repartis tous ensemble. Nous sommes restés un long moment sans rien dire, comme si la petite cour perpétuait le tumulte de leur passage.

– Il m'arrive parfois d'allumer un cierge quand je suis en Grèce. La sérénité des églises m'émeut, ce sont des lieux concentrés sur eux-mêmes.

Je lui ai avoué que la lueur des cierges ne me touchait guère.

– Ils me rappellent des fêtes d'anniversaire et des enterrements.

– Les cierges évoquent en effet le commencement et la fin. C'est ainsi que les voit Cavafis dans le poème qu'il leur a consacré : « *Les jours du passé restent loin derrière, / triste rangée de cierges éteints.* » Leur lumière ne dissout pas l'obscurité, elle l'accroît, elle annonce son triomphe.

– Les cierges des églises diffusent cependant une espérance. J'ai le sentiment qu'ils sous-estiment mon intelligence.

Il a souri pour la deuxième fois.

– Si je n'avais pas tant d'obligations, je voyagerais continuellement, a-t-il dit. Je retournerais en Argentine, au Pérou, à New York. Je passerais un mois par an en Centrafrique, je pourrais même acheter une petite maison à Bangui, où on les vend pour une bouchée de pain. Je découvrirais l'Asie, que je ne connais pas. Je demanderais auparavant à Jean-Christophe de m'apprendre quelques mots de chinois. Le temps que je passe à voyager ne s'ajoute pas à mon âge, il ne me vieillit pas. C'est plutôt le contraire qui est vrai, je me sens au retour beaucoup plus léger qu'à l'aller. Nous devrions soustraire de notre âge nos séjours à l'étranger.

» C'est toujours le même jour qui se lève en Centrafrique ou en Argentine, les gens du lieu n'ont pas la notion du temps. Les vieux que je rencontre ont toujours été vieux et les enfants ne grandiront jamais. Les paysages que je contemple n'ont aucune perspective, ils n'appartiennent ni à mon passé ni à mon avenir, ils ne dissimulent aucun vide... Je me souviens néanmoins que le restaurant sur la Montagne aux Sept Couleurs était fermé le mardi. Aliki me fait des reproches,

« Tu t'en vas tout le temps », me dit-elle, alors que je trouve pour ma part que je ne voyage pas assez.

– Tu t'es bien entendu avec Monica ?

– Elle habite à Jujuy, au pied des Andes. Je n'avais vu que peu d'Indiens avant d'arriver là. Les Espagnols ont gardé les plaines pour eux et ont abandonné les montagnes aux Indiens. Monica ne ressemble pas à une Indienne, elle a un ancêtre syrien qu'elle n'a pas connu et dont elle ne sait rien, pas même comment il est arrivé dans ce coin. Les passages entre les montagnes portent le nom de *quebradas*. J'ai appris quelques mots. Le quechua, qui est l'une des langues de la région, est aussi parlé au Pérou. J'avais connu Monica à Lima, à l'occasion d'une fête de la Francophonie, elle est professeur de français. Elle est venue m'accueillir à l'aéroport de Salta, à cent kilomètres au sud de Jujuy. Elle est arrivée en retard mais je ne me suis pas alarmé, je me suis étendu dans l'herbe devant l'aéroport et j'ai dormi. Elle m'a réveillé en frôlant mon visage de ses cheveux.

» Nous avons loué une voiture. Nous avons pris des photos du monument de pierre qui marque le passage du tropique du Capricorne. J'ai visité aussi l'une des écoles où elle enseigne. Dans tous les établissements du pays on procède chaque matin au lever du drapeau tandis que les élèves chantent un hymne qui le compare à un aigle.

– Est-ce qu'il y a des condors dans la région ?

– Naturellement ! Je lui ai offert un collier de pierres roses et brillantes que les Incas appréciaient déjà et qui se nomment d'ailleurs « pierres des Incas ». Elle m'a fait cadeau, elle, d'une statuette sculptée dans un bloc de sel qui représente un lièvre. Nous nous sommes séparés devant les bureaux de la société qui nous avait loué la voiture, à Salta. J'ai eu de la peine, comme si j'avais passé bien plus que trois jours avec elle.

– Qui s'occupait de ses enfants ?

– Sa mère. Elles habitent la même maison. Elle est séparée de son mari... J'ai quitté l'Argentine avec un morceau de sel dans mes bagages.

Malgré le froid, j'aurais volontiers passé le reste de la journée dans la cour de l'immeuble, assise sur le même muret que mon frère, mais Aliki l'a appelé sur son portable pour le prévenir que le médecin était arrivé.

Il est resté longtemps enfermé dans la chambre à coucher avec le médecin. C'était un homme aux yeux bleus et aux cheveux blancs qui ressemblait à un comédien, mais lequel ? La plupart des acteurs que j'admirais quand j'étais jeune sont morts aujourd'hui. Il tenait une canne noire à pommeau d'argent.

Aliki s'était lancée dans une grande opération de nettoyage, elle avait mis la maison sens dessus dessous, comme le fait Stella, elle avait échafaudé une barricade de chaises à l'entrée du salon.

– Je peux t'aider ? lui ai-je crié, car l'aspirateur

151

qu'elle était en train de passer faisait un bruit infernal.

Elle ne m'a pas entendue mais elle m'a vue et a éteint l'appareil.

– Quand est-ce que je vais pouvoir préparer la dinde, tu peux me dire ? m'a-t-elle apostrophée.

J'ai deviné qu'elle m'en voulait parce que je m'étais absentée toute la matinée. Elle ignorait évidemment le motif de ma promenade.

– Tu attends du monde ?

Elle m'a scrutée avec une vive curiosité comme si j'avais proféré une incongruité. Subitement, son visage a été inondé de larmes. J'ai dû me frayer un chemin à travers les chaises pour parvenir jusqu'à elle.

– Je n'en peux plus. Ma mère m'a épuisée. Je n'en peux plus, a-t-elle répété.

Je lui ai arraché l'aspirateur des mains.

– Laisse-moi continuer, comme ça tu pourras t'occuper de la dinde.

– J'avais dit à Audrey de faire le ménage, mais je vois qu'elle n'a rien fait.

– Elle a décoré l'arbre, lui ai-je rappelé.

J'ai évité de passer l'aspirateur sur le tapis, là où Audrey avait répandu de la poussière dorée. L'*Histoire de la langue grecque* était restée sur le canapé. Je l'ai refermée après avoir lu une phrase au hasard : « *L'indo-européen est une langue très ancienne, qui n'a peut-être jamais été parlée, et qui n'a été découverte qu'à une date relativement récente.* » J'ai répété intérieurement cette phrase pendant que je rangeais le livre dans la bibliothèque, comme si je voulais l'apprendre par cœur. Jusqu'à quel âge sommes-nous en mesure d'assimiler de nouvelles connaissances ? À partir de quel moment nos oublis l'emportent-ils sur nos découvertes ? « Je construirai un jour un bateau assez grand pour m'y réfugier. Ce sera ma dernière adresse. » J'ai entendu un bruit sec derrière moi, puis un autre et un troisième, comme au théâtre. Je me suis précipitée dans l'entrée où le docteur attendait en frappant le plancher de sa canne.

– Je ne supporte pas de rester longtemps debout, m'a-t-il dit excédé.

J'ai poussé vers lui une chaise sur laquelle il s'est assis avec difficulté, en gardant sa jambe gauche bien tendue.

– Je n'ai plus de jambe gauche, m'a-t-il confié. C'est un camion qui me l'a fauchée, l'an dernier, rue Royale. Je venais de me garer. Le camion est passé au moment où je sortais ma jambe de la voiture, il a donné un grand coup à la portière... Vous voulez la voir ?

Ce n'est qu'à ce moment qu'Aliki est apparue, comme pour profiter du spectacle. Le docteur a fait remonter son pantalon sur un tube chromé.

– Vous voyez ? En France, le conducteur est toujours assis à gauche. Si je vivais en Angleterre, j'aurais perdu la jambe droite.

Il nous a aussi montré son genou, je veux dire l'appareil qui lui tenait lieu de genou et qui était

153

gainé de plastique gris. Il était fier de sa prothèse comme on peut l'être d'une nouvelle voiture. Il ne nous a pas dit grand-chose concernant mon frère, sauf qu'il l'avait trouvé « plutôt bien ». Il a néanmoins remis à Aliki une liste de médicaments de deux feuillets.

Je l'ai raccompagné, lui aussi, jusqu'à l'ascenseur. Je l'ai imaginé dans la cabine en train de montrer sa fausse jambe à la femme invisible qui annonce les étages.

La cuisine était imprégnée de l'odeur des oignons qu'Aliki faisait revenir dans la poêle. La fenêtre était entrouverte. Ses vitres sont opaques car l'immeuble d'en face est tout proche.

– Tu aurais reçu un choc si tu étais venue à l'hôpital, m'a dit Aliki. Tu n'imagines pas le nombre d'appareils et d'écrans qu'il avait autour de lui. Il était bardé de tuyaux. J'ai failli m'évanouir en le voyant.

J'ai décidé d'oublier qu'elle m'avait contrariée en me défendant de voir mon frère quand il était en réanimation. Je l'ai remerciée pour la bonne confiture et le beurre salé que j'avais trouvés sur le plateau du petit déjeuner.

Elle a répandu les oignons frits sur la viande hachée qui reposait dans un récipient en céramique, puis elle a commencé à la pétrir en ajoutant des pignons, des châtaignes bouillies, des raisins secs et toutes sortes d'épices. La dinde attendait patiemment au milieu de la table, dans un plat à four, couchée sur le dos, le ventre ouvert.

– Tu ne veux pas t'asseoir ?

La vérité est que la préparation de la farce ne m'intéressait pas beaucoup. Je n'ai pas l'intention d'apprendre à cuisiner à mon âge.

– Mon père est persuadé que ma mère possède des drogues qu'elle s'est procurées autrefois dans la pharmacie familiale et qu'elle compte l'empoisonner. C'est la raison pour laquelle il a refusé le mois dernier de dîner chez elle. Elle l'avait invité sur le conseil de son avocat.

Ses doigts étaient affreusement déformés par les mottes de viande qui restaient collées dessus.

– Quand j'étais petite, je pensais que mes parents ne me comprenaient pas. Aujourd'hui c'est moi qui ne les comprends plus.

J'ai jeté un coup d'œil sur mon portable, j'avais reçu douze messages, un de Calliopi, qui me rappelait le dîner qu'elle donnerait le lendemain soir pour son anniversaire – elle est née le jour de Noël –, trois de Margarita, deux de Panayiotis – il était lui aussi invité chez Calliopi –, un du gérant de l'immeuble de la rue Lucien. Une journaliste m'annonçait qu'elle avait inclus mes œuvres dans le supplément de son magazine consacré aux fêtes de fin d'année, sous la rubrique « Cadeaux malins ». Les autres messages avaient été laissés par des amies dont je n'ai pas encore parlé et qu'il ne sera peut-être pas nécessaire d'évoquer ici – Chryssoula, Maria, Martha, Phryni. Si j'écrivais un récit autobiographique, je consacrerais sûrement plusieurs pages à chacune d'entre elles, car elles occupent une place importante dans ma vie. Je ne les vois pas toutes régulièrement, elles sont cependant constamment présentes dans mon esprit. Serais-je en train de composer le texte que mon frère n'a pas eu le temps de rédiger ? Souvent, alors que j'observe le mouvement imperceptible que l'écriture imprime à ma main, je songe à sa main à lui, j'ai l'illusion que c'est lui qui tient le crayon. Il relaterait certes différemment tout cela, il passerait sous silence les détails auxquels je m'attache, son exposé serait mieux ordonné et plus profond.

Aliki me racontait que l'ancien maire de Montpellier était un philhellène accompli, qu'il avait décoré la ville de moulages de statues antiques et baptisé ses rues de noms grecs. Le quartier le plus fréquenté perpétue le souvenir d'Antigone et le stade se souvient de Philippidès, le soldat qui courut de Marathon jusqu'à Athènes pour annoncer la victoire des Hellènes sur les Perses.

– Je n'ai pas pensé à demander à ma mère s'il existe une rue Miltiade.

Après la visite du médecin, mon frère avait exprimé le désir de se reposer. Nous avions fermé la porte de sa chambre. Je songeais de plus en plus souvent à cette porte fermée. « Je ne suis pas venue ici pour me renseigner sur Montpellier. »

– Je vais voir s'il dort encore, ai-je dit.

Je suis restée plusieurs minutes l'oreille collée à la porte. J'ai eu le temps d'étudier sa poignée qui a la couleur et la forme d'un œuf. Je ne percevais aucun son, ni en provenance de la chambre, ni d'ailleurs, comme si l'immeuble avait été déserté. Ce fut le seul moment où j'ai essayé d'imaginer à quoi pourrait ressembler ma vie si je perdais mon frère. J'ai été parcourue d'un frisson qui est parti de la plante de mes pieds, j'ai supposé qu'Audrey devait ressentir quelque chose de semblable en écoutant de la musique et je me suis cramponnée à la poignée. J'ai ouvert la porte sans le faire exprès.

– C'est toi ? a demandé mon frère qui me tournait le dos.

J'ai cru qu'il s'attendait à recevoir la visite de sa femme.

– Non, c'est moi.

– Mais c'est à toi que je parle !

Aliki avait enlevé le coussin du plancher, je me suis donc assise au bord du lit.

– Est-ce que tu as remarqué que ma raie a changé de place ? Autrefois je la portais sur la droite. À quel moment s'est-elle déplacée à gauche ? Mes cheveux me font penser aux politiques qui changent de camp, même s'ils passent plus souvent de la gauche à la droite que l'inverse. Sarkozy s'est attaché les services de plusieurs transfuges du parti socialiste. Il se plaît décidément à bousculer les valeurs. Il est l'auteur d'une loi qui sanctionne de cinq ans de prison quiconque donne asile à un immigré clandestin. Il a fait de la compassion un vice et de la trahison une vertu.

– Tu n'as pas eu de rêve ?

Il n'a pas tenu compte de ma question.

– Le siège du langage se trouve dans l'hémi-sphère gauche du cerveau, à peu près à l'endroit où prend naissance ma raie. Il porte le nom de Broca, le médecin français qui l'a localisé au XIXe siècle. Mais il semble que d'autres régions sont impliquées dans le processus de la parole. Une zone enregistre les propos de notre interlo-cuteur, une autre les comprend, une troisième contrôle les muscles de la bouche et de la langue qui nous permettent de parler. L'aire de Broca demeure toutefois le quartier général de cette acti-vité, c'est elle qui maîtrise la parole et élabore notre réponse.

– Où tu as appris tout cela ? l'ai-je taquiné.

– J'ai été renseigné par la femme d'un de mes anciens élèves. Elle travaille à l'Institut Pasteur auprès d'un illustre professeur, Jean-Pierre Changeux.

Je me suis demandé soudain pourquoi tant de Français portent deux prénoms. « Est-ce qu'un seul ne leur suffit pas ? »

– Chomsky prétend que la capacité de parler est innée, que nous possédons les structures de la langue avant de les avoir apprises. D'autres, comme Piaget, soutiennent qu'elle est acquise. On sait que les enfants qui ont grandi à l'écart de toute présence humaine, lorsqu'ils ont dépassé un certain âge, ne sont plus en mesure d'apprendre à parler. Une fille de Los Angeles, Genie, qui a vécu les quatorze premières années de sa vie cloî-trée dans une pièce, n'a jamais pu s'exprimer cor-rectement. Son cas remonte aux années 70. Platon donnerait raison à Chomsky, Aristote à Piaget. Changeux est encore d'un autre avis, qui associe les deux thèses : il affirme que le langage est ins-crit dans notre enveloppe génétique mais qu'il nécessite une série de réglages pour devenir opérationnel... Est-ce que tu sais combien il y a de neurones dans notre cerveau ? Cent milliards !

J'ai été impressionnée par ce chiffre, en dépit du fait que le mot « neurone », que j'avais déjà entendu, demeurait totalement hermétique pour moi.

– Quelle partie du cerveau conserve nos souve-nirs ?

– On peut téléphoner à Charlotte si tu veux, elle connaît sûrement la réponse. J'ai le numéro de son mari dans mon carnet d'adresses, il s'appelle Alexandre Dumas, comme l'écrivain... Pourquoi tu me poses cette question ?

– Ce matin, en me promenant, j'ai essayé en vain de me rappeler un autre jeu auquel nous jouions autrefois, la marelle. Cela consistait à déplacer à cloche-pied un palet dans des cases tracées à la craie sur le trottoir. Mais quel était le but de cette activité ? Combien y avait-il de cases ? Quelle était la configuration de la grille qu'elles formaient ? Leurs lignes ont fondu dans ma mémoire, elles se sont entremêlées, elles res-semblent à un plat de spaghettis !

– Vos jeux étaient plus paisibles que les nôtres, a-t-il noté. Vous ne vous battiez pas, vous n'aviez ni épées ni lance-pierres. Il n'était pas dans vos habitudes de sonner aux portes des immeubles en pleine nuit pour réveiller les gens... Nous étions transportés de joie lorsque nous voyions apparaître aux balcons des pères de famille en pyjama absolument furieux. Nous les observions cachés derrière les mûriers de la rue.

Le passé nous a absorbés un moment. « J'ai vécu tant de nuits et j'en ai gardé si peu de souvenirs », ai-je songé.

– Le mot *nostalgia*, dont le caractère grec paraît si évident, ne figure pas dans les textes classiques. Il a été créé par un médecin suisse pour définir la tristesse particulière qui s'emparait des soldats expatriés. Il n'est pas surprenant qu'il ait utilisé deux mots grecs, *nostos*, le retour, et *algos*, la douleur, étant donné que la médecine a toujours puisé dans notre vocabulaire. Il s'agit en somme d'un mot grec qui porte la signature d'un Suisse.

» Nous devrions apprendre le nom de ce médecin et l'attribuer à l'une de nos rues. Peut-être à celle qui descend vers Le Pirée, étant donné que la plupart des émigrés grecs ont pris congé de leur pays dans ce port.

C'est là en tout cas que mon frère s'embarqua en 1967, la première année de la dictature des colonels. Il avait alors vingt-quatre ans. Nous avions beaucoup pleuré sur le quai, comme si nous savions qu'il ne reviendrait pas.

160

Nous avons passé la fin de l'après-midi dans la cuisine. Aliki avait fait la vaisselle et essuyé la table. Elle était beaucoup plus détendue.

— La dinde est en bonne voie, nous a-t-elle annoncé.

Mon frère a ouvert la porte du four.

— C'est exact, a-t-il confirmé.

La pièce était éclairée uniquement par une lampe à abat-jour posée sur le frigidaire, à côté du vieux réveil. Il y régnait cette espèce de quiétude que mon frère recherche dans les petites églises grecques.

— Théano va passer nous voir, a dit Aliki lorsque nous nous sommes assis à table.

— Elle ne restera pas pour le dîner ? a demandé Miltiadis.

— Non, mais elle passera.

Nous avons bu un raki et nous avons entamé une partie de trente-et-un. Je me suis chargée de la distribution des cartes. Aliki jouait prudemment, elle cessait de réclamer de nouvelles cartes quand elle arrivait à vingt-six, au maximum à vingt-sept points. Miltiadis au contraire prenait des risques et dépassait continuellement la limite des trente et un points. Il tardait un peu à additionner ses cartes, comme s'il pensait à autre chose. J'avais oublié que l'as pouvait compter aussi bien pour un point que pour onze. Aliki se levait de temps en temps et arrosait la dinde de jus d'orange. Elle a gagné finalement vingt-sept euros.

Elle nous a raconté qu'un matin où elle faisait ses courses à Montpellier elle avait été suivie par un militaire. Je dois dire qu'elle a toujours eu beaucoup de succès et qu'elle avait posé, quand elle était jeune, pour la publicité d'une marque de chaussures. Malgré ses cinquante-trois ans, elle a une silhouette et une démarche de jeune fille. Théano n'a malheureusement pas hérité des jambes de sa mère. Elle a le pas lourd de son papa. Je leur ai parlé à mon tour du militaire que j'avais croisé la veille et de son apparition insolite sur le pont du bateau-mouche. Ils m'ont considérée tous les deux avec suspicion.

– Je vous assure que je l'ai vu, leur ai-je affirmé. D'ailleurs il m'a vue lui aussi !

Ils n'ont pas pu m'expliquer pourquoi les bateaux qui parcourent la Seine sont comparés à des mouches. Un autre mystère nous a sollicités un peu plus tard : que signifient les paroles « *Am stram gram, pic et pic et colégram* » qu'entonnent les enfants quand ils veulent tirer au sort un membre de leur bande ?

– On la connaît aussi en Grèce cette comptine, dans une version légèrement différente : « *Astra dam, piki piki ram* », a dit Aliki.

– À mon avis ces mots ne sont ni grecs ni français, a commenté Miltiadis. Ils ont dû pousser d'eux-mêmes dans une région inhabitée qui n'appartient à personne.

162

J'ai de nouveau imaginé nos ancêtres installés par terre, les plantes de leurs pieds nus tournées vers le feu. Brusquement, ils se sont levés comme un seul homme et se sont rassis en sens inverse afin de se réchauffer aussi le dos. Aliki comptait les pièces de monnaie qu'elle avait gagnées.

– Savez-vous ce que je vais en faire ? nous a-t-elle dit d'un air joyeux. Je vais les donner à la Roumaine !

Elle les a ramassées dans le creux de ses mains et a quitté hâtivement la cuisine.

J'observe la pointe de mon crayon que je viens de tailler. Elle est si fine que je suis certaine qu'elle va casser. Elle a cassé, en effet, mais pas immédiatement, elle a trébuché sur le mot « certaine ».

Aliki est revenue désappointée car elle n'avait pas trouvé la femme à son poste.

– Elle a dû aller à l'église où il fait tout de même plus chaud, a dit Miltiadis. Tous les sans-abri vont suivre la messe de minuit, les églises seront pleines à craquer…

– Tu lui donneras l'argent demain, ai-je dit à Aliki pour la réconforter.

– Tu crois qu'elle va travailler un jour pareil ?

– Bien sûr qu'elle travaillera, a déclaré mon frère. Il n'y a pas de jours fériés pour les pauvres.

Nos téléphones portables ont sonné à plusieurs reprises pendant que nous bavardions. J'ai reçu un nouvel appel de Calliopi, je lui ai expliqué que j'avais prévu de prendre l'avion le lendemain à midi et que j'aurais largement le temps de me préparer pour sa fête, et un autre de Panayiotis qui a tenu à me souhaiter un « joyeux Noël ». J'ai supposé qu'il était sorti sur le balcon de sa maison pour m'appeler, en cachette de sa femme. Comment se fait-il que cet homme, qui prétend encore aujourd'hui ne pas pouvoir se passer de moi, n'ait jamais pris la décision de divorcer ? Il faut croire qu'il ne peut pas se passer de sa femme non plus. J'ai parlé également avec une cousine de Cyparissia, le village de mon père, qui dirige une association culturelle. Elle m'a prévenue qu'elle allait inviter Miltiadis l'été prochain pour une conférence. Pendant qu'elle m'exposait son projet, Aliki conversait avec un architecte qui l'avait employée dans le passé et qui habite aujourd'hui Madagascar, et Miltiadis avec Monica. J'ai deviné qu'il s'agissait d'elle car il lui a demandé :

– Quel temps fait-il sur la Montagne aux Sept Couleurs ?

Nous avons été transportés mentalement dans trois pays différents, à très grande distance l'un de l'autre. L'heure qu'indiquait le réveil sur le frigidaire n'était valable pour aucun d'entre eux. Ma cousine m'a appris que les manifestations de son association rencontraient un grand succès et qu'elles se tenaient dans l'hôtel de Stéphanos.

– Tu te souviens de Stéphanos ? Il a péri, le pauvre, l'an dernier dans les incendies qui ont ravagé la région. Il s'est embrasé en essayant de sauver sa maison. On l'a vu courir sur le versant de la colline en direction de la mer. Il s'était trans-

formé en torche vivante, on aurait dit une météo-
rite.

– C'est toujours le printemps en Argentine, a
dit mon frère d'un air rêveur.

Nous venions de regagner tous les trois la cuisine.

– À Antananarivo c'est l'été.

J'avais omis d'interroger ma cousine sur le
temps. J'ai imaginé Cyparissia sous un ciel gris
d'automne. « Ce n'est qu'à Paris qu'il fait froid. »

– Est-ce que je t'ai montré le collier que m'a
offert Miltiadis ?

Elle est allée le chercher, il était rangé dans un
élégant écrin noir.

– Il est magnifique, n'est-ce pas ? Il paraît que
les Incas adoraient ces pierres roses, qu'on appelle
encore aujourd'hui « pierres des Incas » !

« Je suis au courant », ai-je failli lui dire, mais
je me suis tue. Je n'ai pu admonester mon frère
comme il le méritait qu'un peu plus tard, lorsque
Aliki nous a laissés pour prendre un bain.

– Tu aurais pu te donner la peine de trouver un
autre cadeau pour ta femme, au lieu de lui acheter
le même collier que pour Monica !

– Tu parles de nouveau comme notre mère.

– Et toi tu me rappelles notre père !

Nous nous sommes regardés en silence comme
si nous étions prêts à nous empoigner, mais ni lui
ni moi n'étions vraiment d'humeur à prolonger
notre querelle. Il a versé du raki dans nos verres,

165

qui étaient minuscules comme des dés à coudre, et il a levé le sien en me disant :

– À ta santé.

Ses bras étaient nus, il ne portait pas de pyjama sous sa robe de chambre.

– Je vais me préparer, moi aussi, a-t-il dit. Je ne veux pas assister au repas de Noël dans cet accoutrement. Reste ici, je suis capable de me débrouiller tout seul.

Il s'est appuyé sur le dossier de sa chaise, au marbre de l'évier, il a saisi la poignée du frigidaire puis le manche du balai-brosse qui se trouvait à côté, et c'est ainsi que peu à peu il est sorti de la cuisine. Des craquements de branches que l'on casse s'échappaient périodiquement du four. J'ai constaté que la dinde s'était desséchée et je l'ai aspergée du jus d'orange qui restait.

J'ai pris une douche dans la petite salle d'eau réservée à Audrey. Elle est dépourvue de miroir. Il y a par contre une forte lumière qui projetait avec netteté ma silhouette sur le mur. Je me suis coiffée en regardant mon ombre.

Nous avons attendu une bonne demi-heure mon frère dans la salle à manger. Quand il a poussé la porte, nous avons compris pourquoi il avait tant tardé : il était aussi bien habillé que lors de la cérémonie à l'université de Thessalonique. Il portait la même veste de velours noir et le même nœud papillon d'un rouge vif, que sa chemise immaculée rendait encore plus voyant. Il avait opté pour une paire de chaussettes multicolores. Mais il avait gardé ses pantoufles.

– Comment me trouvez-vous ?

Aliki a applaudi. Il s'était lavé les cheveux et rasé de près. Il tenait à la main un livre à couverture rose qui n'était pas le dictionnaire espagnol-maka. J'ai réalisé qu'il avait toujours eu un livre à la main, même quand il était très jeune. Il ne s'en séparait que pour jouer avec ses amis.

– J'étais sûr d'avoir déjà lu le mot *bekos* que Jean-Christophe nous a cité. Eh bien, je ne m'étais pas trompé, il apparaît chez Hérodote. C'est un mot phrygien qui, selon certains, dériverait du flamand, a-t-il expliqué à Aliki.

– Il y avait déjà des Flamands à cette époque ? s'est-elle étonnée.

– Dans l'Antiquité, tout le monde tenait pour assuré que les Égyptiens étaient le peuple le plus ancien. Cependant, le roi Psammétique Ier, qui vécut au VIIe siècle avant notre ère, voulut en avoir le cœur net et confia deux nouveau-nés à un berger pour qu'il les élève loin du monde sans jamais leur adresser la parole. Il pensait que les enfants retrouveraient d'eux-mêmes la langue des origines et désigneraient du même coup le peuple aîné. Or il semble qu'à l'âge de deux ans ils aient dit *bekos*, ce qui signifie « pain » en phrygien. Le roi n'a pas gardé sa découverte pour lui, bien qu'elle privât son peuple d'un titre prestigieux.

Il a ouvert le livre.

– Je lis dans un commentaire que des expériences similaires ont été menées par Frédéric II de Germanie au XIIIᵉ siècle et par Jacques IV d'Écosse au XVIᵉ. Dans le premier cas, les enfants sont morts avant d'avoir parlé, dans le second ils se seraient exprimés spontanément en hébreu.

Aliki s'est signée et s'est recueillie pendant quelques instants. Je ne l'avais jamais vue prier avant le repas. Miltiadis la regardait avec tendresse, devinant sans doute que le rétablissement de sa santé était le principal vœu qu'elle formait. Les membres de la Sainte Famille n'étaient pas visibles de l'endroit où j'étais assise. Je voyais seulement l'âne noir qu'Audrey, je ne sais pour quelle raison, avait laissé à l'extérieur de la crèche. Deux bougies brûlaient dans des chandeliers d'assez belle taille de part et d'autre de la dinde dont le ventre était cousu de fil blanc.

– Alors, je vous sers ? a dit Aliki.

Elle nous a adressé un large sourire comme si elle venait de conclure un bon accord avec Dieu. Elle portait au cou le collier des Incas qui, je l'avoue, lui allait à ravir. « Il est peu probable qu'elle rencontre un jour Monica, ai-je songé. Un océan les sépare. » Miltiadis s'est chargé d'ouvrir la bouteille de vin et de couper les fils de la dinde. J'ai vu entrer dans la salle à manger nos parents, Géorgios et Irini. Ils sont restés à quelque distance de la table. Miltiadis avait du mal avec les fils, peut-être parce qu'il avait choisi un mauvais couteau, peut-être parce qu'il manquait de force.

Géorgios était tout disposé à lui venir en aide, mais Irini l'a arrêté.

– Ne te mêle pas de ça, lui a-t-elle dit.

Elle a parlé d'une voix qui n'était pas la sienne, qui n'avait pas de couleur, d'une voix blanche.

– Qu'est-ce qu'ils font tes parents ce soir ? ai-je interrogé Aliki.

– Mon père va certainement passer la soirée avec son amie, une Grecque d'une cinquantaine d'années qui vit en France depuis trente ans. Elle a huit enfants de son premier mariage, quatre garçons et quatre filles. C'est une conteuse professionnelle, elle se produit dans des écoles, des maisons de retraite, des hôpitaux, des prisons. Elle connaît un nombre invraisemblable de récits, indiens, arabes, chinois. Quel que soit le sujet que vous abordez avec elle, elle a toujours une histoire à raconter. « Ça me rappelle le conte du *Château enchanté* ou de l'*Orpheline qui fit fortune* ou du *Tailleur qui devint roi* », dit-elle, et après vous avoir demandé si vous le connaissez, elle se met à vous le réciter intégralement. La dernière fois que je l'ai vue, j'ai eu droit au *Prince qui fut transformé en serpent*, au *Secret du violoniste* et aux *Chaussures magiques*.

– Voilà pourquoi elle a fait huit enfants, pour s'assurer un auditoire permanent, a dit Miltiadis tout en se servant une généreuse portion de farce.

– Elle parle aussi énormément de ses enfants. Les plus grands sont impliqués dans diverses

169

péripéties qui ressemblent justement à des contes... Tu vas manger toute cette farce ?

– Le docteur m'a autorisé à manger tout ce que je veux et autant que je veux ce soir. « Une fois n'est pas coutume. »

Il a cité cette expression en français.

– Ce ne sont pas les mêmes aires du cerveau qui s'activent quand nous apprenons notre langue maternelle et quand nous étudions un idiome étranger. Celui-ci mobilise aussi bien l'hémisphère gauche que l'hémisphère droit et quelquefois uniquement le lobe frontal de l'hémisphère droit. Quand nous parlons français avec Théano, elle s'exprime avec l'hémisphère gauche, tandis que nous lui répondons avec le droit.

– Je vous mets un peu de musique ? a proposé Aliki qui, visiblement, n'avait pas envie d'en apprendre davantage sur le sujet.

– Pourquoi pas ? a-t-il acquiescé. Retiens cependant que c'est la partie droite du cerveau qui perçoit la musique. Ceux qui perdent la parole à la suite d'un accident ne cessent pas pour autant de l'apprécier. Charlotte m'a assuré que certains aphasiques sont parfaitement capables de chanter. Il m'arrive de mettre de la musique quand je travaille, mais dès que je me concentre je cesse de l'écouter. Parfois elle m'empêche de me concentrer, alors j'éteins le poste. La musique est une sorte de langue étrangère.

– Le premier mot que Théano a prononcé était

grec, a observé Aliki en revenant du salon. Elle a dit *baba*.

Elle avait mis un disque de chansons des îles de l'Égée.

– En Centrafrique aussi, le père s'appelle *baba*. Les Arabes le nomment *aba*. En slave, *baba*, avec l'accent sur la première syllabe, veut dire « vieille femme ».

Le rythme vif de la musique nous a rendus mélancoliques, il nous a rappelé les îles de notre enfance, qui n'existent plus. « Les îles sont des lieux pour les enfants, ai-je songé. Les grandes personnes n'ont rien à y faire. » Seul mon père avait l'air réjoui, il a même esquissé un petit pas de danse.

– Je ne serai comblé que lorsque j'aurai visité tous les pays qui étaient représentés dans la collection de timbres que je faisais enfant, a dit Miltiadis.

– Mais tu les as tous visités ! lui a assuré Aliki.

– Il me semble que j'avais deux ou trois timbres néo-zélandais… Et quelques-uns de Ceylan, comme on appelait alors le Sri Lanka.

Nous avons reçu d'autres appels téléphoniques au cours du dîner, des parents d'Aliki, qui se sont manifestés l'un après l'autre comme s'ils s'étaient donné le mot, de Jean-Christophe, qui a tenu à m'adresser ses vœux de vive voix, et du père d'Audrey.

– J'ai hâte de retrouver mon studio, nous a avoué mon frère. J'en ai rêvé quand j'étais à l'hôpital, j'ai eu peur de ne plus le revoir. J'aimerais reprendre la lecture du manuscrit de Pierre Lebrun qui s'intitule *Notes itinéraires écrites d'après nature tous les jours, en parcourant la Grèce et ses îles.* Il a fait ce voyage en 1820. S'est-il rendu compte que les Grecs étaient sur le point de prendre les armes ? Il a en tout cas de l'estime pour eux, à une époque où l'Europe a plutôt tendance à les mépriser, à les juger indignes de leurs ancêtres. Le mouvement philhellène n'est apparu qu'à la suite de l'insurrection nationale de 1821. L'écriture de Lebrun est sobre et concise. Il ne se met pas en avant, il ne fanfaronne pas à la manière d'un Chateaubriand, il se contente de consigner ce qu'il observe.

Tandis que Géorgios ne faisait attention qu'à la musique, Irini scrutait son fils. Que remarquait-elle ? Qu'il avait énormément maigri ? Que ses cheveux avaient blanchi ? Il semblait avoir le même âge que mon père. Soudain, il m'a posé cette question incongrue :

– Pourquoi n'avons-nous jamais appris à jouer d'un instrument de musique ?

Théano m'a dispensée de réfléchir à cette question. Elle avait pénétré dans l'appartement sans faire le moindre bruit. Elle avait remplacé son bonnet noir par un capuchon rouge de Père Noël dont la bordure en hermine supportait une loupiote qui clignotait.

– Qui c'est celle-là ? a demandé mon père.

– Ta petite-fille, a dit ma mère.

– J'ai une petite-fille si grande ?

172

Mon père, je crois l'avoir déjà signalé, est mort à soixante-neuf ans. Théano est née deux ans après son décès.

– On a dit aux informations qu'il allait neiger, nous a-t-elle avertis.

Ses joues avaient la couleur de son capuchon.

– J'ai quelque chose pour toi, a-t-elle dit à son père en lui montrant ce qu'elle tenait derrière son dos.

C'était une figurine du théâtre d'ombres, haute d'au moins cinquante centimètres, enveloppée dans une feuille de cellophane.

– Où as-tu trouvé ça ? lui a-t-il demandé d'une voix éteinte comme si l'air venait à lui manquer.

– C'est moi qui l'ai fabriquée. Elle est en cuir de veau. Je l'ai coloriée avec les vernis qu'utilisent les cordonniers.

Après l'avoir sortie de son enveloppe, Miltiadis l'a dressée sur la table en la tenant par la taille. Elle représentait Karaghiozis en personne, avec sa fameuse bosse, son gros nez et son bras long et souple qui lui sert à corriger Hadjiavatis. Mais sous son autre bras il tenait une baguette de pain et sa tête chauve était coiffée d'un béret basque.

– C'est Karaghiozis à Paris ! s'est exclamé mon frère en attirant de sa main libre sa fille auprès de lui.

Je me suis souvenu de leur photo qui avait paru dans le quotidien *Macédonia* de Thessalonique.

– Je t'en prie, l'a-t-elle sermonné en lui essuyant les joues.

Je suis sûre que l'émotion de mon frère était due autant à cette belle figurine qu'au fait que Théano, en la lui remettant, lui avait parlé en grec. J'ai jugé que le moment était venu de leur distribuer mes cadeaux.

Aliki n'a pas apprécié à sa juste valeur le bracelet d'ambre, elle a en revanche été emballée par la galère, qu'elle a élevée d'une main au-dessus de nos têtes en l'inclinant d'avant en arrière comme si elle l'essayait sur une mer démontée. Théano aussi a joué avec le bateau : elle l'a fait glisser sur la nappe blanche en exerçant une pression assez forte pour que le tissu forme des vagues. Je crois que mon frère a été un peu jaloux car il m'a déclaré que l'œuvre que j'avais réalisée pour lui était moins réussie. Je lui ai demandé de me la montrer, mais elle était dans son studio. Les films grecs des années 50 que j'avais apportés pour Théano ont éveillé l'intérêt de tous.

– C'est l'époque où le cinéma conquiert la société grecque et relate ses transformations, nous a dit Miltiadis. Certains métiers disparaissent, comme celui de cocher ou de joueur d'orgue de Barbarie. Il y a encore des jeunes filles indigentes, mais le mariage ne constitue plus leur unique planche de salut. Certaines femmes travaillent, et quelquefois avec succès, comme Jenny Karezi dans *Mademoiselle le directeur*. La production la plus populaire de cette décennie, *Il pleut des coups au paradis*, se déroule dans un collège pour jeunes filles fortunées. La baraque pitoyable de

Karaghiozis a été remplacée par des constructions plus solides et plus grandes, qui peuvent disposer d'une piscine. Le théâtre d'ombres n'a plus sa place dans le monde nouveau qui se dessine. Ces films racontent d'une certaine façon la fin de Karaghiozis.

Il a de nouveau fixé les yeux sur la figurine qu'Aliki avait installée au centre du buffet.

– Le changement n'est pas seulement économique. Les jeunes gens rejettent les principes rigoureux de leurs parents, les bourgeois méprisent les coutumes rurales comme, par exemple, celle de la vendetta. La population grecque se divise en deux blocs antagonistes, les Athéniens et les provinciaux. Personne cependant ne remet en question le pouvoir de l'Église, que Karaghiozis n'a jamais contesté non plus.

C'est en français que mon frère a fait cet exposé qui s'adressait principalement à sa fille. Aliki connaissait ce cinéma, mais elle ne l'avait découvert que deux décennies plus tard, grâce à la télévision.

– Je me souviens de l'acteur Costas Voutsas hélant les filles qu'il croise sur le bord de mer : « Je possède un yacht, tu viens faire un tour ? »

Elle s'est donné la peine de traduire la phrase de Voutsas en français. C'est dire que le français avait repris pour de bon les rênes de la conversation.

– Tous ces films sont des comédies ? m'a demandé ma nièce.

175

– Ce sont surtout des comédies, en effet. Le plus ancien cependant, *Le Pochard*, est un drame. Un cordonnier alcoolique essaie de se désintoxiquer pour l'amour de sa fille, mais il n'y parvient pas et se suicide. C'est le premier film que j'ai vu de ma vie.

– La Grèce des années 50 a surtout besoin de rire, a conclu Miltiadis. Elle est pressée d'oublier l'Occupation, la famine, la guerre civile. L'œuvre qui résume le mieux l'état d'esprit de cette période s'intitule *Joyeux départ*.

Aliki nous a rappelé une chanson de Manos Hadjidakis, interprétée par la comédienne Vougiouklaki dans un autre film :

La vie sèche bien des larmes,
Le jour se lève, le jour se lève...

Elle s'est contentée de réciter ces vers qui constituent, me semble-t-il, le refrain de la chanson.

Nous n'avons remarqué que la musique s'était arrêtée que lorsque les cloches de Saint-Augustin ont carillonné. Nous avons tous tourné les yeux vers l'horloge à balancier qui occupe un coin de la pièce. Il était onze heures.

– Salut à tous, a dit Théano en se levant.

Elle a casé les films dans son sac et a remis son capuchon dont la lumière continuait de clignoter.

– Où avez-vous rendez-vous avec Patrick ? a demandé Aliki.

176

– Mais il est dans le hall de l'immeuble !

– Il a attendu tout ce temps en bas ? s'est écriée sa mère outrée.

– Je l'ai invité à monter, mais il n'a pas voulu.

« Patrick sait qu'on ne l'aime pas dans cette maison. »

– Appelle-le tout de suite, s'il te plaît, qu'on lui offre au moins une coupe de champagne.

Mon frère n'a pas pris part à cet échange. Il regardait son assiette vide, les mains posées sur la table. « Il se fait du souci sans trop savoir ce qui le préoccupe. » Théano a téléphoné à Patrick sur son portable et quelques instants plus tard elle lui a ouvert la porte d'entrée.

Un homme de grande taille, dont la chevelure grise et touffue ressemblait un peu à une perruque, s'est présenté devant nous. Il s'est avancé en souriant timidement, de cette démarche affectée, dansante et lourde à la fois, qu'adoptent volontiers les cow-boys lorsqu'ils traversent l'unique rue du village. Une légère rougeur était répandue sur son visage, qui n'était pas due au froid mais à l'alcool. « Il essaiera d'arrêter de boire pour l'amour de Théano mais il n'y arrivera pas. »

– Je ne voulais pas vous déranger, s'est-il excusé.

– Et celui-là, tu peux me dire qui il est ? a questionné mon père.

Aliki lui a tout de suite tendu une coupe et a trinqué avec lui.

– À votre santé, joyeux Noël, lui a-t-elle dit.

Ni elle ni Miltiadis ne le tutoyaient.

– On ne peut pas rester, nous a-t-il prévenus. Nous allons dîner avec mon fils et sa fiancée, une princesse d'Arabie Saoudite qui est tombée follement amoureuse de lui. Elle a tout plaqué pour le rejoindre à Figeac.

Il avait la voix profonde et vibrante des gens de théâtre, qui donne du poids à leur moindre réplique. « Les hommes préhistoriques étaient certainement incapables de produire des sons aussi graves, qui sont le fruit d'un long travail », ai-je pensé. Il a aperçu le bateau qui reposait dans le détroit entre le plat de dinde et le saladier. Théano lui a expliqué qu'il s'agissait d'une galère égyptienne.

– Je les connais, les galères égyptiennes. J'avais appris des tas de choses sur l'ancienne Égypte en doublant une production américaine qui s'appelait *Le Tombeau du pharaon*. Je crois que les galères ont une voile rouge.

– Moi, je trouve que le mouchoir blanc lui va très bien, a tranché Théano.

– Je ne dis pas le contraire, je ne dis pas le contraire, a-t-il marmonné en terminant son champagne.

Aliki a de nouveau rempli son verre. Le jus autour des patates s'était coagulé. Il y avait des miettes sur la nappe et un morceau de laitue. « Le vent m'arrachera la nappe des mains quand je me mettrai au balcon pour la secouer. Elle flottera au-dessus de la ville jusqu'au moment où elle sera interceptée par la flèche de Notre-Dame. » Patrick nous a présenté un DVD avec des extraits des films auxquels il avait prêté sa voix. Sur sa couverture figuraient diverses célébrités, Bruce Willis, Lee Van Cleef, Mel Brooks, Charles Bronson, dont les visages étaient circonscrits par un cercle. Le portrait de Patrick se trouvait exactement au centre, comme le soleil au milieu des planètes. En bas à droite apparaissait la bouille hilare de Bugs Bunny.

– C'est un petit échantillon de mon travail.

Après avoir fait le tour de la table, le disque a regagné la poche de son propriétaire. « Il le destine à la princesse d'Arabie Saoudite. »

– Dans le temps j'avais même doublé un film grec. J'avais appris quelques mots comme *calimera sas, eucharisto, parakalo*[1].

– Mes parents me reprochent de ne pas leur parler grec, a reconnu Théano. Je ne crois pas que cela ait tellement d'importance, étant donné que j'emploie forcément une foule de mots grecs quand je parle en français. Que je le veuille ou non, la langue française me renvoie constamment à mon identité hellénique !

Elle a dit cela sur le ton badin qui convenait. J'ai compris qu'elle souhaitait dédramatiser la question qui avait tellement envenimé ses relations avec ses parents et je peux dire qu'elle y est parvenue instantanément.

---

1. Bonjour à vous, merci, s'il vous plaît.

– C'est juste, a admis Miltiadis sur le même ton. Toutes les langues nous apprennent que nous avons des racines un peu partout.

Patrick a jugé bon d'apporter sa pierre au débat.

– Je sais que nous avons emprunté un bon nombre de termes grecs par le passé.

– Pas seulement par le passé, a rectifié Théano. Le mot « hyper » est très en vogue chez les jeunes, ils disent « J'ai hyper chaud » ou « Je suis hyper fatigué ». Il jouit de plus de considération que son équivalent latin « super », la meilleure preuve en est que les hypermarchés sont toujours plus grands que les supermarchés. Le préfixe « mini », qui a été en vogue à une époque, a été remplacé par « micro » qui entre dans la composition d'un grand nombre de néologismes tels que « micro-ordinateur » ou « microprocesseur ». L'adjectif « multicolore » fait pâle figure comparé à « polychrome ».

« Ce sont des réflexions qu'elle a mis du temps à élaborer, qu'elle note probablement dans son journal. » Patrick n'a pas manqué l'occasion de surenchérir :

– Le journal de la gauche radicale italienne s'appelle *MicroMega*.

– Nous avons fourni un grand nombre de mots au français mais nous en avons aussi emprunté beaucoup, a rappelé Miltiadis à sa fille. Je ne pense pas que les langues soient menacées par ces échanges auxquels, du reste, elles doivent leur richesse. Ceux qui les condamnent me font penser aux parents frileux qui ne permettent pas à leurs enfants de s'éloigner.

La lumière sur le front de Théano clignotait au même rythme que l'arbre de Noël.

– N'êtes-vous pas préoccupé par la pauvreté du vocabulaire des jeunes et leur goût pour les anglicismes ? est de nouveau intervenu Patrick.

Miltiadis n'a pas répondu à sa question, mais il lui en a posé une autre :

– Quel a pu être selon vous le premier mot que les hommes ont jamais prononcé ?

Pris au dépourvu, Patrick a considéré doctement son verre. Aliki le lui a encore rempli. Ce n'est qu'après avoir bu une bonne gorgée et avoir fait clapper sa langue qu'il a dit :

– « Caca »… C'est en tout cas le premier mot que j'ai articulé, d'après ma mère.

– Ça ne m'étonne pas ! a commenté Théano d'une mine réjouie.

– Voilà encore un mot commun au grec et au français, a observé Aliki.

– Et peut-être à bien d'autres langues, a dit Miltiadis.

Nous avions été gagnés par la gaieté que suscitent toujours les gros mots. Une fois de plus j'ai imaginé nos ancêtres à leur place habituelle autour du feu. L'un d'eux a dit : « Caca ! » en montrant son voisin du doigt. Un rire énorme a aussitôt parcouru l'assemblée, obligeant le coupable à se retirer sur-le-champ. L'effervescence a effrayé les animaux qui se tenaient aux aguets à proximité et qui ont eux aussi pris la fuite.

– J'ai une bonne nouvelle à vous annoncer, nous a déclaré Théano alors qu'elle avait déjà mis sa parka. J'ai été embauchée par la SNCF pour enregistrer les messages qui sont diffusés dans les gares : « Le train à destination de Strasbourg partira quai 17 », « Le TGV n° 6939 en provenance de Marseille va entrer en gare voie 4 ». Je vais me faire pas mal d'argent !

Patrick a fait la moue, comme s'il jugeait peu honorable cet emploi.

– Comment aurais-je pu imaginer, a murmuré Miltiadis, quand j'ai débarqué pour la première fois à la gare de Lyon en 1967, qu'on y entendrait un jour la voix de ma fille…

Au moment où le couple s'en allait, ma mère a dit d'un air impérieux :

– Embrasse-moi !

– Mais notre vie est finie, Irini, lui a rappelé mon père.

– Ce n'est pas une raison !

Nous avons conclu le repas par des profiteroles. Nous avons pris quatre choux, Aliki et moi, mon frère s'est contenté de deux.

– Avez-vous remarqué que Théano n'a pas allumé une seule cigarette ? a relevé Aliki.

Nous l'avions remarqué. Miltiadis s'est mis à feuilleter le roman de Takopoulos pendant que nous débarrassions la table. J'ai récupéré la nappe et je suis effectivement sortie sur le balcon. La nuit était glaciale. J'ai vu la lumière d'un avion traverser le ciel qui avait pris une teinte rouille. J'ai songé à Calliopi, qui était sans doute déjà en train de préparer la fête du lendemain, puis à Margarita. « Je n'ai pas fondé de famille, j'ai cependant quelques bonnes amies. » Puis j'ai pensé à la fille que je n'ai jamais eue. Je lui parle de temps en temps, je lui confie certains de mes secrets. Je me console ainsi de son absence. Autrefois je l'imaginais toute jeune. Aujourd'hui, elle a à peu près l'âge de Théano. C'est une ombre qui grandit à mesure que les années passent.

– Comment as-tu déniché, toi, cet écrivain ? m'a demandé Miltiadis dès que je suis rentrée dans la salle à manger. Sa langue n'est pas simplement particulière, elle est entièrement originale ! Presque aucun des mots qu'il emploie ne figure dans le dictionnaire, ce sont pour l'essentiel des trouvailles de son cru. Son texte est aussi hermétique que le vieux grec, ce monsieur a inventé une nouvelle langue ancienne ! Il abuse du point d'exclamation comme s'il était lui-même étonné par son audace.

– C'est Panayiotis qui me l'a fait découvrir. Sa fille, Éléonora, a joué dans une pièce de Takopoulos.

– Il doit être extrêmement difficile pour un comédien de retenir cette langue. Bien des écrivains ont forgé des mots nouveaux, de Lewis

183

Carroll à Joyce, mais il s'agit ici d'un déluge de néologismes, d'une remise en question permanente de la langue.

Il a porté son regard sur le livre.

– Il nomme la femme impudique « dénudame », l'homme en général « salhomme », la nation « inhumnation ». Il remplace « téléphonie » par « téléfurie ». Le gazouillis des amoureux lui inspire le verbe « amourmurer ». Les discussions à caractère sexuel sont qualifiées, fatalement, de « culversations ». Ses plaisanteries ressemblent parfois à celles de Karaghiozis. Il juge probablement que notre langue n'évolue pas assez vite, il a donc pris l'initiative d'en accélérer le train. Il est bien normal qu'il exècre l'Église, étant donné qu'elle constitue le principal bastion de résistance au renouvellement linguistique. Le saint-synode souhaite maintenir l'idiome des Évangiles et persiste à ignorer que la démotique est, depuis trente ans, la langue officielle de l'État grec. Takopoulos dévoile d'emblée son scepticisme en intitulant son ouvrage *Le Nul Testament*[1].

– Tu attribues aux popes plus d'influence qu'ils n'en ont, l'a interrompu Aliki.

Il ne restait plus sur la table que les deux chandeliers, nos verres et la bouteille de champagne.

– Tu oublies que, en dépit de quelques crises, le lien entre l'Église et l'État n'a jamais été remis en question, que le clergé est associé au ministère

---

1. *I keni diathiki*, Athènes, éditions Dédalos, 1973.

de l'Éducation nationale et qu'il jouit d'un profond respect même au sein de l'intelligentsia. Le dictionnaire de Babiniotis, l'ancien recteur de l'université d'Athènes, cultive insidieusement la ferveur religieuse. À l'entrée « croire », il cite in extenso le Credo. Le mot « réponse » lui donne l'occasion d'affirmer qu'« *on trouve dans la religion des réponses à de nombreux problèmes existentiels* ». Il cite d'innombrables termes ecclésiastiques, inconnus en grec moderne, tels que *théodromo*, qui signifie « suivre les prescriptions divines », *théoptis* « le contemplateur de Dieu », *théotikos* « l'ami du Seigneur », *théopneustia* « l'inspiration divine ». Il érige la théologie en science mais récuse le caractère scientifique de la théorie de l'évolution de Darwin.

Alors que je croyais que mes parents étaient partis, j'ai entendu mon père déclarer dans un soupir :

– Comme Aliki était jeune et belle, en ce temps...

– Tu veux dire à l'époque de son mariage ? a questionné ma mère. Elle ne devait pas avoir plus de vingt-cinq ans. Elle était plus jeune que Théano.

– J'ai assisté moi aussi au mariage ?

– Naturellement. Il a eu lieu à Paris, à l'église orthodoxe de la rue Georges-Bizet.

– Je n'ai plus le moindre souvenir ni du mariage, ni de Paris.

– J'espère au moins que tu te souviens de Lille, puisque c'est là que tu as fait tes études.

– J'ai été étudiant à Lille ?

J'ai revu Aliki en robe de mariée sur l'allée centrale de l'église Saint-Étienne, suspendue au bras de son père. D'énormes bouquets de fleurs encombraient l'iconostase et embaumaient le lieu. Miltiadis a souri tout au long de la cérémonie. Il avait provisoirement oublié son aversion pour les popes.

– Il faut croire que les années que nous avons vécues à l'étranger sont les premières à déserter notre mémoire, a dit mon père.

Mon regard s'est porté de nouveau vers la crèche. J'ai essayé d'imaginer l'odeur des grottes où résidaient les premiers hommes. « Elles ne devaient pas sentir très bon. »

– Tu es au courant que ta petite-fille n'est pas baptisée ? a demandé ma mère.

– Qu'est-ce que tu me dis là !

– Ton fils a refusé de la faire baptiser, malgré les protestations de sa femme. Et si tu veux mon avis, il a bien fait.

– Qu'est-ce que tu me dis là ! a répété mon père comme s'il ne savait rien dire d'autre.

Je me suis souvenue du conflit qui avait opposé le couple lorsque la question du baptême de Théano s'était posée. Aliki tremblait à l'idée que, si sa fille mourait sans avoir été purifiée, l'accès au ciel lui serait définitivement interdit.

– Ne dis pas de bêtises, la reprenait Miltiadis. Elle est en parfaite santé, notre fille.

Théano était effectivement un bébé robuste et vif. Le temps n'avait pas rapproché les convictions de Miltiadis et d'Aliki au sujet de la religion, il leur avait simplement enseigné d'éviter les discussions inutiles. Ils ne se disputaient plus qu'à propos de la peinture byzantine, qu'Aliki avait étudiée à l'École du Louvre. Mon frère reproche aux peintres d'icônes de se copier les uns les autres depuis la nuit des temps sans jamais oser la moindre innovation.

– La peinture byzantine est immuable comme une prière.

– Mais c'est une prière ! rétorque Aliki.

– Tu devrais emmener ta femme avec toi la prochaine fois que tu partiras en voyage, ai-je conseillé à Miltiadis.

– Il m'a proposé une ou deux fois de l'accompagner, a-t-elle dit, mais d'une façon telle qu'il m'a dissuadée d'accepter son invitation. Je ne faisais pas de collection de timbres quand j'étais petite.

Mon frère la dévisageait avec la même douceur que lorsqu'elle avait fait sa prière.

– Pourquoi dis-tu qu'il a bien fait ? s'est étonné mon père.

– Si Dieu existait, mon pauvre Géorgios, tu ne crois pas qu'il se serait manifesté ?

– Pas nécessairement. Dieu a énormément d'obligations. Lorsqu'il aura un moment de libre, il passera nous voir.

– Takopoulos me rappelle Jean-Pierre Brisset, un écrivain français du début du XXᵉ siècle qui a été sauvé de l'oubli par les surréalistes. Lui aussi s'intéresse exclusivement à la langue. Il ne crée pas de mots nouveaux mais invente de nouvelles étymologies. Il pense, comme Platon, que la langue est une création divine, qu'elle est la clef de tous les mystères. Il se réfère bien entendu à la langue française qui, selon lui, a précédé toutes les autres. La première syllabe de « logement » évoque « l'eau », ce qui confirme que l'élément aquatique a été le berceau de l'humanité. L'auteur, qui a exercé entre autres métiers celui de maître-nageur, affirme que nous sommes plus précisément issus de la grenouille[1]. C'est ce qui explique que nous avons tendance à gonfler la poitrine lorsque nous cherchons à nous imposer. La différence fondamentale avec Takopoulos tient au fait que Brisset ne plaisante pas. Il interroge la langue française en théologien scrupuleux qui décrypte un texte apocryphe. À l'en croire, le premier mot fut « croax-croax » !

– Si nous descendions du coq, ce serait « cocorico » ! a présumé Aliki en riant.

Le mot « cocorico » nous a immédiatement remis en mémoire la chanson intitulée *Quand j'irai, ma mie, au marché*, qui reproduit les cris

1. Jean-Pierre Brisset, *La Grande Nouvelle ou Comment l'homme descend de la grenouille*, éditions Mille et une nuits, 2004.

d'une grande variété d'animaux, à commencer par le coq.

– « *Quand j'irai, ma mie, au marché / Je t'achèterai un petit coq…* », a fredonné Miltiadis.

Aliki a pris le relais en chantant d'une voix un peu plus ferme :

– « *Et le petit coq, cocorico, / te réveillera tous les matins.* »

Le deuxième couplet, nous l'avons entonné tous les trois :

– « *Quand j'irai, ma mie, au marché / Je t'achèterai une petite poule. / Et la petite poule, cotcotcot, / et le petit coq, cocorico, / te réveilleront tous les matins.* »

– Ils chantent ! a dit mon père, radieux.

Miltiadis a tourné les yeux un instant vers l'espace vide à côté du buffet comme s'il s'était aperçu lui aussi de la présence de nos parents. Malgré son aspect monocorde, cette chansonnette met une certaine ambiance car chaque couplet accueille un nouvel animal qui s'ajoute aux autres, de sorte que leur chœur s'enrichit continuellement de nouveaux cris, de miaulements, d'aboiements, de beuglements, de braiments, de grognements. Nous nous sommes quant à nous arrêtés à la troisième strophe, après avoir imité le dindon (*glouglouglou*).

Je n'avais jamais vu Aliki aussi détendue. Quelques jours plus tard, lorsque je suis retournée à Paris, elle m'a confié que ce réveillon de Noël avait été le plus beau de sa vie.

Miltiadis nous a demandé d'éteindre le plafon-
nier.

– Je boirais volontiers quelque chose d'autre,
a-t-il ajouté.

Nous avons opté pour le raki. En allant chercher la bouteille, Aliki a relevé le buste de
Karaghiozis qui s'était incliné vers l'avant comme
s'il faisait une courbette au vizir. « Karaghiozis est
en réalité le fils du vizir… Il pleurera à chaudes
larmes, pour la première fois, en apprenant la
vérité… C'est le vizir lui-même qui la lui révélera
peu avant de mourir… Karaghiozis s'installera au
sérail avec sa famille… Il louera sa baraque à des
travailleurs albanais. » L'une des deux bougies
fondait plus vite que l'autre, sa flamme était plus
haute et plus intense. « Elle est pressée de terminer
son travail », ai-je songé.

– J'aimais bien me cacher sous la table quand
nous avions des invités à la maison, a dit Miltiadis.
Aujourd'hui encore, chaque fois que je prends
part à un dîner officiel, je songe avec nostalgie à la
pénombre qui règne sous la table.

– Tous les enfants aiment se cacher, a dit Aliki.

Je me suis souvenue des deux garçons qui
jouaient à cache-cache à la terrasse d'un café de
Colonaki, à la fin de l'été.

– Ils aiment aussi bondir hors de leur cachette
en criant « Je suis là ! », ai-je remarqué.

– Tu as raison. Ils cherchent à nous faire peur.

Miltiadis continuait de sonder ses souvenirs.

– Je devais être tout jeune, car je me glissais sous

la table à quatre pattes, sans me faire remarquer. Je ne restais pas longtemps tranquille. Je commençais par explorer la totalité de l'espace que j'avais à ma disposition en progressant dans le couloir étroit que formaient les genoux des invités, entreprise qui demandait une certaine souplesse car certains d'entre eux avaient les jambes croisées. Peu à peu je m'enhardissais et je me mettais à leur jouer des tours, soit en crachant sur leurs chaussures après avoir amassé une bonne quantité de salive dans ma bouche, soit en dénouant leurs lacets. J'envisageais avec ravissement leur chute dans l'escalier de marbre de l'immeuble. Pourquoi aurais-je eu pitié d'eux ? C'étaient des officiers allemands responsables de la mort de centaines de patriotes grecs, et j'étais quant à moi un obscur héros du Front national de libération.

» Les jambes des femmes ne m'intéressaient pas particulièrement. Une fois, pourtant, je m'étais penché très près des genoux d'une amie de ma mère et j'avais soufflé doucement entre ses cuisses grassouillettes comme on le fait pour détacher les pages d'un livre. J'avais cru comprendre que cette brise légère ne lui déplaisait pas, car elle avait écarté les jambes autant que le lui permettait sa jupe étroite. Tante Euthalia enlevait systématiquement ses chaussures pendant le repas. Elle avait les pieds les plus difformes de l'assemblée, ils étaient aussi enflés que le sont les miens aujourd'hui. Je m'amusais à intervertir ses escarpins, à placer le droit à la place du gauche, ce qui ne manquait pas de la troubler lorsqu'elle entreprenait de les remettre. J'étais fier des jambes de ma mère, je considérais qu'elles étaient les plus belles de toutes.

» Je ne crachais pas sur les chaussures des femmes, que je trouvais dans l'ensemble plus élégantes que celles des hommes. Celles que je préférais avaient une ouverture au bout en forme de cœur, qui laissait entrevoir le gros orteil. Mon père portait des souliers marron en daim avec de grosses semelles en caoutchouc. Quand il chantait, son pied gauche battait la mesure. L'autre demeurait parfaitement immobile, comme s'il n'entendait pas la musique...

» La protection que m'assurait la table n'était que provisoire. Je me figurais que les jambes des invités appartenaient au meuble, que je croyais capable de se mettre en marche, comme un énorme mille-pattes, me laissant à découvert. Tu l'as toujours, cette table ?

– Non, lui ai-je dit. Je l'ai vendue il y a des années à un antiquaire de mon quartier. Je n'avais pas l'intention de perpétuer les mondanités de nos parents. Et puis je n'aime pas les grandes tables et les chaises vides qui les entourent.

– Tu t'en souvenais, toi, que j'avais de belles jambes ? a demandé Irini.

– Mais certainement, ma chérie, a répondu Géorgios.

Les lumières de l'arbre éclairaient le mur du fond, qui clignotait lui aussi. On aurait dit qu'il respirait.

– Tu n'as reçu aucun cadeau, toi, a constaté Aliki.

– Je m'amusais bien avec mes amis, cependant j'éprouvais de temps en temps le besoin de m'isoler, a poursuivi Miltiadis. Je me réfugiais alors sur le toit en terrasse de la remise qui se trouvait dans le jardin de la maison de Callithéa. Elle était construite dans un coin, contre le mur d'enceinte qui longeait la rue Philarète. C'est par là que je grimpais sur son toit, à l'aide du gros mûrier qui poussait sur le trottoir. C'était une échelle bien commode car il restait des moignons de ses branches basses autour du tronc. Son feuillage recouvrait la plus grande partie de la remise, je veux dire que personne ne pouvait me voir quand j'étais là, ni mes parents, ni toi, ni Agni, qui habitait le rez-de-chaussée. La remise appartenait à Agni, il me semble, c'était elle en tout cas qui en avait la clef. J'étais impitoyable avec les chats qui s'aventuraient dans mon royaume, je les chassais à coups de pied. Puis je m'asseyais, ou je me couchais. À quoi pouvais-je donc penser en contemplant les feuilles dont le contact rafraîchissait mon visage et mes bras ? Au mystère de ma présence au monde ? Je songeais aussi à mon absence, je cherchais à deviner au bout de combien de temps après ma mort on se rendrait compte de ma disparition. J'imaginais mes parents en larmes, ma sœur en larmes, et je courais vers eux en clamant : « Je suis vivant ! Je suis vivant ! » J'attribuais une grande importance aux conversations que j'avais

193

avec moi-même, comme si j'étais quelque éminent personnage qu'il ne m'était possible de rencontrer qu'à cet endroit. Je méditais aussi sur la plaque de ciment qui formait le toit en me retournant sur le ventre. Sa superficie était d'environ deux mètres sur trois. Je distinguais d'innombrables petits trous noirs comme des fourmis. Un jour, Agni est sortie dans le jardin et a ouvert la porte de la remise. Celle-ci a grincé si fort que j'ai eu la chair de poule. Il m'a semblé que ce bruit était la réponse à l'une des questions que je me posais.

– Agni était une petite brune plutôt boulotte, a dit ma mère. Tu l'as certainement oubliée car elle n'avait aucun des attraits qui retiennent l'attention des hommes. Mais elle était très gentille et aimait les enfants. Elle n'avait pas de famille à elle. Elle appréciait les gros romans qui donnent la possibilité de découvrir des vies très différentes de la sienne. Elle n'était pas âgée à l'époque, elle n'avait pas plus de trente ans. Il se peut qu'elle vive encore. Elle était couturière.

– L'arbre donnait des mûres noires qui fondaient entre mes doigts et me couvraient les mains de sang. Toutes les polices étaient à mes trousses. J'entendais deux flics discuter derrière le mur : « J'ai bien l'impression qu'on perd notre temps à rechercher Miltos », disait l'un. « C'est aussi mon avis, répondait l'autre. Ce diable de gosse trouvera toujours le moyen de nous filer entre les doigts. » Ma mère pâlissait en apercevant les traces de sang sur mes mains et sur ma chemise. « Je me suis battu pour la patrie, maman », lui expliquais-je avec la modestie d'un héros hollywoodien. Il m'arrivait de penser que ma véritable patrie était la plaque de ciment, que j'étais l'unique citoyen d'un pays minuscule.

« Ne t'arrête pas », lui aurais-je dit si je m'étais douté que je l'entendais raconter pour la dernière fois.

– Je montais même la nuit sur la remise, mais je ne regardais pas les étoiles, elles étaient masquées par le feuillage... Si j'entreprenais d'écrire l'histoire de France depuis que je suis arrivé dans ce pays, je commencerais à coup sûr par la suppression des vieux bancs en bois qui se trouvaient dans les stations de métro. Ils étaient de couleur bordeaux et servaient de lits aux sans-abri en hiver. On les a remplacés par des sièges individuels en plastique orange où personne ne peut plus se coucher. Une seconde innovation est venue parachever plus récemment l'œuvre de la première : les portes qui fermaient les entrées des stations et qui leur assuraient une agréable chaleur ont cédé la place à des stores métalliques à claire-voie. La France chaleureuse de la fin des années 60 est devenue un pays froid.

– Je parlerai aussi de ce changement à Panayiotis, lui ai-je promis.

– Je me sens fatiguée, a dit ma mère. Cela fait un moment que nous sommes debout.

– Nous n'avons pas pensé à nous asseoir.

195

– Cela ne nous est pas venu à l'esprit. Tu ne veux pas qu'on aille jusqu'au salon pour voir l'arbre ? Après on s'en ira tout doucement. Nous avons un fameux bout de chemin à faire.

– Un fameux bout de chemin ? s'est alarmé mon père.

La bougie qui brûlait plus rapidement s'est brusquement éteinte, plongeant dans l'ombre une des joues de mon frère. Géorgios et Irini étaient partis lorsque Aliki l'a questionné sur l'intérêt qu'il portait au premier mot.

– Je ne sais pas pourquoi il m'intrigue et en même temps je suis étonné de ne pas avoir eu plus tôt l'idée de le rechercher. Si je n'avais pas passé la plus grande partie de ma vie à lire, je n'y aurais probablement jamais songé. J'ai découvert un nouveau mystère, ce qui me réjouit profondément. Je ne crois pas que je parviendrai à l'élucider. Le chemin qui mène au premier mot est long et rétrécit progressivement.

– Il ne mène nulle part, a résumé Aliki.

– Je suppose que ses deux bords se rejoignent, qu'ils se terminent en pointe. Si j'ai le courage d'aller jusque-là, je me mettrai à genoux et, après avoir chaussé mes lunettes, j'examinerai cette extrémité qui me rappellera peut-être les trous noirs que je voyais autrefois sur le toit de la remise. Je pourrai dire ainsi que j'ai vu le point de départ de la route que j'aurai parcourue.

Je n'ai pas bien dormi cette nuit-là. Je me suis réveillée vers trois heures du matin. C'est la lumière qui m'a tirée du sommeil, pas celle, jaunâtre, des réverbères, mais un reflet laiteux qui baignait toute la pièce. Je me suis levée et j'ai regardé par la fenêtre. La lumière sortait du paysage lui-même. La neige avait recouvert les rues, les voitures en stationnement, les balcons des maisons et les toits. J'ai vu une ville blanche.

6

Le soir du Jour de l'An, Miltiadis a fait une hémorragie alors qu'il se trouvait aux toilettes. Cette fois-ci, Aliki l'a conduit immédiatement à l'hôpital Broussais. Elle m'a appelée à onze heures du soir.

– On est en train de lui faire une transfusion, m'a-t-elle dit. Il dort.

Elle m'a de nouveau téléphoné à sept heures du matin.

– Il s'est réveillé. Il m'a demandé un peu de lait mais il n'a bu que deux gorgées. J'ai l'impression qu'il va se rendormir.

Je veux croire que le sommeil qui l'a alors gagné, et qui n'a été interrompu qu'un court instant par Théano, fut riche en événements, que mon frère a fait plusieurs rêves pendant ce laps de temps, qu'il les a en quelque sorte vécues, les dernières heures de sa vie.

Sa tension baissait à vue d'œil. Un peu après midi elle était tombée à zéro. Le téléphone a encore sonné à une heure moins dix. Pendant un long moment je n'ai rien entendu.

– Aliki, c'est toi ? ai-je demandé doucement.

Le silence se poursuivait. J'ai espéré soudain que c'était mon frère et qu'il ne parvenait pas à émettre le moindre son.

– C'est toi, Miltiadis ?

Tout en prononçant ces mots, j'ai deviné que cela ne pouvait pas être lui. J'en ai eu la confirmation immédiatement après par une voix inconnue, rauque, ni masculine, ni féminine et qui était pourtant la voix d'Aliki :

– C'est fini.

Durant les heures qui ont suivi je n'ai rien pu dire non plus, à l'exception des mots « aéroport » et « Paris » que j'ai adressés au chauffeur de taxi et à l'employée d'Olympic.

Un grand froid m'attendait à l'extérieur de l'aéroport de Roissy. La neige n'avait pas fondu : des chaînes de montagnes blanches encadraient la chaussée qui était couverte d'une boue grise. J'ai eu moins de mal à m'expliquer avec le chauffeur de taxi parisien, comme si le changement de langue avait neutralisé mes sentiments. L'homme se plaignait sans cesse du temps, et il n'avait pas tort. Lorsque nous nous sommes engagés sur le périphérique, une pluie diluvienne s'est mise à tomber. « Tu as échappé à une sale journée », ai-je dit à Miltiadis. Les guirlandes lumineuses qui étaient suspendues au-dessus des rues donnaient cependant à la ville un air de fête.

Devant l'immeuble du boulevard Haussmann j'ai aperçu une silhouette menue, enveloppée dans un long imperméable noir, qui déverrouillait la porte d'entrée. J'ai pressé le pas car je ne connaissais pas par cœur le code de l'immeuble et je suis entrée avec elle dans le hall. J'ai reconnu Audrey avant qu'elle retire sa capuche et je l'ai prise dans mes bras. Pendant que nous attendions l'ascenseur, je lui ai dit, en détachant chaque syllabe :

– Miltiadis…

Elle a hoché tristement la tête. Puis elle a formé une croix en plaçant l'index et le majeur d'une main sur l'index et le majeur de l'autre. « C'est ainsi que l'on nomme la mort dans la langue des signes française. »

La porte intérieure de l'ascenseur s'est refermée sans que la voix habituelle se fasse entendre. « Serait-elle donc morte aussi, la femme de l'ascenseur ? » Elle n'était pas morte ; quand nous sommes arrivées à destination, elle a retrouvé sa voix :

– Cinquième étage…

J'ai été désagréablement surprise en m'avançant dans l'entrée : je ne m'attendais pas à ce que la place de mon frère fût déjà prise par son portrait. Aliki avait aménagé une sorte de niche funéraire sur une petite table ronde qui comprenait, outre la photo encadrée de Miltiadis, un petit vase avec deux roses blanches et un cierge allumé. J'ai

201

reconnu l'un des chandeliers qui nous avaient tenu compagnie à Noël. L'ensemble donnait l'impression que mon frère était décédé depuis longtemps, alors qu'il était encore en vie neuf heures auparavant.

En apercevant Aliki, j'ai compris que ces heures s'étaient écoulées différemment pour elle. Elle était à bout de forces. J'ai supposé que Miltiadis avait eu le même teint blafard en se réveillant le matin. Elle avait relevé ses cheveux en chignon en laissant son visage découvert et comme sans défense. Elle m'a accueillie plutôt sereinement, sans pleurs, j'ai réussi à me contenir aussi. Elle était dans la cuisine et faisait la liste des démarches qui l'attendaient. Elle m'a priée de rester à la maison le lendemain pour répondre au téléphone et m'a également confié le soin de prévenir les parents et amis de Grèce.

– Tu les trouveras tous dans le répertoire de Miltiadis. Il connaissait beaucoup de monde. On l'estimait.

Cette appréciation modérée – Miltiadis inspirait bien plus que de l'estime – nous a paradoxalement émues toutes les deux. Aliki a caché son visage dans ses mains comme pour me dissimuler sa douleur ou pour éviter d'être confrontée à la mienne.

– Tu as besoin de quelque chose ? lui ai-je demandé en lui prenant la main.

– Je boirais bien du lait.

Je lui en ai fait chauffer un peu. «Elle ne boira que deux gorgées », ai-je pensé, mais je me trompais, car elle a vidé toute la tasse.

– Qu'est-ce que vous vous êtes dit d'autre ce matin ?

– Ce matin ? s'est-elle étonnée comme s'il lui était difficile de situer cette matinée dans le temps.

Mais mon désir de tout savoir sur les derniers moments de mon frère était si pressant que je n'ai tenu aucun compte du fait qu'elle n'avait probablement pas envie de les revivre.

– Oui, quoi d'autre ? ai-je insisté.

Il lui a fallu un certain temps pour se concentrer.

– Le lait lui a donné la nausée... « Emporte-moi ça », m'a-t-il dit... Il m'a aussi demandé de l'eau, mais il ne l'a pas bue non plus... Il ne voulait rien boire... Je l'ai conduit aux toilettes avec l'aide d'une infirmière métisse originaire de Martinique... Elle s'appelait Marie-Jo... Miltiadis avait retenu son nom, ce qui m'a surprise... « Quel temps fait-il chez toi, Marie-Jo ? » lui a-t-il demandé... Il n'a pas eu d'autre hémorragie... Lorsque nous l'avons installé dans son lit, il a remarqué le médaillon que Marie-Jo portait au cou... « Qu'est-ce qu'il représente ? » a-t-il voulu savoir... « C'est un bateau à voiles, un trois-mâts, lui a-t-elle dit. Je le tiens de ma grand-mère, c'est un bijou ancien »... Je lui ai donné ses lunettes pour qu'il puisse le voir.

«Peut-être a-t-il pensé à moi en regardant le voilier », ai-je songé.

– L'arrivée de Théano l'a sorti de son sommeil… Je les ai laissés seuls un moment… Quand je suis revenue auprès d'eux, il était en train de lui expliquer qu'en français « mot » signifie « silence ».

– Il aurait un double sens ?

– C'est ce qu'il lui disait… Il lui a cité le mot « mutisme » qui exprime le refus de parler. « Mot » et « mutisme » sont des dérivés du latin *muttum*, qui imite le grognement des porcs, qui prend acte de leur impossibilité de parler.

« Ce fut son dernier cours. » Puis j'ai pensé à Audrey qui parle et se tait en même temps.

– « On peut dire donc que *muttum* signifie le silence des porcs ! » a remarqué Théano en riant. Il avait fermé les yeux, il l'a entendue cependant car je l'ai vu sourire… Mais je ne sais pas s'il s'est rendu compte qu'elle lui a baisé la main.

– Il ne s'est plus réveillé ?

Elle m'a fait signe que non en renversant la tête en arrière. Je me suis rappelé que les Français expriment la négation en tournant la tête à la façon d'une girouette.

– Pas même quand le médecin est passé.

J'ai vu mon frère franchir le seuil d'un espace sombre conduisant à un autre plus sombre encore.

– Il est parti à son insu, par la porte du sommeil.

Elle m'a dit encore :

204

– Il a été terrorisé hier soir quand il a vu le sang dans la cuvette.

– Il réagissait de la même façon autrefois quand il saignait du nez.

J'ai mis quelque temps à trouver le sommeil. Mon attention a été retenue d'abord par la raie de lumière sous la porte, ensuite par l'accoudoir de bois du canapé qui bloquait mon oreiller. Je l'ai salué en l'effleurant du bout de mon nez. J'ai aussi salué l'Africaine qui, malgré sa couleur d'ébène, était visible dans l'obscurité. « Je devrais apprendre quelques mots dans sa langue », ai-je songé. Il m'a été impossible de me rappeler le nom de son pays.

Après avoir achevé l'inspection de la pièce, je me suis occupée de mes jambes. Tantôt je les pliais et les laissais glisser lentement sur le drap, tantôt je plaçais mes pieds côte à côte et leur imprimais un mouvement d'éventail en gardant les talons joints. Périodiquement, je tendais l'oreille car je croyais entendre des pas dans le couloir. J'ai effectivement entendu un bruit, mais c'était un bruit continu, une sorte de froissement. « Les morts ne se déplacent pas comme nous, ils ne marchent pas. »

Je me suis retrouvée ensuite dans une barque, sur un fleuve dont le niveau ne cessait de descendre. Était-ce l'Achéron, la frontière qui séparait dans l'Antiquité les vivants des morts ? La barque n'avançait pas, ne reculait pas, elle descendait simplement, aspirée par l'eau. Bien que personne ne fût présent à mes côtés, je demandai : « On a encore beaucoup de chemin à faire ? » Un homme à la voix nasillarde comme celle de Karaghiozis m'a répondu : « Plus nous nous éloignons du ciel et moins tu verras d'étoiles. Lorsque la dernière aura disparu, nous serons arrivés. » Il n'y avait pas d'étoiles dans le ciel.

Je l'appréhendais, cette nuit du 2 janvier, et je n'avais pas tort. Le matin, en me levant du canapé, j'ai constaté que j'avais souillé mes draps. Et pas seulement mes draps, mais aussi ma chemise de nuit et mes jambes. Fort heureusement, personne ne s'était encore levé. Je me suis lavée dans la petite salle de bains qui jouxte la chambre d'Audrey, puis j'ai ramassé tout ce que j'avais sali et je suis descendue dans la cour de l'immeuble. Alors que je relevais le couvercle d'une poubelle, une voix qui ne m'était pas totalement inconnue a dit :

– Qui êtes-vous, madame ?

Je ne me suis pas donné la peine de répondre tant j'étais persuadée d'avoir affaire à un revenant, mais la voix a ajouté :

– Vous habitez l'immeuble, madame ?

C'était le gardien, un homme brun bien en chair. Il portait une chemise d'été à manches courtes.

– Pauvre monsieur Miltiade, a-t-il commenté lorsque je me suis présentée.

Il faisait glisser un chapelet entre ses doigts. Il m'a révélé que c'était mon frère qui le lui avait rapporté de Grèce.

– Je discutais avec lui de temps en temps... Il était très instruit... Il m'apprenait toujours quelque chose... Je lui en étais reconnaissant car moi, voyez-vous, je n'ai pas eu la chance de faire des études... Vous le saviez, vous, que les coudes des chimpanzés sont nus comme ceux des hommes ? Leurs poils sont disposés en spirale autour des coudes, exactement comme les nôtres.

Il m'a montré son bras droit.

– Tenez, vous voyez ?

Je lui ai promis que je lui communiquerais la date et le lieu de l'enterrement dès que j'aurais ce renseignement.

À la fin de la matinée j'ai appris qu'il aurait lieu le samedi à midi, au cimetière du Montparnasse. Aliki m'a également annoncé qu'un service funèbre se tiendrait, à partir de dix heures, à l'église Saint-Étienne. Je n'ai pas pu m'empêcher de lui faire remarquer que mon frère n'était pas croyant.

– N'en sois pas si sûre, a-t-elle répliqué avec humeur. Il visitait immanquablement les petites chapelles des îles et y allumait toujours un cierge. Nous ne nous serions pas mariés à l'église s'il n'avait pas eu un fond de religion.

Je n'ai pas jugé utile de lui rappeler qu'il avait refusé de baptiser sa fille.

– Comme tu voudras, ai-je dit.

– Et puis il faudra bien qu'on se réunisse quelque part, n'est-ce pas ? Les cimetières français, à l'exception de ceux qui pratiquent l'incinération, ne disposent pas de locaux où les familles peuvent se réunir et rendre hommage au défunt.

Elle m'a demandé de m'occuper de la publication du faire-part de décès dans les quotidiens d'Athènes et dans le journal *Macédonia* de Thessalonique.

– Je te laisse, j'ai rendez-vous avec sa secrétaire à la Sorbonne. C'est le prélat de l'Église orthodoxe grecque de France qui célébrera la messe, a-t-elle précisé comme si c'était une grande et bonne nouvelle.

J'ai essayé de la comprendre plutôt que de ressasser ma déception. Sans doute souhaitait-elle se séparer de Miltiadis là où elle l'avait épousé. « Elle rêve d'un enterrement aussi réussi que son mariage. » Avait-elle consulté sa fille au sujet de cette cérémonie ? Je ne connaissais pas les sentiments de ma nièce à l'égard de la religion, néanmoins j'étais persuadée qu'ils ne différaient pas de ceux de mon frère. Je n'avais en réalité aucune envie d'envisager l'enterrement de Miltiadis : mon esprit revenait sans cesse à ses derniers instants à l'hôpital et refusait d'aller au-delà.

J'ai passé presque toute la journée seule dans l'appartement. Audrey est sortie d'aussi bonne heure qu'Aliki. Elles ne sont rentrées qu'à la fin de l'après-midi. Tous les objets que je voyais autour de moi me racontaient la vie de Miltiadis. Toute sa vie était là, il ne manquait que lui en quelque sorte. J'ai pris à un moment dans mes mains le dictionnaire de la langue des Makas mais je ne l'ai pas ouvert.

Je me suis nichée dans le fauteuil du salon après avoir éteint les lumières de l'arbre. Le carnet d'adresses de Miltiadis était gros et lourd. J'ai été confrontée à un océan de noms notés au stylo bleu, au feutre mauve ou encore au crayon. Je n'ai pas tardé à constater que la plupart d'entre eux m'étaient totalement inconnus. Abdallah Farid, un serrurier, se trouvait à la tête d'une imposante famille qui comprenait entre autres Anne-Marie Armon, de profession inconnue, le philosophe Kostas Axelos, qui habite lui aussi Paris, et Tassos Archontakis, agent immobilier à Cythère. Je me suis rappelé la remarque de Miltiadis concernant les associations fécondes qu'engendre l'ordre alphabétique et je me suis demandé si tous les alphabets commençaient par les mêmes lettres.

L'un des tout premiers appels que j'ai passés, à une certaine Chryssoula Angélidou, pneumologue, m'a laissée sans voix : la femme que j'ai eue au bout du fil m'a annoncé que Chryssoula s'était éteinte la veille. Elle n'a pas été moins surprise que moi en apprenant le décès de Miltiadis, qu'elle avait rencontré quelques années auparavant.

– C'est incroyable, a-t-elle répété à plusieurs reprises. Chryssoula aussi est partie vers midi... Ils sont peut-être en train de voyager ensemble vers le ciel.

Bien des Grecs qui figuraient dans le répertoire n'étaient pas domiciliés en Grèce. Je les ai appelés eux aussi, j'ai même téléphoné en Centrafrique à un certain Yannis Sficas qui m'a parlé avec effusion de Miltiadis et a paru sincèrement désolé de sa disparition.

– Nous avions nagé ensemble dans le fleuve Oubangui. Il doit avoir chez lui une sculpture en bois qui représente une femme. Elle est l'œuvre d'un de mes amis.

Je n'ai pas manqué de lui demander quelle langue on parlait en Centrafrique et j'ai découvert ainsi que c'était le sango. « Il faut que j'apprenne comment on dit "bonjour" en sango », ai-je songé aussitôt après avoir raccroché.

Je me suis aussi entretenue avec des gens qui ont eu du mal à se souvenir de mon frère, avec un plombier, par exemple, qui avait changé la robinetterie de l'ancien cabinet de mon père, rue Démocharous. J'entendais, en même temps que sa voix, les pleurs déchirants d'un bébé qu'il devait tenir dans ses bras. Le doyen de la faculté de philosophie de Thessalonique m'a déclaré aussitôt qu'il viendrait à Paris pour l'enterrement. D'autres amis de mon frère et certains des miens ont pris la même décision. Ma cousine de Cyparissia a surtout été contrariée parce qu'elle devrait annuler la conférence de Miltiadis qu'elle avait programmée pour l'été prochain.

– Je l'avais déjà annoncée sur le site de l'association.

Les noms féminins étaient de loin les plus nombreux. Qui étaient-elles toutes ces femmes, Théodosia Dacoglou, Olga Giogaraki, Clio Hadjidaniil, Nancy Papadopoulou ? D'anciennes élèves de mon frère ? D'anciennes maîtresses ? Les quelques mots que nous avons échangés ne m'ont pas permis de le deviner. L'une d'elles (Vassiliki Sandali, je crois) m'a assuré que mon frère lui avait parlé de moi.

Les dernières pages du carnet, qui sont habituellement vides, étaient partagées en colonnes qui correspondaient chacune à l'un des pays qu'il avait visités : l'Espagne, les États-Unis, le Canada, la Turquie, l'Australie, le Pérou, et beaucoup d'autres encore. J'ai retrouvé là les coordonnées de Sficas, car la République de Centrafrique faisait partie de la liste. Le dernier pays mentionné était l'Argentine : une dizaine de personnes figuraient dans cette rubrique, parmi lesquelles le linguiste José Luis Aguilar et Monica Herrera, de San Salvador de Jujuy. Devais-je leur téléphoner ? Cela faisait si longtemps que je n'avais pas dit un mot d'espagnol que je n'étais pas sûre de pouvoir encore le parler. Quelle heure était-il d'ailleurs là-bas ? Mais la journée était si bien avancée qu'il ne devait pas être très tôt en Argentine non plus.

José Luis était déjà parti déjeuner. J'ai parlé avec sa secrétaire, la superbe Elvira avec qui Jean-Christophe avait dansé un tango. Elle m'a promis qu'elle transmettrait la triste nouvelle à M. Aguilar et m'a demandé mon numéro de téléphone.

– *Lo lamento*, a-t-elle ajouté.

« Je suis désolée. » Je me suis trompée à deux reprises en composant le numéro de Monica. J'ai pénétré dans des maisons où on ne la connaissait pas. J'ai imaginé de modestes constructions badigeonnées d'ocre rouge, recouvertes de tuiles. J'ai vu aussi un grand oiseau perché sur un mur de pierres sèches comme ceux qui bornent les champs des Cyclades.

– Monica ? ai-je demandé à ma troisième tentative.

Lorsqu'elle a su ce qui était arrivé, elle a déposé le téléphone et elle s'est éloignée. Elle s'est absentée un moment. J'ai été surprise quand elle a repris l'appareil car je ne l'avais pas entendue revenir.

– *Aqui estoy*, m'a-t-elle dit.

« Je suis là. » L'idée m'est venue qu'elle apercevait par sa fenêtre la Montagne aux Sept Couleurs. Je lui ai avoué que Miltiadis m'avait longuement parlé de son voyage et qu'il avait la nostalgie de ces journées.

– *Yo tambien los recuerdo.*

« Moi aussi, je me les rappelle. »

– Je voulais lui envoyer les photos que nous avons prises ensemble, a-t-elle ajouté.

Je lui ai proposé de me les poster à Athènes et lui ai donné mon adresse.

– Il m'a aussi parlé de la Montagne aux Sept Couleurs... Mais il m'est impossible de l'imaginer.

– Ce n'est pas difficile… Elle a les couleurs de l'arc-en-ciel.

« *Tiene los colores del arco iris.* »

À combien de personnes ai-je téléphoné en tout ? Je m'efforçais de parler sans penser, comme si cette affaire ne me concernait pas, comme si les mots n'avaient pas de sens, mais de temps en temps ils retrouvaient leur signification et devenaient terribles.

Je n'ai fait que deux pauses, l'une pour manger un peu de pain et boire un verre de vin, et l'autre pour aller dans la salle de bains d'Audrey. Je me suis avancée dans le couloir en évitant de regarder vers la chambre à coucher dont la porte était heureusement fermée. J'ai cependant dépassé la salle de bains, poussée par une vague curiosité. J'ai compris ce que je voulais voir lorsque je suis arrivée devant le tableau composé des figurines de Karaghiozis, de Hadjiavatis et du dragon que mon frère avait fait pencher du côté droit en essayant de le redresser. Le cadre était resté exactement dans la même position. Moi qui n'avais pas beaucoup pleuré jusqu'à cet instant, j'avoue que je n'ai pas pu supporter cette petite inclinaison.

Je suis allée à l'église à pied. Aliki m'avait indiqué quelles rues je devais emprunter. J'ai marché pendant une heure et vingt minutes en ne faisant attention qu'aux noms des rues, comme si je traversais un plan et non pas une vraie ville.

Il n'y avait encore personne à l'église Saint-Étienne quand j'y suis arrivée, à l'exception d'une mendiante assise sur les marches de l'entrée. Elle portait un gros pull et un foulard noir sur la tête. Un peu au-dessus d'elle, au beau milieu du mur, était placardé le faire-part annonçant le décès de mon frère. Le texte était illustré d'une croix qui rayonnait comme un soleil.

J'ai poussé le portail donnant accès au vestibule, qu'on nomme également le narthex. Il communiquait avec l'église par les portes qui se trouvaient sur son côté gauche, et avec une cour que l'on pouvait voir à travers la porte vitrée du fond. Une plaque de marbre m'a appris que l'église avait été édifiée en 1895 par une famille de négociants. J'ai aussi parcouru les communiqués qui étaient épinglés sur le tableau d'affichage. L'un d'eux célébrait les victoires de l'Aigle, le club de football des Grecs de Paris, qui avait battu l'équipe des Arméniens par 2 buts à 0 et pulvérisé celle des employés du secteur privé de Boulogne sur le score de 5 à 1. Miltiadis aimait le football. Il regardait tous les matchs de l'équipe de France chez François, un libraire de ses relations.

Une légère odeur de bois brûlé flottait dans l'air. Je me suis approchée de la porte du fond. Une flopée de pithécanthropes portant des nourrissons dans les bras occupaient la cour. Ils m'ont vue et m'ont adressé des grimaces, mais je n'ai pu comprendre si elles étaient joyeuses ou tristes. «On les a parqués ici le temps de les évangéliser, ai-je songé. On ne les lâchera que lorsqu'ils auront reconnu qu'ils ont été créés par Dieu. » Mon frère m'avait dit un jour que l'Afrique sentait le bois brûlé.

Des coups de klaxon prolongés et divers bruits m'ont fait tourner la tête vers l'entrée du vestibule où j'ai vu surgir une dizaine d'hommes. Quatre d'entre eux portaient le cercueil, tandis que les autres ouvraient les portes. Ils sont passés devant moi à toute allure, comme des brancardiers. J'ai pu constater cependant que le couvercle du cercueil était mouillé. « Il s'est mis à pleuvoir », ai-je pensé. D'autres personnes encore sont apparues, chargées de pots de fleurs et de couronnes tressées de roses rouges et blanches montées sur des trépieds métalliques. Très vite, le vestibule a été bondé. Les amis venus de Grèce sont arrivés tous ensemble, ce qui ne m'a pas étonnée car nous leur avions réservé des chambres dans le même hôtel. Aliki n'était nullement effondrée, je dirais même qu'elle orchestrait les opérations avec une certaine fougue.

– La police nous a donné l'autorisation de garder le cercueil ouvert pendant la messe, m'a-t-elle dit. En France, on est tenu de le sceller avant son départ de la morgue.

Elle m'a présenté l'ambassadeur de Grèce ainsi que le président de la Communauté grecque. Que devais-je faire ? Rester là où j'étais ? Entrer dans l'église comme tout le monde le faisait peu à peu ? Je ne voulais pas voir mon frère étendu dans le cercueil. Je me suis rappelé que lors de l'enterrement de mes parents j'avais évité d'approcher leur dépouille. Je les ai cherchés du regard dans la foule, mais ni Géorgios ni Irini n'étaient là. « Ils ne savent pas que Miltiadis est parti. » L'idée qu'ils ne l'apprendraient peut-être jamais m'a quelque peu apaisée.

J'ai eu à répondre plusieurs fois à la question :

– Vous êtes sa sœur ?

Je me suis demandé à quoi ils me reconnaissaient, car ceux qui me voyaient naguère en compagnie de Miltiadis étaient frappés par notre dissemblance. À mesure que le temps passait, les nouveaux arrivants étaient de plus en plus trempés. Je ne voyais autour de moi que des visages qui ruisselaient, peut-être aussi de chagrin. Le crâne nu de Jean-Christophe reflétait toutes les lumières du vestibule. Sans rien me dire, il m'a saisi les deux mains, les a levées à la hauteur de son visage, mais il ne les a pas embrassées. Il les a relâchées brusquement et s'est éloigné d'un pas vif comme s'il craignait de rater le début de la cérémonie. Philippe, le père d'Aliki, s'est approché de moi d'un air de conspirateur en regardant furtivement autour de lui.

– Tu as vu Zoé ? m'a-t-il interrogée.

« Il est convaincu qu'elle est capable de lui régler son compte en public. » Il avait essuyé une telle averse que même ses oreilles pleuraient. Je me suis souvenue qu'il avait entretenu les meilleures relations avec la junte des colonels et qu'il avait quitté la Grèce peu après la chute de ce régime en emportant avec lui une importante collection d'œuvres de peintres grecs.

– Elle ne doit pas être loin, lui ai-je dit, ce qui a sensiblement accru son agitation.

– J'espère qu'Aliki ne va pas nous placer côte à côte.

« Philippe est un mot, ai-je songé. Sa vie est la définition de ce mot. » Était-il venu à Paris avec son amie, la conteuse aux quatre garçons et aux quatre filles ? « Il est peu probable qu'elle ait trouvé quelqu'un pour garder tant d'enfants. » Zoé avait fait son apparition un peu plus tôt, sensiblement métamorphosée, avec les cheveux coupés ras, teints en jaune, et une robe vert pomme décolletée qui ne convenait ni au lieu ni à son âge. Elle a soixante-quinze ans, comme Philippe.

L'assistance comptait beaucoup de jeunes mais aussi quelques vieilles personnes que je considérais sans bienveillance, comme si leur présence à l'enterrement d'un homme nettement moins âgé qu'elles constituait une sorte d'affront. Ma pensée revenait sans cesse à Miltiadis, j'essayais de me le représenter dans la bière afin de m'habituer au spectacle auquel je serais exposée sous peu, mais il prenait aussitôt vie dans mon imagination et me taquinait :

– Tu ne vas pas flancher, j'espère ?

Comme il me répétait chaque fois la même chose, j'ai fini par m'énerver.

– Est-ce que tu comprends à la fin ce que cela signifie pour moi, de ne plus pouvoir te parler ?

Théano est arrivée entourée d'amis de son âge. J'espérais que sa présence me donnerait le courage qui me manquait, mais elle ne s'est pas arrêtée dans le vestibule, où il n'y avait plus grand monde, et ne m'a même pas vue. Elle a pénétré dans l'église sans me laisser le temps de réagir.

J'ai donc poussé à mon tour la porte. Un tapis rouge et étroit partait de l'entrée et traversait toute la nef jusqu'à l'iconostase. Le cercueil était posé sur une table, à peu près au milieu du tapis. Comme on avait relevé la tête de Miltiadis, il donnait l'impression de suivre le métropolite, l'archimandrite et le diacre qui se préparaient à l'intérieur du sanctuaire. De l'endroit où je me trouvais, seuls ses cheveux étaient visibles. Aliki m'a fait signe d'approcher. Six chaises étaient disposées autour du cercueil pour les parents proches. Elle avait pris place à droite, avec sa mère, tandis que Philippe avait préféré le côté gauche. Théano n'était pas là, je ne l'ai repérée que plus tard, elle était restée près de la porte, là où on vendait les cierges.

Le métropolite qui portait une chasuble violette brodée d'or a encensé le cercueil, puis les fidèles, tandis que les trois chantres, qui étaient drapés de noir comme les professeurs de l'université de Thessalonique, psalmodiaient :

– « *Dieu saint, saint tout-puissant, saint immortel, aie pitié de nous.* »

L'archimandrite et le diacre étaient, eux, vêtus de blanc. L'insistance d'Aliki m'a obligée à avancer. Je me suis emparée d'une chaise que j'ai placée deux mètres derrière le cercueil, de façon à m'épargner la vue de mon frère. La table était entourée par les pots de fleurs et les couronnes funéraires. Deux cierges de la taille d'un homme brûlaient à ses deux extrémités, et un lutrin avait été installé du côté de l'iconostase sur lequel reposait une icône de la Résurrection.

– Accorde le repos, ô Seigneur, à ton esclave et accepte-le au sein du paradis, a dit le métropolite de cette voix profonde et traînante que j'entends depuis mon enfance.

Je n'ai jamais aimé ce ton suppliant. Il me rappelle la servilité que manifeste Hadjiavatis devant le vizir. Le mot *doulos*, « esclave », résonnait à intervalles réguliers. Aux yeux de l'Église, les fidèles forment un troupeau d'esclaves. Leur infortune ne s'arrête pas là, car leur nature les incite à commettre des fautes pour lesquelles ils doivent demander pardon. Ils sont à la fois esclaves et coupables. L'office n'avait pour but que de calmer le Très-Haut, qui était peint sur la coupole de l'édifice, juste au-dessus de Miltiadis. « Dieu est un personnage avec de grands yeux qui ne voient rien. » Aliki scrutait en permanence mon frère comme si elle voulait, en retenant chaque détail de son visage, l'installer définitivement dans sa mémoire. Philippe et Zoé étaient tournés vers l'iconostase, mais de temps en temps ils échangeaient des regards assassins par-dessus le cercueil.

Pourquoi les officiants et les chantres usaient-ils d'un idiome si peu compréhensible ? Fallait-il attribuer ce manque de clarté aux mots sémitiques qui se sont infiltrés dans la langue ecclésiastique ? Ou bien à l'emploi fréquent de termes antiques dans un sens de surcroît plutôt rare ? J'ai entendu à deux ou trois reprises que Dieu était *anarchos* : cet adjectif n'avait pas son sens habituel, « dégagé de toute autorité », mais signifiait « sans commencement ». La structure des phrases était également surprenante : dans bien des cas, le verbe précédait son sujet. Cette construction était-elle calquée sur l'araméen ? Miltiadis aurait certainement su me le dire.

L'archimandrite a lu des extraits d'une épître de saint Paul et de l'Évangile selon saint Jean. Les deux apôtres ont écrit en grec, qui n'était cependant pas leur langue maternelle. Peut-on s'exprimer correctement dans un autre idiome que le sien ? J'ai supposé que mon frère aurait été en mesure de me citer plusieurs écrivains ayant usé avec succès d'une langue étrangère. Je me suis souvenue néanmoins de Solomos, notre poète national, qui, quoique de culture italienne, manie le grec avec une grâce et une simplicité exemplaires. La langue que j'entendais était au contraire affectée et docte. L'Église grecque juge peut-être qu'un langage obscur convient mieux aux mystères qu'elle sert.

Il y avait énormément de monde. Est-ce qu'il y en aurait eu autant si l'enterrement s'était déroulé à Athènes ? On se hissait sur la pointe des pieds pour mieux voir le cercueil. La question que je m'étais posée en feuilletant le carnet d'adresses de Miltiadis m'est revenue à l'esprit : qui étaient donc tous ces gens ? J'ai réalisé que je connaissais mal la vie de mon frère et que peut-être je le connaissais mal lui aussi. Ce doute m'a plongée dans un désespoir si profond que j'aurais sans doute perdu mes moyens si Miltiadis ne m'avait pas aidée à me remettre :

– N'oublie pas que nous avons grandi ensemble, m'a-t-il dit.

– Tu as raison, personne ici ne sait qu'on t'appelait autrefois Miltos.

Je me suis tournée dans la direction opposée. Natalia, l'élève de mon frère, se tenait à deux pas. Elle pleurait sans se cacher, sans essayer de retenir ses larmes, sans même les essuyer. J'ai remarqué une femme aux cheveux noirs et raides et aux yeux bleus. « C'est Marylène Préaud, ai-je pensé, l'auteur de l'étude sur l'homme de Neandertal. » J'ai eu envie de faire sa connaissance. « Elle me révélera des aspects de la vie de mon frère que j'ignore… Elle pourrait m'aider à découvrir le premier mot. »

L'homme que pleurait Natalia n'était pas tout à fait le même que celui qu'avait connu Marylène. Quel rôle avait joué Miltiadis dans la vie de Jean-Christophe ? Que représentait-il pour le doyen de

221

l'université de Thessalonique ? Aliki avait perdu un époux et Théano un père. J'ai eu le sentiment que mon frère avait incarné autant de personnages différents qu'il y avait de gens dans l'église. « Ce n'est jamais une seule personne qui meurt. »

Les murs qui encadraient la nef centrale, et qui s'appuyaient sur deux rangées de colonnes, n'avaient pour toute parure que les lettres alpha et oméga inscrites en caractères majuscules. « Seules ces deux lettres intéressent l'Église, car elles symbolisent la naissance et la mort. Les signes intermédiaires racontent une histoire qui ne la concerne pas, qu'elle considère comme vaine. » L'ouverture vers le bas que présente l'oméga, Ω, le fait ressembler à une serrure. « L'oméga est la serrure du paradis », ai-je songé avant de revenir au A.

– Et toi, qu'est-ce que tu représentes ? lui ai-je demandé.

– Tu ne vois donc pas ? Je suis l'échafaudage qui a servi à la construction des pyramides.

– Mais les pyramides sont des mausolées ! ai-je protesté.

– C'est bien cela, a-t-il dit. Je suis le commencement de la fin.

J'étais de plus en plus importunée par les odeurs que je respirais, par les effluves de l'encens, des fleurs, des cierges, et même par les parfums que portait l'assistance. Pourquoi la messe tardait-elle tellement à prendre fin ? Nous avions entendu l'essentiel, que nous sommes des créatures de

Dieu, que notre vie n'est qu'un rêve fugace, que les morts sortiront un jour de leurs tombes. « Il s'écoulera tant de temps avant que cela n'arrive qu'ils ne se souviendront même plus de leur nom. Ils ne parleront aucune langue. » J'ai supposé que je me sentirais mieux au cimetière du Montparnasse, que l'air serait plus léger là-bas.

Soudain, les cris des enfants que mon père opérait dans son cabinet et que j'entendais quand j'étais petite sont de nouveau parvenus à mes oreilles. Je me suis levée de mon lit et je suis allée dans la chambre de mon frère pour lui demander s'il les avait entendus, mais il dormait comme un bienheureux.

J'ai suivi plutôt distraitement les discours qui ont été prononcés vers la fin de la cérémonie. Le doyen a tenu des propos bien plus conventionnels qu'à Thessalonique : son discours ressemblait à un article d'encyclopédie. Le métropolite a salué en mon frère un digne successeur des grands intellectuels grecs qui s'étaient distingués en France. Il a cité notamment les noms de Coraïs et de Psichari. L'ambassadeur a remonté encore plus loin dans le passé, en replaçant l'œuvre scientifique de Miltiadis dans le cadre des échanges spirituels entre la Grèce et la France qui ont commencé lors de la fondation de Marseille par les Phocéens.

Le seul qui a éveillé mon intérêt fut le vieil homme qui a parlé en dernier, car il a su éviter les grands mots. J'ai compris plus tard qu'il s'agissait de Bouvier, le professeur qui avait initié Miltiadis

223

à la littérature comparée et qui avait supervisé sa thèse de doctorat sur les traductions françaises des poèmes de Cavafis.

Il s'est approché du micro accroché au bras d'une femme nettement plus jeune que lui. Nous n'avons d'abord entendu que sa respiration haletante. Quand il a enfin pu prendre la parole, il a esquissé, non sans humour, un portrait de Miltiadis tel qu'il était au début de sa vie parisienne, quand il ne maîtrisait pas encore le français.

– Il étudiait le dictionnaire comme on lit un roman, en tournant les pages l'une après l'autre.

Il nous a rappelé que mon frère s'était laissé pousser la barbe à cette époque et qu'il ne sortait jamais sans son parapluie.

– Les récits qu'il avait lus enfant l'avaient persuadé qu'il ne cessait de pleuvoir à Paris.

On entendait mieux sa respiration que sa voix. Son accompagnatrice était prête à le soutenir à chaque instant, elle le suivait des yeux les bras légèrement tendus en avant. Cet homme à bout de forces a insufflé une vivacité inespérée à la cérémonie. On aurait dit qu'il ignorait à la fois que Miltiadis était décédé et qu'il se trouvait dans une église.

– Nous avons passé énormément de temps à deviser de la poésie grecque dans les cafés de la place de la Sorbonne, en suivant des yeux les belles étudiantes.

Aliki m'a regardée en faisant la moue, visiblement rebutée par le ton de Bouvier. Je ne lui ai pas fait le plaisir de mimer son expression. Je lui ai souri puis je l'ai ignorée.

– Le jour où il est devenu titulaire de la chaire de littérature comparée, nous avons mangé dans un restaurant populaire qui s'appelle Les Trois Lièvres. Je n'étais pas moins heureux que lui. Nous avons bien levé le coude, ce jour-là.

Il a porté les yeux un instant sur le cercueil.

– Le plus bel hommage qu'on puisse rendre à un défunt a été imaginé, à mon avis, par certains aborigènes d'Australie. Lorsque leur chef meurt, ils suppriment un mot, ils l'effacent définitivement de leur langue. Mais je ne suis pas certain que notre ami nous approuverait si nous faisions de même car il aimait les mots, tous les mots, même ceux qui ne lui plaisaient pas.

Alors que nous pensions tous qu'il avait terminé, il a pris une profonde inspiration et, d'une voix étonnamment puissante, il a salué mon frère :

– *Chairè*, Miltiadis !

Son accompagnatrice l'a saisi par la taille et l'a reconduit, bien péniblement, jusqu'à sa place.

– « *Approchez, ô mes frères, pour le dernier baiser* », ont psalmodié les chantres.

Aliki a embrassé son mari sur le front, après quoi elle a posé ses lèvres sur l'icône de la Résurrection. Son exemple a été suivi par la plupart des gens et un mouvement circulaire a pris forme autour du cercueil. J'ai évité une fois de plus de m'en approcher et je me suis réfugiée dans le vestibule où un livre blanc, destiné à recueillir les condoléances, avait été dressé. Comme je ne voyais nulle part Théano, j'ai poussé le portail de l'entrée. Elle fumait assise sur les marches à côté de la mendiante. Il continuait de pleuvoir. Le restaurant arabe d'en face était fermé. Il m'a semblé qu'il participait lui aussi à notre deuil car le store en lamelles métalliques qui masquait sa devanture était peint en noir. J'ai retenu son nom : El Djazaïr.

– Ma mère envisage de convier le métropolite au cimetière. Je vais lui dire de ne pas venir.

Nous avons traversé le vestibule en trombe, j'ai ignoré les signes que me faisait Panayiotis, nous sommes passées dans la cour et de là à l'intérieur du *diaconicon*, comme on nomme en langage épuré la sacristie. Les trois hommes m'ont paru beaucoup plus jeunes sans leurs vêtements sacerdotaux. La demande de Théano ne les a pas blessés, bien qu'elle l'ait formulée plutôt crûment.

– Nous n'avons pas l'habitude d'imposer notre présence, lui a dit le métropolite. Nous n'allons que là où on la sollicite.

Il parlait le français avec un léger accent qui était cependant différent de l'intonation habituelle des Grecs. J'en ai conclu qu'il n'était pas né en Grèce.

– J'ai préparé le saint chrême qu'on déverse dans la tombe, selon la tradition, a dit le diacre en retirant une fiole d'un placard. Il est formé d'huile et de vin. Si vous le voulez, vous pouvez le prendre.

– Nous le voulons, a dit Aliki qui était entrée dans la sacristie par une autre porte sans crier gare.

Elle a deviné la teneur de l'échange entre sa fille et le métropolite et je dois reconnaître qu'elle n'a élevé aucune objection. Elle a pris la fiole puis elle a glissé une enveloppe dans la main du prélat.

– Pour vos pauvres.

Ce méchant soupçon m'a traversé l'esprit que l'argent ne profiterait jamais aux pauvres, qu'il serait dépensé le soir même dans le restaurant arabe.

Une file d'attente s'était formée devant les toilettes, qui se trouvaient au rez-de-chaussée d'un autre bâtiment donnant sur la cour. Parmi ceux qui patientaient, j'ai reconnu Bouvier que je me suis empressée de saluer. Il était toujours avec son accompagnatrice. Il me l'a présentée, c'était une Roumaine du nom de Magdalena qu'il avait engagée pour s'occuper de sa maison et de sa personne. Je lui ai fait part du plaisir que j'avais eu à l'entendre un peu plus tôt.

– J'avais bien d'autres choses à dire mais, hélas, je ne peux pas rester longtemps debout. Mes jambes m'obligent à être bref, elles me retirent la parole.

J'ai pensé aux pieds de Miltiadis qui ne rentraient pas dans ses pantoufles. « Ils ont dû désenfler à présent. »

227

– Sale temps, vous ne trouvez pas ? a dit Bouvier dans la voiture.

Nous avions embarqué Bouvier et Magdalena qui n'avaient pas de moyen de transport. Panayiotis aussi est venu avec nous, il s'est incrusté au dernier moment dans la voiture en serrant au plus près le professeur et son accompagnatrice.

– Il y a de la place, il y a de la place, nous a-t-il assuré.

– Miltiade avait raison finalement, a poursuivi Bouvier. Il pleut tout le temps à Paris.

Panayiotis, qui se trouvait juste derrière moi, se penchait de temps en temps et me murmurait à l'oreille :

– Ne sois pas triste.

Il a reçu cinq appels sur son portable pendant que nous roulions vers Montparnasse. Aliki conduisait vite, le corbillard nous avait devancés d'un bon quart d'heure. Le trafic était quasiment nul, la ville ne s'était pas encore réveillée. « Elle ne se réveillera peut-être pas aujourd'hui. »

– S'il fallait amputer la langue grecque, moi je choisirais d'éliminer le *r*, ai-je dit à Bouvier.

– Vous feriez disparaître complètement le *r* ?

– Je le conserverais éventuellement dans un seul mot. Le *r* est une calamité.

– En France nous ne l'articulons plus, nous le prononçons d'une voix étouffée comme si nous voulions le réduire au silence. Ce n'est qu'en Bourgogne et dans le Sud-Ouest, où l'on continue à le rouler, qu'il se maintient.

– Qu'est-ce qu'il raconte ? m'a demandé Panayiotis qui ne connaît pas un mot de français.

Il ne m'était pas agréable de sentir son souffle dans mon cou.

– Vous trouvez donc que les mots qui commencent par *r* commencent mal ? a interrogé Bouvier.

– C'est en tout cas l'initiale d'un grand nombre de termes détestables, comme *radiénergia*, *rytida*, *rypansi*, *rakos*, *rimazo*, *rochalizo*.

Je lui ai expliqué le sens de ces termes, à l'exception du premier, qui m'a paru parfaitement compréhensible pour un Français :

– *Rytida* signifie « ride », *rypansi* « pollution », *rakos* « loque », *rimazo* « ravager » et *rochalizo* « ronfler ».

J'ai été frappé par le fait que trois de ces mots commençaient en français aussi par la même lettre.

– Miltiadis me disait qu'à l'époque de l'Empire romain les Grecs avaient pris le nom de Roméi. Ils ont usurpé en quelque sorte l'identité de leurs conquérants, comme l'ont fait les Daces, qui sont ainsi devenus les Roumains. J'ignore si le nom de Roms, qui désigne les Tsiganes, a la même racine.

– « Rom » veut dire « homme » dans la langue des Tsiganes, a observé Magdalena dans un français impeccable. En roumain, on dit *om*, comme en français.

– « Rom » signifie donc « homme malheureux », selon votre théorie, a noté Bouvier.

– Cela s'écrit avec deux *r*, a précisé Magdalena.

– « Homme très malheureux », en a déduit Bouvier.

– Il existe un mot qui commence par deux *r* ? s'est étonnée Aliki.

Je croyais qu'elle ne suivait pas la conversation car ses yeux étaient fixés sur la chaussée. La neige et la boue avaient disparu. Nous avions franchi la Seine sans que j'y prenne garde. À la fin d'une longue avenue nous nous sommes engagés dans une autre en tournant à gauche. La pluie résonnait différemment sur le pare-brise, sur le capot de la voiture et sur l'asphalte. Ces bruits variés étaient accompagnés par le mugissement du vent qui enflait et s'atténuait en alternance. Nous n'avons rien dit d'autre pendant le trajet, nous avons laissé la parole aux éléments. « Le premier mot a été prononcé un jour pluvieux, ai-je songé. C'est la pluie qui l'a dicté aux hommes. » Quand nous sommes arrivés à Montparnasse, j'ai pris la résolution d'apprendre quel était le premier mot et de le dire à mon frère.

Face à l'entrée du cimetière, au milieu du boulevard Edgar-Quinet, se tenait un marché à ciel ouvert qu'il nous a fallu traverser car nous nous étions garés de l'autre côté de la rue, devant une marbrerie funéraire. Les étals étaient protégés par des bâches bleues sous lesquelles pendaient des ampoules nues, qui toutes étaient allumées. J'ai vu de belles crevettes nager dans une mer de glace pilée, des montagnes de pommes de terre et d'oranges, une gamme complète de fromages, une riche collection de bonbons de toutes les couleurs qui comprenait même des caramels noirs. Le régime de Miltiadis lui interdisait la plupart de ces bonnes choses. J'ai entendu la phrase :

– Ça sera tout pour aujourd'hui, ma petite dame ?

La pluie venait de s'arrêter. En pénétrant dans le cimetière j'ai d'abord aperçu les mûriers. L'avenue principale était bordée de grands mûriers robustes. J'ai fatalement songé à l'arbre qu'escaladait mon frère pour monter sur la remise d'Agni. Mais le tronc de ceux que je voyais était droit et lisse jusqu'à deux mètres de hauteur.

– Tu ne pourrais pas grimper sur ces arbres, ai-je dit à Miltiadis.

– N'en sois pas si sûre.

Il y avait des acacias aussi à Callithéa au temps de notre enfance. Je m'en suis souvenue en découvrant l'avenue du Nord qui, elle, est plantée uniquement d'acacias. Ce sont des arbres qui vous protègent du soleil sans le cacher entièrement, comme les oliviers. Des maisonnettes de pierre pourvues de portes de fer se dressaient çà et là. Leurs murs étaient tout noirs. J'ai supposé qu'ils appartenaient à de grandes familles éteintes depuis longtemps. Alors que nous nous approchions de l'endroit où le corbillard avait stationné et où quelques personnes attendaient déjà, Panayiotis, que j'avais perdu de vue à l'entrée du cimetière, nous a rattrapés en courant. Il tenait une brochure qu'il avait prise chez le gardien.

– Coraïs a été enterré ici, mais sa tombe est vide car ses cendres ont été transférées en Grèce, m'a-t-il informée.

La brochure citait toutes les célébrités qui reposaient à Montparnasse, et qui n'étaient pas peu nombreuses, leurs noms couvraient deux pages. Panayiotis a repéré un autre Grec, Cornelius Castoriadis. « Mon frère fera peut-être un jour partie de ce cercle », ai-je pensé. Mais le nom qui a produit sur lui l'impression la plus vive a été celui de Jean-Paul Sartre.

– Jean-Paul Sartre est là ! m'a-t-il annoncé en faisant des yeux ronds comme si nous allions rencontrer le philosophe d'un instant à l'autre.

Quelle sorte de sépulture avait prévue Aliki pour mon frère ? La plupart des tombes étaient marquées d'une croix, tantôt debout, tantôt couchée sur la dalle. La plus singulière était dissimulée derrière un tableau de verre incliné plein de photos de films. J'ai reconnu Buster Keaton, Jacques Tati, Pasolini, Cary Grant, Vivien Leigh et Clark Gable dans une scène d'*Autant en emporte le vent*. J'ai eu un instant l'illusion que le cimetière possédait une salle d'art et d'essai où ses illustres pensionnaires pouvaient de temps en temps regarder un vieux film. Un écriteau m'a appris que la tombe en question hébergeait le fondateur de la Cinémathèque française, Henri Langlois.

Les gens cachaient entièrement la fosse qui jouxtait l'avenue. J'ai été obligée de contourner un mausolée imposant et d'enjamber plusieurs tombes pour m'en rapprocher. J'ai pris place derrière Théano, je l'ai embrassée sur la tête. Les fossoyeurs n'ont eu aucun mal à soulever le cercueil pour passer les cordes par-dessous, comme s'il avait été vide. Son couvercle était entièrement dégarni. Il portait cependant sur les côtés quatre cachets de cire qui m'ont fait songer à des plaies. Les hommes travaillaient avec circonspection, en prenant leur temps. La lenteur conférait à leurs gestes quelque chose de hiératique. Puis j'ai perdu le cercueil des yeux. Je me suis appuyée sur les épaules de Théano, qui s'est retournée et m'a aussitôt tendu son mouchoir. Mais il était si mouillé qu'en m'essuyant les yeux je n'ai fait qu'ajouter ses larmes aux miennes.

Des fleurs et des poignées de terre partaient de tous côtés. J'ai vu Aliki vider dans la fosse le flacon contenant le vin et l'huile et sa mère lancer un gros bouquet. Soudain, un chant a retenti qui parlait de la mort imminente d'un vaillant jeune homme étendu sur la grève. Il était entonné par une voix de femme, très douce, qui a imposé à tout le monde un silence complet. Nous avons su que le jeune homme s'appelait Yannis. Nous l'avons entendu solliciter d'un oiseau blanc la permission d'écrire sur ses ailes trois messages, l'un pour sa mère, l'autre pour sa sœur et le troisième, le plus douloureux, pour sa fiancée. C'était manifestement une chanson populaire, au rythme proche de la musique des îles, mais qui était donc la chanteuse et qui l'avait invitée à l'enterrement ? Les jets de fleurs et de poignées de terre ont repris. Théano s'est penchée en avant et a laissé tomber son mouchoir sur le cercueil qui avait touché terre. Les fossoyeurs ont retiré les cordes.

J'ai reculé suffisamment pour me dégager de l'assistance. La tombe la plus proche appartenait à une certaine Louise Richard décédée en 1893. J'ai éprouvé subitement de la curiosité pour les nouveaux voisins de mon frère, j'ai même noté leurs noms dans mon agenda. Il s'agit du colonel René Dupré, mort au champ d'honneur en 1940, du notaire Marcel Gorpessot et de sa femme Simone, née Henriot, de Jacqueline Arnaud-Villefort et d'une jeune fille de vingt-six ans, Clotilde Raget, disparue il y a deux ans. Son profil est gravé sur une stèle.

En relevant les yeux, j'ai aperçu Bouvier assis sur un caveau, immobile comme une statue. Magdalena, qui se tenait debout à côté de lui, ne paraissait guère plus vivante. Ils regardaient tous les deux vers l'entrée du cimetière comme s'ils attendaient des visites.

– Vous n'allez pas me croire, m'a dit Bouvier quand je suis arrivée à sa hauteur, mais j'ai fait un petit somme. J'ai entendu ce beau chant dans mon sommeil et j'ai cru que j'étais arrivé au paradis...

Le mot « paradis » est iranien, il signifie « jardin ». Il a été adopté aussi bien par les Grecs que par les Romains.

Malgré sa lassitude, il est venu au café où nous nous sommes réunis après l'enterrement, un grand café à l'angle du boulevard Edgar-Quinet et de la rue de la Gaîté. Jean-Christophe m'a expliqué que cette rue était autrefois réputée pour ses cabarets.

La pluie a repris alors que nous cheminions vers cet établissement. Aliki, qui tenait l'ambassadeur par le bras, marchait en tête du cortège. Les talons hauts de Zoé étaient couverts de boue.

– Tu as vu mes chaussures ? m'a-t-elle demandé en français comme si elle avait légèrement perdu la tête.

Cela faisait un moment que Philippe s'était éclipsé. Nous l'avons retrouvé au café en compagnie d'une belle femme aux longs cheveux ondulés. Zoé est allée directement au comptoir et a commandé un chocolat chaud. « Elle va le lui envoyer à la figure », ai-je pensé. Le doyen nous a informés que les concessions perpétuelles au cimetière étaient à onze mille trois cents euros.

– Ce n'est pas beaucoup, a décrété Panayiotis. Est-ce que tu sais si les étrangers sont admis à Montparnasse ?

« Il rêve d'être enterré près de Jean-Paul Sartre. »

– La France n'accueille plus les étrangers, l'a interrompu Calliopi, qui faisait jadis partie des cadres dirigeants du parti communiste et qui continue de lire assidûment le journal de gauche *Avyi*[1].

– Mais je parle des morts, pas des vivants ! a rectifié Panayiotis en s'esclaffant.

D'autres rires ont retenti plus tard. « Les obsèques ont lieu pour que la vie puisse suivre son cours. » Jean-Christophe conversait avec Audrey dans la langue des signes. Il se faisait apparemment très bien comprendre, ses mouvements étaient toutefois moins vifs que ceux de la jeune fille. « La langue des signes est un idiome de jeunesse. » Audrey s'est approchée de moi à un certain moment, elle a posé sa main sur son cœur puis elle l'a retournée vers moi. « Elle me donne son cœur », ai-je songé. Ce geste m'a davantage touchée que toutes les paroles de réconfort que j'avais entendues. J'ai décidé que je l'utiliserais moi aussi à l'avenir.

Un professeur dont je n'ai pas retenu le nom m'a annoncé qu'il consacrerait à Miltiadis un numéro spécial de la revue qu'il publiait.

– Il comprendra un hommage du président de la Sorbonne, deux textes inédits de votre frère sur l'art de la traduction, et des commentaires sur son œuvre écrits par des confrères. Je pense l'intituler *Les Mots de Miltiade*, qu'en dites-vous ?

Je suis convenue que c'était une excellente idée. Je déambulais dans la salle une tasse de café à la main.

1. *L'Aube.*

– Vous pensez que mon frère aimait davantage
les mots que la littérature ? ai-je interrogé Bouvier.

– Non, je ne le crois pas... Je ne crois pas, plus
exactement, que les mots l'éloignaient de la littérature. Chaque mot est une histoire.

J'ai reconnu le gardien de l'immeuble du boulevard Haussmann et je l'ai remercié d'être venu.

– C'est un honneur pour moi d'être là, a-t-il dit.

Je me suis souvenu du *Monde* que j'avais acheté
pour Miltiadis avant Noël en voyant un exem-
plaire du même journal oublié sur une table. J'ai
lu en première page que la sous-alimentation frappait désormais un milliard de personnes, vivant
essentiellement en Asie et en Afrique. Mon frère
aurait sans doute été écœuré par cet article. Je me
suis mise à feuilleter le journal, comme il l'aurait
fait. L'actualité, ce jour-là, était plutôt chargée en
événements tragiques. Je dois avouer que l'infortune des autres m'a un moment réconciliée avec la
mienne. Je dis « un moment » car, en tournant une
des dernières pages, je suis tombée sur une photo
de Miltiadis. C'était une photo que je ne connaissais pas, qui ne lui ressemblait pas beaucoup,
c'était lui cependant. L'article qui l'accompagnait,
et qui retraçait en termes élogieux sa carrière, m'a
fait l'effet d'une pierre tombale prématurément
posée sur la terre molle. Il commençait par les
mots « *À l'âge de soixante-quatre ans...* », comme
un poème de Cavafis. Je me suis empressée de le
montrer à Aliki, qui en a pris connaissance avec
joie.

– Je ne croyais pas qu'ils le publieraient si tôt. Ils m'ont appelée hier matin pour vérifier certaines informations.

Elle a prié le gardien d'acheter au kiosque vingt numéros du journal, qu'elle a ensuite distribués aux invités. Tous ont été impressionnés par l'intérêt que ce grand quotidien portait à mon frère, à l'exception de Bouvier, qui a trouvé l'article trop court, et de Théano, qui l'a regardé sans le lire et qui a rapidement mis le journal dans son sac.

Je me suis rapprochée de Margarita et de Calliopi, qui buvaient du cognac. J'en ai aussi commandé un. Nous avons parlé d'autres décès, de la mort du frère de Calliopi dans un accident de voiture, de la fin tragique de Costas à Sienne, en Italie.

– Je le vois encore trébucher au sommet de l'aqueduc et tomber dans le vide, nous a confié Margarita. J'entends le cri qu'il a poussé à ce moment-là.

Panayiotis s'est posté derrière moi en posant ses mains sur mes épaules. Il nous a raconté que lors de l'enterrement de son père, en Arcadie, les gens de son village avaient tiré en l'air vingt-quatre coups de fusil.

– Autant qu'il y a d'heures dans la journée, a dit Calliopi.

– Un grand silence a suivi. Les coups de feu avaient chassé les oiseaux du cimetière, on n'entendait plus rien.

« Margarita se souvient d'un cri et Panayiotis d'un silence. » Je me suis levée pour me libérer de ses mains et j'ai pris place aux côtés de Théano et de Natalia, qui regardaient tomber la pluie à travers la baie vitrée.

– Avez-vous songé à l'aspect que présentera la tombe ? ai-je demandé à ma nièce.

Je me suis exprimée en français, comme lui aurait parlé Miltiadis.

– J'ai convaincu ma mère que le mieux est de planter un olivier au milieu de la fosse. Nous avons simplement demandé au marbrier de construire un muret tout autour et de graver le nom de mon père sur une pierre que nous placerons au pied de l'arbre.

– L'olivier donnera peut-être des fruits un jour, a dit Natalia.

Elle avait la voix fraîche d'une enfant. « Sa voix n'a pas mûri. Elle a conservé sa couleur initiale, parce qu'elle ne s'en sert pas souvent. » J'ai pensé que les premiers hommes qui ont parlé avaient des voix jeunes. « Le langage a été inauguré par un vieil homme qui parlait comme une petite fille. »

– Je n'y avais pas songé, a dit Théano.

Patrick n'était pas avec elle, je ne l'avais pas vu non plus à l'église. « Il n'est pas venu à cause de la pluie. Il n'aime pas sortir quand il pleut. » J'ai surpris des conversations entre des personnes qui ne se connaissaient certainement pas avant l'enterrement, comme entre l'ambassadeur et l'amie de Philippe. Poussée par la curiosité, je les ai rejoints :

il la complimentait pour sa voix, qu'il a qualifiée de « divine ». C'était elle qui avait chanté au cimetière. Je l'ai félicitée à mon tour :

– Vous nous avez énormément émus, lui ai-je dit. Je ne savais pas que vous chantiez.

– Aliki ne vous l'avait pas dit ? J'ai débuté comme chanteuse, j'ai donné des récitals à Trieste, à Bruxelles, à Lyon, mais c'est la première fois que je chante dans un cimetière. J'ai cédé aux instances d'Aliki, elle m'a tellement pressée que je ne pouvais pas lui dire « non ». Je regrette profondément de ne pas avoir connu votre frère, Philippe l'appréciait énormément.

Zoé avait engagé la conversation avec un serveur. « Elle lui demande de verser une poudre blanche dans le verre de Philippe. » L'intéressé a probablement eu la même idée car il a dit à son amie :

– On devrait y aller.

Audrey et Jean-Christophe étaient assis l'un en face de l'autre. « La seule différence entre la langue des signes et la nôtre tient au fait qu'elles ne mobilisent pas les mêmes muscles. » Aliki n'avait plus besoin des services de la jeune fille. Combien de temps la garderait-elle encore ? « Je vais lui proposer de venir cet été en Grèce. Je poursuivrai avec elle le programme que Miltiadis a laissé inachevé. Je commencerai par lui faire visiter Santorin. » Comment dit-on « île » en langage mimique ? J'ai dessiné sur un bloc-notes que j'ai emprunté à un serveur une île posée sur la ligne de l'horizon et une mer agitée. Dès qu'elle a vu le croquis, Audrey a placé ses mains l'une derrière l'autre et s'est mise à les mouvoir en les faisant onduler.

– Je ne te demande pas comment on dit « mer » ! ai-je protesté.

Je lui ai montré l'île. Elle a alors formé un cercle avec son index au-dessus de la paume de son autre main.

C'était un bloc-notes à en-tête, portant le nom du café qui s'appelait La Liberté. J'ai suivi Jean-Christophe, qui venait de déménager à la table de Bouvier.

– Je regrette que *Le Monde* n'ait pas cité l'étude de Miltiadis sur les rapports d'Alexandre Dumas avec la Grèce, a dit le professeur.

Je me suis rappelé que mon frère avait eu comme élève un autre Alexandre Dumas. Avait-il assisté à l'enterrement ? Était-il venu en compagnie de sa femme, qui savait tant de choses passionnantes sur le cerveau ?

– Peut-on envisager que le premier mot ait été dit par un enfant ? ai-je questionné Jean-Christophe.

– Pourquoi pas ? Les enfants ne manquent pas d'imagination. Le premier établissement scolaire réservé aux sourds, créé au Nicaragua après la révolution sandiniste, a mis en contact des élèves qui ignoraient complètement la langue des signes et qui n'ont pas tardé à inventer leur propre code gestuel afin de pouvoir communiquer entre eux. On sait que les jumeaux qui naissent sourds ont pareillement la capacité d'inventer un idiome original.

– Un de mes confrères, qui a fait une partie de sa carrière aux Antilles, me disait que les enfants ont joué un rôle déterminant dans l'évolution du pidgin, qui était un mariage contre nature de termes français et d'éléments autochtones, issu du régime colonial, vers le créole, qui lui est une véritable langue, est intervenu Bouvier.

« Les vieux n'aiment pas le changement. Il est donc exclu que la paternité du premier mot revienne à un vieux. »

– Vous allez rester longtemps à Paris ? m'a interrogée Jean-Christophe.

– Je pars demain. Je ne me sens pas très bien dans l'appartement de mon frère. J'entends continuellement ses pas.

Magdalena sirotait un cognac à la table voisine.

– Je peux vous dire quelque chose ? m'a-t-elle interpellée. En roumain, le mot « paradis » commence par un *r*, on le nomme *raï*.

– C'est un mot slavon, a expliqué Bouvier. Les Roumains ont pris plusieurs termes au slavon, qui a été pendant des siècles la langue officielle de leur Église. Il s'agit d'un vieux dialecte slave, à peu près incompréhensible, même des populations slavophones.

J'ai supposé qu'il devait être aussi incompréhensible que le grec que j'avais entendu pendant la liturgie.

242

– Vous voyez, a-t-il conclu en souriant, le *r* n'a pas toujours l'aura funeste que vous lui attribuez.

Il souriait exactement de la même façon que Miltiadis. J'ai découvert ainsi que mon frère avait copié l'expression de son professeur. « Il a appris à sourire auprès de Bouvier. »

– Miltiadis devait beaucoup vous aimer.

Il a courbé la tête en protégeant ses yeux d'une main. Son crâne était constellé de taches semblables à celle que j'avais remarquée en peignant les cheveux de mon frère.

7

Je suis assise au bureau de mon frère, dans son studio, rue René-Panhard. Ce nom ne m'est pas complètement inconnu, je l'avais entendu prononcer par mon père, il me semble que c'était celui d'une vieille marque de voitures. Il s'agit d'une ruelle d'une cinquantaine de mètres de long, dont l'un des côtés est entièrement occupé par l'Institut de paléontologie humaine, qui porte le numéro 1. Je me trouve pour ma part au numéro 4, au cinquième étage. La fenêtre située à droite du bureau m'offre une belle vue sur la façade de l'Institut, qui est couverte de scènes inspirées de la préhistoire taillées dans une pierre grise. Je n'aperçois pas la composition qu'avait évoquée Miltiadis, l'homme de Neandertal entouré de chimpanzés, je distingue cependant un autre individu anthropomorphe, absolument nu, qui essaie d'allumer du feu en faisant tourner un bâton

245

cylindrique entre ses paumes. Le bout de son outil est plongé dans un récipient. « Il a besoin du feu pour se réchauffer. » Je vois d'autres pithécanthropes, vêtus de peaux, qui s'éloignent de la terre ferme à bord d'une pirogue en laissant derrière eux une meute de loups menaçants. « L'eau est une protection, comme le feu. » Je vois encore une réunion de grands singes qui donnent l'impression de converser. De quelle façon les chimpanzés communiquent-ils entre eux ? Quelle sorte de langue parlent-ils ?

Je suis ici depuis hier, lundi, pourtant je n'ai pas encore ouvert les tiroirs du bureau, ni celui de la table de chevet qui est accolée au canapé japonais, ni la porte de la penderie. Je n'ai pas eu la curiosité d'examiner la pile de photocopies et de dossiers qui est posée par terre. Elle est si haute qu'elle pourrait bien basculer toute seule, me révélant du coup son contenu. Je ne suis pas pressée de me rendre indiscrète. J'ai dû accepter de fouiller dans les affaires de mon frère pour épargner à Aliki cette tâche ingrate. Elle est convaincue que Miltiadis avait des secrets, analogues à ceux que mon père cultivait dans son cabinet, et elle n'a nulle envie de les apprendre. Elle n'a pas oublié la boîte pleine de préservatifs qu'elle avait découverte autrefois dans le frigidaire de la rue Démocharous. Les préservatifs se conservent-ils donc mieux à basse température ? Ici aussi il y a un frigidaire, encastré dans le bloc-cuisine, mais je n'y ai trouvé que des conserves, des bouteilles d'eau gazeuse ainsi qu'un oignon qui avait germé. Je ne l'ai pas jeté. Je doute d'avoir le courage de jeter quoi que ce soit.

C'est moi qui ai pris l'initiative de m'installer ici pour quelques jours.

– Mais il n'y a pas d'ascenseur ! m'a rappelé Aliki.

– Je monterai par l'escalier, comme le faisait mon frère.

Je préfère me plier à cet effort plutôt que d'entendre la voix de l'ascenseur du boulevard Haussmann annoncer le cinquième étage. Elle m'oblige à revivre l'émotion qui s'était emparée de moi à mon arrivée chez mon frère la veille de Noël, puis en l'apercevant dans son fauteuil, à demi assoupi, au fond du couloir. En même temps que la voix de la cabine, j'entends la sienne :

– Tu es venue ?

Je ne me souvenais guère de cette mansarde, que je n'avais visitée qu'à deux reprises dans le passé, il y a fort longtemps. J'avais oublié qu'elle était minuscule et que son plafond, suivant manifestement la pente du toit, descendait jusqu'au plancher. Les toilettes se trouvent sous ce plan incliné, il faut se plier en deux pour y entrer. C'est une chambre à laquelle il manque un mur et où l'on peut faire à peine dix pas. Combien de secrets peut cacher un espace aussi exigu ? Le canapé est étroit et pas particulièrement confortable. J'ai cependant mieux dormi hier soir que la première nuit au boulevard Haussmann en compagnie de la sculpture africaine. « Je ne retournerai à l'appartement que lorsque j'aurai appris comment on dit "bonjour" en sango. »

J'ai donc voyagé le dimanche 20 janvier, comme je l'avais prévu. Je n'ai pas fumé à l'aéroport, bien qu'il dispose d'espaces fumeurs. C'est la crainte d'être prise d'une quinte de toux qui m'en a dissuadée. « Tout le monde devinera que je fume pour la première fois », ai-je pensé.

Un grand cendrier de verre trône sur la table de chevet. Miltiadis l'aurait-il conservé pour ses petites amies ? Il est en tout cas parfaitement propre. Est-ce qu'elle fume, Marylène Préaud ? Je l'imagine dans une immense salle, derrière la verrière du premier étage de l'Institut, penchée sur une dent humaine très ancienne placée sous le faisceau d'une lampe puissante. Marylène tient une loupe à la main. Elle se plonge avec délices dans l'étude du passé, mais elle éprouve périodiquement le besoin de revenir au présent. Elle sort alors du bâtiment et fume en faisant les cent pas sur le trottoir. Je vais tenter de la rencontrer, j'ai déjà trouvé dans l'annuaire du téléphone le numéro de l'Institut, c'est la seule tâche importante que j'ai exécutée hier.

Mes affaires sont encore dans le sac. Je n'en ai retiré que le nécessaire de toilette et le lance-pierres.

– Je t'ai apporté le lance-pierres que j'avais acheté à Lesbos, ai-je déclaré à mon frère aussitôt après le départ d'Aliki.

248

– Tu as bien fait.

Je l'ai installé sur un rayon de la bibliothèque, comme je l'avais fait à Athènes, mais en position debout cette fois-ci, la fourche tournée vers le haut. Il ressemble ainsi à un petit arbre. Il s'appuie sur le dos noir du dictionnaire étymologique de la langue grecque de Pierre Chantraine. Je consulterai sans doute cet ouvrage à un moment ou un autre pour apprendre ce que signifie le prénom de Miltiadis. Je l'interrogerai également sur le mot *hélios* : est-il grec ? Ne l'est-il pas ? Le seul élément décoratif que je vois autour de moi est une de mes propres œuvres, ce bateau que mon frère avait jugé sévèrement à Noël. Il est suspendu à un clou au-dessus de la fenêtre. Ses voiles sont toutes repliées, à l'exception du foc. Son cordage est agrémenté de fanions triangulaires colorés. Il est construit sur une branche d'olivier tordue et noueuse, qui ne ressemble pas du tout à une quille de vaisseau. Il ne me semble pas moins réussi que la galère égyptienne que j'ai confectionnée pour Aliki. J'ai été bien contente en le découvrant, j'ai eu l'impression que mon frère l'avait placé là pour me souhaiter la bienvenue.

Il n'y a aucune photo nulle part, aucune figurine non plus du théâtre d'ombres. À quoi songeait donc Miltiadis en ce lieu ? Qu'écrivait-il ? Je remarque que je m'exprime plus attentivement depuis que j'ai pris place à son bureau, j'ai par moments le sentiment qu'il est derrière moi et qu'il relit mon texte par-dessus mon épaule.

– Qu'est-ce que tu écris comme bêtises ?

– Ce ne sont pas des bêtises, rétorqué-je.

Le verre épais qui recouvre le bureau est presque entièrement vide. Il n'est pas dépourvu de vie cependant : il reflète le toit de l'Institut et les oiseaux perchés sur son faîte, qui sont sans doute des pigeons. Chaque fois que l'un d'eux s'envole, je le vois traverser comme un éclair la plaque de verre.

– Quand il reviendra, il se placera exactement à l'endroit où il était auparavant, renseigné-je Miltiadis.

– Comment tu sais cela ? me demande-t-il avec scepticisme.

– Je le sais.

À quoi ai-je passé la journée d'hier ? J'ai nettoyé un peu la chambre, ensuite j'ai fait quelques courses dans le quartier. En rentrant, j'ai pris conscience que je n'avais acheté que des produits conformes au régime de mon frère. Je ne sais pas s'il mangeait souvent ici, il n'y a pas de doute cependant qu'il cuisinait de temps en temps. Dans le placard au-dessus de l'évier, j'ai trouvé quelques ustensiles, des assiettes, plusieurs paquets de riz et de légumes secs, une bouteille d'huile. J'ai déjeuné sur un grand plateau noir aux poignées de fer. S'asseyait-il à son bureau pour manger ou bien sur le canapé ? J'ai opté pour le canapé.

L'après-midi, j'ai complété le chapitre précédent que je n'avais pas eu le temps d'achever à

Athènes. Je compte aussi appeler Bouvier, je demanderai son numéro à Aliki. Je le prierai de me parler de l'époque où mon frère était étudiant et où ils prenaient le café ensemble place de la Sorbonne. Lorsque notre entretien touchera à sa fin, je ferai appel à tout mon courage afin de lui poser cette question :

– Sauriez-vous me dire quel a été le premier mot ?

Le soir j'ai pris une douche et je me suis couchée relativement tôt, après avoir mangé deux pommes. Je n'ai pas allumé la télévision, ni la radio. J'ai entendu une clef s'engager dans la serrure, sans m'alarmer pour autant. Je me suis juste tournée vers l'entrée mais c'est une autre porte qui a grincé en fin de compte, pas loin de la mienne, puis elle a claqué bruyamment.

Mardi soir. J'ai reçu deux coups de téléphone ce matin, un de Jean-Christophe, l'autre du professeur qui projette de consacrer un numéro de sa revue à mon frère. Il m'a demandé si Miltiadis avait laissé des notes relatives à l'œuvre de Lebrun qui pourraient trouver place dans ce volume.

– Je n'ai rien vu sur Lebrun dans son ordinateur à la Sorbonne.

Il n'y a pas d'ordinateur ici. Je veux croire que mon frère écrivait au crayon, comme je le fais. Jean-Christophe m'a invitée à dîner demain soir en compagnie d'un ami américain qu'il héberge en ce moment.

« Nous ne pourrons pas parler de Miltiadis », ai-je songé.

– Mon anglais est lamentable, l'ai-je prévenu.

– Nous parlerons en français. Mon ami connaît un peu le grec. Il parle dix-sept langues !

« Je lui ferai épeler le mot "malheur" dans toutes les langues qu'il connaît. »

Après avoir raccroché, j'ai décidé de jeter un premier coup d'œil aux tiroirs du bureau. J'ai commencé par celui du milieu.

– Il faut bien que quelqu'un fasse ce travail, n'est-ce pas ?

– C'est vrai, a admis mon frère.

Mais l'instant d'après, je l'ai entendu maugréer :

– Les morts n'ont droit à aucune intimité.

– Je m'arrête, si tu veux, lui ai-je proposé.

J'étais en train de feuilleter plutôt distraitement son agenda, qui m'a rappelé son amour pour le football et pour l'opéra. Il avait vu le match France-Argentine chez son ami François, le libraire, et *L'Élixir d'amour* de Donizetti à l'Opéra Garnier.

– Non, non, a-t-il dit, tu peux continuer.

Dans un courrier de la compagnie des télécommunications que j'ai repéré dans le même tiroir, la société communique ses nouveaux tarifs. Elle les qualifie d'« *hypercompétitifs* », en marquant sa préférence pour le préfixe grec *hyper* au détriment de son équivalent latin. Elle confirme ainsi l'assertion de Théano selon laquelle le grec n'a rien perdu de son lustre.

Le premier des trois tiroirs latéraux contient des dossiers de différentes couleurs aux étiquettes blanches. Ils renferment des documents, essentiellement des imprimés et des cartes, provenant des pays que mon frère a visités. Le dossier sur la République centrafricaine est riche de quelques billets de banque en francs CFA. Celui consacré au Pérou recèle un grand nombre de cartes postales représentant des vases de terre cuite de forme phallique et une photo de Miltiadis en compagnie d'une belle blonde, prise dans un bar. Ils sont en train de siroter une boisson laiteuse.

– C'est Monica ? l'ai-je questionné, car je me suis rappelé qu'il l'avait connue à Lima.

– Non.

J'ai jugé peu probable que la descendante d'un immigré de Syrie fût blonde.

J'ai découvert une chemise avec des dessins exécutés par Théano lorsqu'elle était petite et une autre intitulée « Callithéa », du nom du quartier où nous avons grandi, mon frère et moi. La première image que celle-ci m'a livrée représente mon père et ma mère allongés sur des chaises longues, sur le pont d'un navire. Elle m'a causé ce chagrin intolérable qu'on éprouve à contempler un monde disparu.

– Avec qui parlerai-je désormais de cette époque ?

Je n'ai pas reçu de réponse. Il y a également une photo de mon frère en short, debout sur le toit de la remise d'Agni, à moitié caché par le feuillage du mûrier. Qui a pris ce cliché ? Agni elle-même, peut-être ? Était-elle donc au courant des habitudes de Miltiadis ? Une ombre se détache sur la façade de la construction, mais il est impossible de l'identifier et même de dire si elle appartient à un homme ou à une femme. La même ombre est présente sur la plupart des photos en noir et blanc que je possède. On dirait qu'elle fait elle aussi partie de notre famille.

– Avec qui parlerai-je du passé ?

« Il n'y a apparemment pas de réponse à cette question. » J'ai examiné de nouveau la première image. Au large, au-dessus de la tête de mes parents, j'ai aperçu un petit voilier. « Il y a bien longtemps qu'il est arrivé à destination, ai-je songé. Il n'y a plus personne à son bord. »

Le deuxième tiroir est plein de lettres. Leur nombre m'a impressionnée, car je croyais que le téléphone et les moyens de communication électroniques avaient mis fin aux échanges épistolaires. Certaines sont écrites en grec, d'autres en français. Miltiadis ne s'est pas donné la peine de les classer, sauf celles de mes parents, et les miennes, qui sont rangées dans des pochettes transparentes, au fond du tiroir. Il s'agit des lettres que nous lui envoyions pendant les premières années de son installation en France.

– Ne les lis pas, m'a-t-il conseillé. Je crois qu'elles te déprimeront. Les vieilles lettres racontent toujours la même histoire.

– Je peux garder un des dessins de Théano ?

– Oui, pourquoi pas… Tu n'as jamais réalisé de bateau pour elle. Tu pourrais lui en construire un à partir de la bûche d'Argentine. Tu lui donneras un nom grec.

– Je l'appellerai Théano.

– Je préfère que tu lui trouves un autre nom. Quel est le mot grec que tu choisirais si tu ne pouvais en retenir qu'un seul ?

J'ai tourné les yeux vers l'Institut de paléontologie. Deux pigeons s'étaient posés imprudemment sur la berge du fleuve, non loin des loups affamés qui suivaient toujours la pirogue des yeux. « Ils vont se jeter brusquement sur les pigeons. »

– Tu ferais bien de te débarrasser de tout ça, m'a dit mon frère lorsque je me suis de nouveau penchée sur le tiroir ouvert.

Il y avait encore autre chose sous les pochettes transparentes : c'était un petit livre aux pages épaisses en forme de téléphone portable. Sa couverture était illustrée d'un jeune personnage nommé Pat en tenue de pirate et comportait de fausses touches ainsi qu'un bouton rouge qui, lui, était vrai. Je veux dire que, lorsque je l'ai actionné, une sonnerie de téléphone s'est fait entendre. Qui pouvait donc appeler Pat ? Aussitôt que j'ai ouvert le livre, la sonnerie s'est tue. Sur l'une des pages intérieures, j'ai découvert un autre pirate qui lui était borgne et d'aspect plutôt sinistre. Il prétendait qu'il serait le premier à mettre la main sur le trésor. J'ai glissé le jouet dans mon sac pour le rendre à Théano à la première occasion et j'ai ouvert le dernier tiroir.

Une surprise de taille m'attendait là, au milieu d'un fatras d'objets hétéroclites, d'une paire de pantoufles de velours rouge, d'un magnétophone à bobines comme celui qui est en service dans la série américaine *Mission : impossible,* de cinq ou six pipes, d'un cadre miniature. La boîte de chocolats en fer-blanc que mon père avait achetée à Turin faisait également partie du lot : elle ne contient plus de préservatifs mais des ampoules électriques, des petits joints pour la robinetterie et une bobine de fil blanc dans laquelle est plantée une aiguille. La surprise, c'était le tableau du Christ en croix que j'avais peint quand j'étais lycéenne et que je considérais comme définitivement perdu. Il était caché dans une enveloppe jaune. Cette découverte m'a réjouie et agacée à la fois.

– Comment as-tu pu me le prendre sans me demander mon avis ? ai-je sermonné mon frère.

Mon œuvre, qui est peinte sur un morceau de contreplaqué, m'a paru plus maladroite qu'elle ne l'était dans mon souvenir. Ma mémoire l'avait embellie, comme elle améliore souvent les choses. Seuls les clous sont dessinés avec soin. Ils sont douze, autant que les stations du Christ sur le chemin du Calvaire. Le plus gros est planté dans son ventre. Il ressemble au pieu dont Dracula est menacé par ses ennemis à la fin du film.

J'ai tout de même reconnu une certaine audace à mon tableau, qui avait choqué non seulement Mme Gérolimatou, mais aussi la majorité du personnel enseignant. La décision de Véronis de le primer avait été perçue comme une provocation.

– Nous avons le devoir d'apprendre à nos élèves à dire « non », avait-il répliqué à ses détracteurs. Si elles n'apprennent pas cela, leur scolarité n'aura servi à rien.

En dépit des idées progressistes de son proviseur, le lycée Arsakio ne différait pas des autres établissements scolaires : chez nous comme ailleurs la journée débutait par une prière collective et toutes les classes étaient ornées du portrait de Jésus. Était-ce donc un « non », ce tableau médiocre ? Je ne prétends pas que j'étais une élève contestataire. Simplement, pendant la prière matinale, je murmurais des paroles de mon cru, inintelligibles, et j'avais de vives discussions avec l'image du Christ qu'accompagnait la légende « *Je suis la voie, la vérité et la vie* ». J'étais persuadée que l'objectif des religions était de nous déposséder de notre vie et je refusais de leur livrer la mienne. Comment les hominidés de l'Institut de paléontologie manifestaient-ils leur opposition ? En rejetant la tête en arrière, comme le font les Grecs ? En la hochant à la manière des Français ?

– J'ai dérobé ta peinture pour la sauvegarder, s'est justifié mon frère. Si je te l'avais laissée, tu l'aurais sûrement perdue.

J'ai replacé mon œuvre dans son enveloppe et l'ai déposée sur le bureau.

– Tu devrais en faire cadeau à Aliki, a-t-il suggéré d'un air taquin.

Comme je n'avais pas exploré à fond le tiroir du milieu, j'ai entrepris de l'inspecter plus attentivement. J'en ai sorti l'agenda, une rame de feuilles blanches, plusieurs factures retenues par un trombone, et c'est ainsi que j'ai mis la main sur le cahier noir à couverture rigide dans lequel mon frère consignait les observations qu'il faisait en parcourant les îles grecques.

– Je peux ? lui ai-je demandé avant de retirer l'élastique qui le maintenait hermétiquement clos.

Le cahier m'a restitué la voix de mon frère beaucoup plus nettement que je ne l'entendais jusque-là, j'ai eu l'impression d'écouter un enregistrement plutôt que de lire un texte.

– Je te retrouve, ai-je balbutié en décryptant ses lettres minuscules, tracées alternativement au crayon et au feutre fin.

– Les gens bêtes croient volontiers que les choses sont simples, m'a-t-il dit.

Il a aussitôt changé de sujet :

– Les cigales ont commencé à chanter à neuf heures dix du matin et se sont arrêtées une demi-heure plus tard, lorsque le vent a redoublé. Est-ce qu'elles se rendent compte du bruit assourdissant qu'elles produisent ? Le mot *tzitziki* s'accorde parfaitement à leur musique : on devrait les appeler ainsi dans toutes les langues du monde.

Il venait en Grèce au mois d'août, où le pays est balayé par des vents violents. Il m'a parlé de l'île d'Andros, qui est particulièrement exposée aux déplacements d'air :

– De la terrasse d'un café situé à l'extrémité des quais, je contemple les étranges oiseaux qui traversent le ciel d'azur. Ce ne sont pas des oiseaux, mais des serviettes de table, des serviettes de bain colorées, des chapeaux de paille, des journaux, des foulards, des paréos. Un morceau de coton est monté très haut, comme s'il avait rendez-vous avec l'unique nuage qui passait dans le ciel.

Ses commentaires sont parfois courts, parfois plus étoffés. Il ne consacre que deux adjectifs à l'île d'Anaphi : elle est « rocailleuse » et « stérile ». Il ne se limite pas à brosser le portrait des îles. Il évoque toutes sortes de scènes, comme cet échange entre un homme et une femme qu'il a surpris par hasard dans une ruelle :

– La femme a demandé à son ami : « Tu n'as pas envie de vivre avec quelqu'un qui t'aime vraiment ? » Je me suis arrêté pour entendre sa réponse. Il y a réfléchi quelques instants puis il a dit : « Non. »

Ailleurs il observe un paysan aux doigts noueux qui essaie de composer un numéro sur son portable : « Son index esquisse des cercles au-dessus des touches comme un bombardier cherchant sa cible. »

Ce sont des notes en vrac, sans la moindre rature ni correction, qui rappellent le climat indolent de l'été. Elles constituent en quelque sorte le revers des travaux sérieux qui occupaient mon frère à Paris pendant l'hiver. Elles sont de nature légère. C'est le journal d'un professeur en vacances qui se réjouit de voyager en Grèce même lorsqu'il désapprouve ce qu'il observe, et de retrouver sa langue maternelle, qu'il utilise très peu le reste du temps. « Le grec me rappelle les étiquettes de mes premiers cahiers d'écolier sur lesquelles j'écrivais mon nom. Nous avions alors l'habitude d'intercaler entre le prénom et le patronyme l'initiale du prénom du père, comme le font les Russes. »

– Je ne nie pas que chaque île possède sa particularité. Tinos est célèbre pour son ail, Anaphi pour ses oignons, Milo pour ses melons, Santorin pour son vin qui porte le nom de nyctéri, car le raisin est foulé durant la nuit, période la plus propice à cette opération, Lesbos pour l'élasticité de ses mœurs. Au village d'Ayiassos, où j'ai mangé les meilleurs haricots en salade de ma vie, on parlait à la table voisine d'une femme mariée qui avait abandonné son mari et ses cinq enfants pour vivre avec son amant. Une vieille dame a commenté cette initiative avec une rare indulgence : « C'est beau, le changement », a-t-elle dit.

» À Délos, qui était dans l'Antiquité consacrée à Apollon, il était interdit à la fois de naître et de mourir. Les femmes enceintes et les mourants étaient transportés à Rhénée, l'île la plus proche, qui faisait ainsi office de maternité et de mouroir. Rhénée assurait le service d'état civil de Délos.

» Il ne fait pas de doute cependant que la plupart des îles présentent à peu de chose près la même image et ont la même histoire. Elles ont toutes une haute montagne coiffée d'une tache blanche qui est une chapelle dédiée au prophète Élie. Avant leur conversion récente en stations touristiques elles étaient très pauvres : elles manquaient d'eau, d'arbres, de bois, et leur production de blé était quasiment nulle. Leurs habitants devaient s'expatrier pour survivre et quelquefois ils partaient loin. La plus grande partie de la population de Cythère a déménagé au XXe siècle en Australie.

» Les rochers nus sont des lieux de déportation rêvés. Bien des îles ont servi de prisons depuis l'époque romaine jusqu'à la junte des colonels : Amorgos, Sériphos, Yaros, Makronissos, Icaria. La mer Égée fut pour bien des gens un implacable garde-chiourme.

Suivent deux pages blanches que Miltiadis a dû sauter par inadvertance, car juste après il poursuit sur le même thème :

– Elles disposaient sans doute d'une certaine puissance dans l'Antiquité puisque, au temps des guerres médiques, aussi bien les Athéniens que les

Perses ont cherché à les rallier à leur cause. Certaines ont pris le parti des Athéniens et d'autres, comme Andros, celui des Perses. Siphnos possédait alors des mines d'or et d'argent et Kimolos des carrières de craie, ce qui explique que le bâtonnet de craie se nomme en grec *kimolia*. Les îles ont fourni à la Grèce quelques-unes de ses personnalités les plus éminentes, comme Pythagore, qui était né à Samos, Hippocrate, qui était de Cos, Sappho, de Lesbos. Nous ne savons pas grand-chose des origines d'Homère, sauf qu'il était le fils d'une femme d'Ios.

» Il ne reste à peu près rien, hélas, des cités antiques. Elles ont été pillées par leurs envahisseurs successifs et par divers nobles visiteurs. C'est ainsi que la *Vénus de Milo* et la *Victoire de Samothrace* se trouvent aujourd'hui au Louvre. Mais que sont devenus les temples et les prytanées ? Ces édifices, nous les avons dévastés nous-mêmes avec les encouragements de la nouvelle religion qui nous a été imposée par l'Empire byzantin. Les marbres de Délos ont servi à la construction du port de Mykonos et de l'escalier monumental de l'église de l'Annonciation à Tinos. Des églises sans nombre sont revêtues de plaques antiques et s'appuient sur les colonnes d'une autre civilisation. Les seules traces du passé qui subsistent sont des châteaux forts et des remparts bâtis par les Vénitiens à partir du XIIIe siècle où la plupart des îles tombèrent sous leur domination.

Miltiadis ne perd pas une occasion de fustiger le fanatisme idéologique et la cupidité sans bornes des popes et des moines. Il souligne que l'un des principaux artisans de la guerre d'Indépendance de 1821, Théophilos Kaïris, natif d'Andros, fut persécuté par l'Église pour ses idées libérales et mourut dans un cachot de la prison de Syros. Il observe que les rares terres fertiles des îles appartiennent en règle générale à un monastère. De son voyage à Milo, il a surtout retenu le souvenir du poète Diagoras qui s'était rendu si célèbre par ses moqueries aux dépens des dieux que l'ensemble des Méliens passaient pour athées. Il parle aussi de quelques personnalités du présent, notamment de Manolis Glézos, qu'il a rencontré à Naxos, dans un restaurant.

– Il déjeunait avec des amis du parti de la Coalition de gauche. C'est aujourd'hui un vieil homme aux cheveux blancs. Quel âge avait-il sous l'Occupation, quand il a escaladé le rocher de l'Acropole et a décroché de sa hampe le drapeau allemand ? À peine vingt ans, peut-être. J'ai essayé d'imaginer la surprise et l'émotion que les Athéniens ont dû éprouver ce matin-là en constatant que l'emblème nazi ne flottait plus sur le rocher sacré. Je lui ai serré la main. Il a une main forte, lourde. « Cette main a une histoire », ai-je pensé.

Subitement, il mentionne Odysséas Elytis, le poète qui a été récompensé par le prix Nobel de littérature en 1979. Il est en train de relire *Axion*

Esti[1] à bord du caïque qui le conduit de Patmos à Rhodes.

– La poésie d'Elytis consacre l'union du surréalisme et de la liturgie orthodoxe. Elle peut être limpide, mais le plus souvent elle demeure brumeuse comme la langue de l'Église.

J'ai été flattée de retrouver sous la plume de Miltiadis l'observation que j'avais faite pendant la messe à Saint-Étienne.

– Elytis chante les passions et les miracles qui ont marqué l'histoire des Grecs avec l'emphase d'un patriarche. Peut-être brigue-t-il le statut de poète national ? Il est fier d'être grec et d'écrire dans la langue de Sappho. Je lui ai dit un jour : « La langue que vous utilisez n'a que quelques mots en commun avec le dialecte de Sappho. » Cela l'avait mis dans une colère noire. Après sa mort, je me suis trouvé un jour devant sa statue, place de la Citerne.

– Il y a une statue d'Elytis à la Citerne ? me suis-je étonnée.

– Elle est de bronze et elle est placée au milieu des arbres, ce qui fait qu'on ne la voit pas bien. Les lèvres du poète sont plissées, les muscles de son visage tendus, son regard est intense. J'ai eu l'impression qu'il était toujours fâché contre moi.

Les châteaux forts de Rhodes n'ont pas été bâtis par les Vénitiens mais par les chevaliers de l'ordre de Saint-Jean de Jérusalem. L'île compte égale-

1. Il est digne.

ment un nombre appréciable de mosquées qui attestent que les Francs l'ont cédée aux Turcs en 1522. Les Rhodiens se souviennent encore du Colosse, qui s'effondra à la suite d'un séisme : ils l'évoquent dans leurs chansons. Ils se souviennent aussi de la belle Hélène qui, paraît-il, acheva sa carrière chez eux : pour la punir des drames qu'elle avait provoqués, ils la pendirent à un arbre. Les premières fouilles ont été conduites par des Danois qui se sont empressés d'envoyer l'essentiel de leurs trouvailles à Copenhague.

– J'ai visité la vallée aux papillons. Je savais que je devais frapper fort dans mes mains pour les effrayer et les obliger à s'envoler. Je les ai vus former dans l'air des nuages aussi colorés que le champ fleuri que j'avais sous les yeux. Il m'a semblé que le mot grec *petalouda* rendait assez bien compte de leur grâce. Je l'ai cependant trouvé moins léger, moins heureux que l'italien *farfalla*, qui désigne également les pâtes alimentaires en forme de papillon. L'anglais *butterfly* m'a au contraire paru plutôt malheureux.

– Je ferai une liste des noms que porte le papillon dans d'autres langues et je te la lirai lorsque le moment sera venu de te révéler quel a été le premier mot, lui ai-je annoncé.

Quelques pages plus loin, il raconte les efforts déployés par un vieil homme pour mettre sa veste. La scène se déroule sur le pont d'un ferry.

– C'était un homme chétif aux prises avec une veste noire. Je dois préciser qu'il soufflait un vent terrible et qu'il avait même du mal à retenir son vêtement. Tantôt la veste bondissait au-dessus de sa tête et tantôt elle l'enveloppait comme si elle voulait l'étouffer. Alors qu'il était sur le point de passer le bras dans une manche, l'autre manche s'est retournée et l'a frappé au visage. Puis elle s'est enroulée autour de son cou comme un serpent. Je l'ai vu haleter, devenir rouge comme une écrevisse. Il essayait en même temps d'enfiler sa veste et de se protéger d'elle. Malgré son entêtement, il a fini par reconnaître sa défaite et il s'est réfugié à l'intérieur du bateau.

Je ne compte pas bien sûr recopier ici toutes les notes de mon frère. Elles mériteraient d'être publiées, elles aussi, dans le volume que lui consacrera son confrère. Mais qui les traduira en français ? Aliki ?

À la fin du cahier, il mentionne un grand nombre de formes dialectales issues de l'italien et du turc et qui tendent à disparaître, comme *nitéresso*, l'intérêt, le profit, et *avokatos*, l'avocat, mots qui étaient très répandus jusqu'à la fin du XIXe siècle. L'expression *bonora*, de bonne heure (*a buon' ora*) reste compréhensible, au moins à Cythère, à Ithaque et à Leucade. Dans les îles Ioniennes, qui ne sont qu'à une nuit de bateau de l'Italie, les titres honorifiques *sior* et *siora*, d'origine vénitienne, ont toujours cours. Il rappelle que le représentant de l'Heptanèse dans le théâtre d'ombres porte le nom de *sior* Dionyssios. Les Crétois tout comme les Heptanésiens savent parfaitement que *meïdani*, du turc *meydan*, désigne la place et *veremis*, de *verem*, le tuberculeux et, par extension, toute personne au teint bilieux. Le patronyme d'Alexis Zorbas, le personnage de Nikos Kazantzakis, est lui aussi turc et évoque un individu violent, sans loi, qui n'en fait qu'à sa tête. Le mot « port » est marqué par ses allers retours entre la Grèce et la Turquie : *limen* en grec ancien, il est devenu *liman* en turc, puis *limani* en grec moderne. « C'est un mot qui change à chacun de ses voyages », note-t-il.

Les habitants de Leucade savent que le cumin provoque des gaz intestinaux et l'appellent « herbe à pets ». Le paresseux porte là-bas le nom de *maniamounias*. Mon frère a retenu certains mots uniquement parce qu'ils lui ont paru amusants, comme ce mystérieux *li* qu'utilisent les jeunes Leucadiens dans leurs jeux : « Tu es li ! » déclarent-ils, ce qui signifie : « Tu as perdu. » On dit à Ithaque de quelqu'un qui se baigne sans maillot qu'il est entré dans l'eau *colombidi*, le cul à l'air.

J'avais déjà entendu le terme *maniamounias*, mais dans le sens de scrupuleux, tatillon.

Bien qu'il ne soit pas dans les habitudes de la langue grecque d'amputer les mots, comme le fait le français, certaines régions dérogent ostensiblement à cette règle. Dans le dialecte de Lemnos, par exemple, la montagne, *vouno*, se nomme *vno*, *vyzi*, le sein, *vzi*, *lexis*, le mot, *lex*, *laspi*, la boue, *lasp*. L'expression *kapou kapou*, de temps en temps, se prononce *kap kap*. Les verbes à trois syllabes sont réduits à leur plus simple expression : plonger se dit *vto* au lieu de *voutao*, porter plainte *mno* au lieu de *minio*. Les Lemniens trouvent en somme tous les mots trop longs dès lors qu'ils ont plus d'une syllabe. Ils préfèrent *mlar* à *moulari*, le mulet, et *knel* à *kouneli*, le lapin.

La toute dernière page est la seule sur laquelle mon frère s'est appliqué. Elle est presque noire tant il y a de ratures. Le texte qui s'en dégage est en fait très court. Il s'agit de la phrase qu'il a rédigée en français en usant uniquement de termes d'origine grecque. Elle m'a paru bien plus drôle que les exemples qu'il avait composés avec des mots arabes et germaniques dont l'étymologie n'était guère transparente pour moi. En lisant le fragment en question, j'avais au contraire l'impression d'entendre simultanément deux langues. « Voilà un texte français que Margarita comprendra aisément », ai-je pensé. Je le retranscris donc au propre :

« *L'histoire du philosophe Polyandre, poète du* Triomphe d'Éros, *démiurge de l'épopée satirique* La Démocratie phagocytée par la politique *et d'une anthologie d'aphorismes blasphématoires, critique de cinéma à ses heures, eut un épilogue tragique : ostracisé par le tyran de Monotone Archéoptéryx, il fut saponifié par électrolyse au monastère monophysite du Mystère de l'Eucharistie, à Nécropole.* »

Je suis sûre que Théano se délectera de ces lignes, elle qui prétend que le français ne l'éloigne pas du grec. Un optimisme inattendu m'a gagnée en refermant le cahier, qui m'a convaincue de téléphoner sans plus attendre à Marylène Préaud. À ma grande surprise, elle m'a proposé de me voir tout de suite et m'a donné rendez-vous au Repaire de Michèle, en bas de l'immeuble. Il était midi et demi.

Les hominidés sont certes affublés de noms latins, cependant les ères géologiques qu'ils ont traversées portent des noms grecs (« pléistocène » et « holocène »), ainsi que les civilisations qu'ils ont développées au cours de ces périodes (« paléolithique » et « néolithique »). Ces termes, comme le mot « nostalgie », sont des hellénismes singuliers puisqu'ils ont vu le jour hors de Grèce. Ils datent du XIXᵉ siècle, comme le mot « paléontologie », pareillement conçu à l'étranger. L'étude du passé le plus reculé est une science relativement récente. Avant la publication de *L'Origine des espèces* par Darwin en 1859, l'opinion dominante tenait les humains pour les enfants d'un Créateur. Notre passé ne recelait aucun mystère. Nous n'avions alors aucune parenté avec les primates.

Nous ignorions l'australopithèque, le singe d'Afrique australe qui est en fait si proche de nous que certains préfèrent l'appeler « australanthrope ». Nous ne l'avons rencontré pour la première fois qu'en 1925. Nous ignorions que notre histoire remontait si loin dans le temps : le plus ancien de nos aïeux, qui a été découvert à Toumaï, au Tchad, en 2002, est âgé de sept millions d'années. Nous ne soupçonnions pas que nous étions tous venus d'Afrique.

– Malgré la découverte à partir du milieu du XIXᵉ siècle de fossiles sans nombre qui confirment la théorie de l'évolution, la foi dans une origine divine de l'homme reste bien enracinée, notamment en Amérique du Nord, m'a dit Marylène. Cette conviction, appelée « créationnisme », admet en partie l'évolution, mais la situe dans le cadre d'un « dessein intelligent » conçu naturellement par notre Créateur.

Je lui ai rapporté la remarque de Miltiadis concernant le dictionnaire de grec moderne, qui met en doute le caractère scientifique des travaux de Darwin.

– Cela ne m'étonne pas, a-t-elle dit. Dans les pays où l'Église est influente, le darwinisme est systématiquement discrédité. En 2004, la ministre de l'Éducation italienne a même tenté d'en interdire l'enseignement, mais elle a dû retirer son projet devant la levée de boucliers de la communauté scientifique. La célébration prochaine du cent cinquantième anniversaire de la publication de *L'Origine des espèces* suscite déjà des réactions virulentes de la part des créationnistes et des organisations religieuses. Dans l'État du Kentucky, aux États-Unis, on vient d'inaugurer un musée consacré à la Genèse telle qu'elle est racontée dans la Bible. Les établissements d'enseignement européens sont bombardés par un somptueux album édité en Turquie, l'*Atlas de la création*, qui répond à la théorie de l'évolution par des citations du Coran. Les ennemis de Darwin ont à l'évidence plus d'argent que ses amis.

» L'idée que nous avons un ancêtre commun avec les grands singes heurte même certains non-croyants. Nous ne sommes pas prêts encore à abdiquer notre supériorité légendaire sur les animaux, à renoncer aux privilèges que garantit cette illusion. Et pourtant, l'histoire de l'évolution n'est pas moins fascinante que les mythes sur la création de l'homme. Elle commence avec la conquête de la station debout, qui a bouleversé nos habitudes alimentaires, et aboutit à la réalisation du premier bijou, qui était un collier, il y a soixante-quinze mille ans.

Elle portait autour du cou une chaîne en or agrémentée d'un grand ongle crochu.

– C'est une griffe de lion. Elle m'a été offerte il y a longtemps par un homme de la tribu des Bushmen, des hommes de la brousse, qui vivent au Botswana.

Comme Michèle tardait à honorer notre commande, Marylène m'a demandé la permission de sortir pour fumer. Je me suis levée en même temps qu'elle.

– Vous ne fumez pas, vous, a-t-elle remarqué.

– J'envisage de m'y mettre, lui ai-je avoué.

– Ne commencez pas, je vous en prie ! Vous aurez énormément de mal à arrêter !

– Mais je n'arrêterai pas.

On voyait mieux du trottoir la physionomie de l'homme primitif faisant tourner un bâton entre ses paumes.

– Quand avons-nous conquis le feu ?

– Il y a cinq cent mille ans. J'ai allumé moi aussi du feu en frottant deux bouts de bois dans des herbes sèches ou de la poussière d'amadou à l'époque où je vivais chez les Bushmen. Mais j'étais bien moins habile qu'eux, qui n'avaient besoin que de deux ou trois minutes. Il me fallait sept minutes, et mes paumes devenaient toutes rouges.

La main délicate qui tenait la cigarette n'était certainement pas faite pour allumer du feu de cette façon. J'avais été surprise, une demi-heure plus tôt, en découvrant Marylène, d'abord parce qu'elle n'est pas la femme aux cheveux noirs et aux yeux bleus que j'avais remarquée à l'église, ensuite parce qu'elle est beaucoup plus jeune que je ne le croyais. Elle a bien dix ans de moins que moi. Ses cheveux sont blonds et bouclés, exactement comme ceux de Doris Day dans *L'Homme qui en savait trop* d'Hitchcock. Elle n'a eu, elle, aucune difficulté à me reconnaître étant donné qu'elle m'avait déjà aperçue.

– Vous avez des enfants ? lui ai-je demandé alors que nous étions encore sur le trottoir.

Elle a une fille de vingt ans qui est étudiante, et qu'elle a élevée quasiment seule puisqu'elle vit séparée de son mari depuis quinze ans.

– Nous nous disputons sans cesse, m'a-t-elle confié. Elle oppose invariablement un « non » à toutes mes suggestions.

Je lui ai parlé de M. Véronis, mon proviseur, qui attachait tant d'importance à ce mot.

– Je sais bien qu'il est essentiel, a-t-elle réagi vivement. L'ennui c'est que ma fille n'en connaît pas d'autres !

– Est-ce que les grands singes ont la faculté de dire « non » ?

– Je n'en ai pas la moindre idée, mais Bernard pourrait sûrement vous renseigner. C'est un confrère attaché au CNRS. Il me disait que les grands singes sont extrêmement rusés, qu'ils sont capables d'abuser leurs congénères pour s'assurer un avantage personnel, exactement comme nous. Notre différence génétique avec les chimpanzés est inférieure à deux pour cent.

J'ai songé au concierge du boulevard Haussmann qui avait soutenu que les coudes des chimpanzés sont aussi nus que les nôtres. Elle a jeté son mégot dans le caniveau où coulait un peu d'eau. Au coin de la rue, une espèce de serpillière enroulée obstruait ce petit ruisseau, l'obligeant à tourner à droite.

– Ma fille considère que l'étude des hommes primitifs m'a retranchée du présent, que je ne suis plus en mesure de comprendre le monde actuel.

Elle regardait vers le bas de la rue où passe le boulevard Saint-Marcel, qui est très fréquenté et bruyant.

273

– À quoi ressemblait la vie il y a quarante mille ans ?

J'ai opté pour cette période par hasard, peut-être parce qu'elle n'est ni très récente, ni très ancienne, je l'ai néanmoins bien choisie.

– C'est l'époque où naît le monde actuel.

Nous étions rentrées dans le restaurant. Nous mangions de la salade aux fruits de mer et des frites que Michèle nous avait servies sur un plateau métallique. Nous avions également commandé un demi-litre de vin rouge. J'étais de bonne humeur. La discussion avec Marylène me rappelait les conversations que j'avais avec Miltiadis. Elle me renseignait avec la même gentillesse. J'étais certaine d'autre part que les informations qu'elle me livrait auraient intéressé mon frère. Je le voyais assis entre son amie et moi, le regard fixé sur les frites.

– Tu peux en prendre une, ai-je fini par lui dire.

– Tu sais bien que je n'y ai pas droit.

– Prends-en une quand même.

Il y a quarante mille ans, la population de l'Europe se compose, comme aujourd'hui, d'autochtones et d'immigrés. Ces derniers sont des *Homo sapiens* venus d'Afrique. Ils font partie du deuxième courant migratoire parti de ce continent. Le premier a pris le départ il y a un million d'années et a permis à l'*Homo erectus*, l'homme debout, d'atteindre la Géorgie et la Chine méridionale. L'Homme de Pékin, qui a été exhumé dans les années 20, appartient à cette famille et est âgé d'au moins cinq cent mille ans. L'*Homo sapiens* s'est mis en route beaucoup plus tard, il y a moins de deux cent mille ans. C'est bien de lui que nous descendons, et non pas de cet Européen de souche qu'est l'homme de Neandertal, nous sommes donc des enfants d'immigrés.

– J'ignore si notre ministre de l'Immigration et de l'Identité nationale est au courant de ce fait, a-t-elle commenté en souriant.

J'écrivais fiévreusement. J'avais pris quelques feuilles de papier dans le tiroir de mon frère et je les avais posées à côté de mon assiette. «Je découvre ce que j'aurais dû apprendre quand j'étais jeune», ai-je pensé.

Les autochtones n'ont pas d'adresse fixe. Ils se déplacent fréquemment à la recherche de leur nourriture. Mais lorsqu'ils découvrent, non loin d'une rivière, une grotte à flanc de montagne d'où ils peuvent inspecter les environs, ils s'y installent pour un temps. La cavité doit être assez spacieuse pour accueillir tous les membres de l'équipe, qui sont habituellement une vingtaine, en comptant cinq ou six enfants et un vieillard. Les hommes vivent moins de cinquante ans, les femmes moins de quarante.

Des peaux de bêtes faisant office de cloisons permettent de diviser l'espace en chambres. L'une sert de cuisine, l'autre de tannerie, la troisième à la fabrication d'armes et d'outils. L'atmosphère est plutôt pesante, comme je l'avais imaginé. Les autres pièces sont des lieux de repos avec des lits de feuillage. Il n'y a pas de portes, mais un feu brûle en permanence à l'entrée de la grotte et tient les visiteurs indésirables à distance.

Hommes et femmes se lèvent avec le jour. Ils boivent de l'eau, qu'ils conservent dans des gourdes de cuir, et mangent de la viande fumée. Ils font ensuite le programme de la journée. Leur principale occupation est la chasse. Quelqu'un annonce qu'il a vu un troupeau de bisons ou de rennes, la veille, derrière la montagne. C'est une information importante, dont dépend la survie du groupe pendant un semestre.

– Je pense que l'homme de Neandertal était en mesure d'exprimer certaines notions abstraites, comme « hier ». Il n'avait pas besoin de nommer la montagne puisqu'il lui suffisait de la montrer du doigt, ni le bison, qu'il pouvait imiter.

Comment dit-on « hier » dans la langue des signes ? « Je demanderai à Audrey », ai-je songé. Il suffit peut-être de montrer le soleil et d'esquisser de la main une trajectoire opposée à la sienne.

– La chasse avait un caractère rituel, comme celui qui règle aujourd'hui la tauromachie. L'homme de Neandertal était respectueux des animaux, il n'avait pas le sentiment d'appartenir à un monde différent du leur. Il n'a jamais fabriqué d'armes avec des cornes. Il a observé jusqu'au bout ce principe qu'on ne combat pas un adversaire avec ses attributs. Il vidait les animaux de leur sang avant de les cuire, comme le font toujours les musulmans et les juifs. Les femmes prenaient part à la chasse, à l'exception de celles qui étaient enceintes, qui restaient dans la grotte avec les enfants et le vieillard.

» Lorsqu'ils ne chassaient pas, les Neandertaliens s'occupaient à pêcher, à couper des branches pour le feu, à ramasser des pierres en silex qui sont faciles à tailler ou des champignons riches en amadou. C'étaient des gens assez civilisés. On peut supposer qu'ils se peignaient le corps ou qu'ils peignaient sur des peaux, comme le font les Indiens, car on a retrouvé chez eux une poudre d'ocre rouge et de la peinture noire à base d'oxyde de manganèse. Ils n'ont pas été alarmés par l'arrivée des immigrés venus d'Afrique, ils n'ont pas essayé de les chasser. S'ils les avaient assaillis, ils auraient probablement pris le dessus car ils étaient plus robustes, mais ils ne l'ont pas fait apparemment. Les deux communautés ont coexisté pacifiquement pendant des millénaires. La guerre n'avait pas encore été inventée.

» Les *sapiens* étaient minces et élancés. Leur peau était plus sombre et leur tête plus ronde. Ils ont été confrontés en Europe à des animaux, comme les mammouths, beaucoup plus grands que ceux qu'ils connaissaient. Ils ont conçu des propulseurs qui leur permettaient de décocher leurs sagaies avec plus de force et de précision. Ils ont été les premiers à fabriquer des pointes en bois de cerf et de renne. Ils avaient le cynisme des chasseurs contemporains. Leurs groupes étaient constitués de trente à cinquante personnes et habitaient sous des tentes construites avec des peaux de bêtes, des branchages et des os. Ils se déplaçaient moins souvent que les autochtones, comme si le long voyage qu'ils avaient effectué depuis l'Afrique les avait fatigués.

– Pourquoi ont-ils quitté l'Afrique ?

– La sécheresse qui frappait déjà le continent noir avait rendu leur survie aléatoire. Comme tous les immigrés, ils sont partis dans l'espoir de trouver mieux ailleurs. Ont-ils parlé quand ils sont arrivés en Europe ? Parlaient-ils avant de partir ? Ont-ils commencé à bavarder en chemin ? La finesse de leurs peintures pariétales, comme celles de la grotte Chauvet, en France, la beauté de leurs bijoux et de leurs statuettes d'ivoire attestent qu'ils étaient plus évolués que l'homme de Neandertal. Ils savaient coudre : on a retrouvé des aiguilles dans leurs affaires. Ils s'habillaient nettement mieux que les autochtones. Ce sont eux qui ont introduit la mode en Europe.

Elle a eu encore envie de fumer.

– Mais vous n'avez rien mangé ! a protesté Michèle, qui nous surveillait depuis l'entrée de la cuisine.

La patronne est une forte femme qui a de belles joues toutes roses et un sourire permanent aux lèvres. Elle m'a remis en mémoire une poupée de porcelaine que m'avait rapportée mon père d'un voyage à l'étranger. Aussitôt après j'ai songé au Mauger, le manuel de langue dans lequel nous avons appris le français, mon frère et moi.

– Je le retrouverai, lui ai-je dit, même si je dois faire le tour de toutes les librairies de livres anciens de Paris.

– Je suis sûr que tu le trouveras.

Nous nous sommes de nouveau plantées sur le trottoir. Le froid était supportable.

– Quel temps faisait-il, il y a quarante mille ans ?

– L'Europe est désormais délivrée des glaciers. La température varie entre vingt degrés et moins dix. En Grèce il fait un temps comparable à celui de la Scandinavie d'aujourd'hui.

Elle m'a regardée d'une façon indécise, comme si elle guettait un signal de ma part.

– Je suis passée il y a quelques jours par le cimetière du Montparnasse. Il est très beau, l'olivier que vous avez planté.

– Je ne l'ai pas encore vu.

– Vous avez bien fait de laisser la terre nue autour de lui. J'ai eu l'impression de contempler un petit bout de la Grèce.

Elle a posé sur moi le même regard que précédemment. « Elle a un secret à me confier. »

– L'homme de Neandertal alignait parfois des pierres autour des sépultures, à peu près de la façon dont vous avez délimité celle de Miltiadis. Mais le plus souvent il les recouvrait de dalles.

– Nous ne savons donc pas pourquoi il a disparu.

– Il s'est peut-être éteint de mort naturelle. À l'époque où ses traces se perdent, il a déjà vécu près de trois cent mille ans.

– Ce n'est pas peu, ai-je admis.

– Notre naissance à nous date de l'apparition de nos ancêtres directs. Nous avons donc entre deux cent mille et cent cinquante mille ans.

– Ce n'est pas beaucoup, ai-je dit sans grande conviction.

– Ce n'est rien ! Nous sommes dans la force de l'âge !

Michèle nous a tenu compagnie un moment, elle était passablement désœuvrée, deux tables seulement étant occupées par deux jeunes filles et un couple. Elle aurait souhaité assister à l'enterrement de Miltiadis, mais personne ne l'avait prévenue. Elle nous a offert une tarte au citron qu'elle venait de sortir du four.

– Savez-vous que les chimpanzés adorent les gâteaux ? m'a dit Marylène.

Nous avons terminé la tarte en silence.

– J'aimerais avoir une photo de votre frère. J'ai vu celle qui a paru dans *Le Monde*, je vous avoue que j'ai eu du mal à le reconnaître.

– Je vous en trouverai une meilleure.

J'ai eu un coup de barre en regagnant le studio et me suis affalée sur le canapé. J'ai songé aux enfants qui attendaient dans la grotte le retour des chasseurs. J'ai supposé qu'ils faisaient des parties de cache-cache pour passer le temps et qu'ils avaient certainement trouvé une façon de désigner celui qui se mettrait à leur recherche. « Les premiers mots ont été *Am stram gram* et ils ne veulent absolument rien dire », ai-je pensé un peu avant de m'endormir.

Bien que les dictionnaires français connaissent le mot « glossologie », qui a belle allure, ils ont préféré attribuer à cette science le nom latin de « linguistique », qui s'était déjà imposé en Allemagne. Cette option a été prise au XIXe siècle, c'est dire que la linguistique aussi est une science nouvelle. Il n'y a pas très longtemps qu'elle a découvert la parenté qui existe entre le grec et le sanscrit (*esti*, il est, se traduit par *asti* en sanscrit), entre l'irlandais ancien et l'arménien, qu'elle a étudié l'albanais et le lituanien. Toutes ces langues, ainsi que l'iranien, l'italo-celtique, le germanique, présentent des similitudes qui permettent d'entrevoir l'existence d'un idiome antérieur, indo-européen, que les Allemands appellent, eux, « indo-germanique ». Il serait apparu selon certains sept mille ans avant notre ère, en Ukraine et dans le sud de la Russie, et se serait propagé par la suite à la fois vers l'Europe et vers l'Asie. Les Indo-Européens n'ont malheureusement laissé que peu de traces de leur civilisation, rien de comparable en tout cas aux fresques d'Altamira, en Espagne, exécutées par l'*Homo sapiens* quelques milliers d'années plus tôt. Peut-être ne savaient-ils pas peindre ? Peut-être étaient-ils trop occupés par leurs campagnes pour s'adonner au dessin ? Les Macédoniens non plus n'ont guère contribué à l'histoire de l'art. Le Français Georges Dumézil (j'ai noté son nom sur une serviette en papier car j'avais omis de prendre avec moi de quoi écrire) pense que la société indo-européenne comprenait trois classes, celle des seigneurs et des prêtres, celle des guerriers et, enfin, celle des agriculteurs et autres producteurs. En l'an 7000 av. J.-C. la guerre fait bel et bien partie de la vie des gens, de même que l'agriculture. La terre a pris de la valeur et suscite fatalement des convoitises.

Le peu d'informations que nous avons sur les Indo-Européens, nous le tenons des mots qu'ils ont légués aux diverses langues qui ont succédé à la leur (j'ai oublié de mentionner le slave). Nous savons par exemple qu'ils possédaient des char-rues, car ce mot est commun au grec (*arotron*), au latin (*aratrum*), à l'arménien (*arawr*) et à l'ancien irlandais (*arathar*), ce qui nous permet de suppo-ser qu'il avait à l'origine la forme *aretrom*. Nous savons qu'ils produisaient du fromage, du miel et une sorte de vin, qu'ils filaient la laine, qu'ils connaissaient l'or, l'argent, peut-être le cuivre, qu'ils construisaient des maisons dotées de toits et de portes, qu'ils avaient découvert la roue, qu'ils disposaient de chars tirés par des bœufs, ce qui facilitait leurs expéditions. Paul Reed, l'ami améri-cain de Jean-Christophe, les a qualifiés de peuple « semi-nomade ».

– Pour retrouver l'aspect initial d'un mot, nous suivons les règles de l'évolution phonétique, mais en les inversant, m'a-t-il expliqué. Nous avons de

bonnes raisons de penser que le *f* du terme germanique *fotus*, qui a donné *foot* en anglais, était un *p*,
comme nous le confirment le latin (*pes*) et le grec
(*pous*). Il est vraisemblable donc que les Indo-
Européens disaient *pots*.

– Le mot « feu » aussi commençait par un *p*, a
ajouté Jean-Christophe qui se souvenait manifestement de la remarque que j'avais faite chez
Miltiadis. En grec ancien, on le nomme *pyr*, d'où
le mot français « pyromane ».

« Le *p* convient moins bien au feu que le *f*, ai-
je pensé. Les langues modernes ont eu raison de
le remplacer. »

Je n'avais pas d'autre papier sur moi que la
feuille sur laquelle j'avais recopié la phrase
bilingue de mon frère, et que je leur ai lue : « *L'histoire du philosophe Polyandre...* » Bientôt je la
saurai par cœur. Jean-Christophe est tombé dans
un abattement profond : les mots de Miltiadis lui
ont probablement rappelé sa voix, comme ils me
l'avaient rappelée la veille. Paul m'a demandé le
texte qu'il a étudié en silence. C'est un vieil
homme de près de quatre-vingts ans, de haute stature, aux épaules larges, aux cheveux aussi blancs
et fournis que ceux de mon frère.

– Puis-je le conserver ? J'aimerais le publier
sur le portail électronique du département de
linguistique de l'université. J'aurai besoin de
quelques éléments biographiques et bibliogra-
phiques concernant votre frère.

283

À côté de ce colosse, Jean-Christophe avait l'air d'un enfant. Il portait un nœud papillon, comme Miltiadis lors des cérémonies officielles. Nous dînions dans un restaurant grec qui ne dispose que d'une vingtaine de tables, qui ressemble à une cave car les pierres de ses murs sont apparentes. Il s'appelle Le Métèque, comme la chanson de Georges Moustaki.

– J'ai perdu moi aussi récemment un être cher, a dit Paul.

Il avait perdu sa femme, Margaret, il m'a montré sa photo. Elle était assise dans un fauteuil en plastique, dans un jardin, avec un chat noir sur ses genoux. Elle portait des lunettes de soleil.

– Le mois prochain nous aurions fêté nos noces d'or. Depuis sa mort le chat n'a plus remis les pieds à la maison.

« Il a aussi perdu son chat », ai-je songé. Jean-Christophe a essayé en vain de le consoler.

– À mon âge on ne peut pas se remettre d'une épreuve pareille : on n'a pas assez de temps devant soi.

« Peut-être le chat changera-t-il d'avis un jour et reviendra-t-il à la maison. Il entrera par la fenêtre de la cuisine, il avancera sur le bord de l'évier puis il sautera par terre. » Ils buvaient du vin résiné. J'avais commandé de l'eau gazeuse.

Paul a parcouru une fois de plus le texte de Miltiadis.

– J'aime beaucoup votre pays. L'expression « *gloire inaltérable* », qu'Homère utilise souvent,

284

apparaît également dans les hymnes védiques de l'Inde.

– Je ne suis allé en Grèce qu'une seule fois, a dit Jean-Christophe avec une pointe d'amertume.

« Je l'inviterai avec Audrey. Je les emmènerai tous les deux sur l'Acropole. Je leur parlerai de Glézos, qui décrocha le drapeau allemand. »

– L'indo-européen n'est évidemment pas la seule grande famille linguistique, a repris Paul comme s'il avait deviné l'étendue de mon ignorance. Il existe également le groupe sémitique, qui comprend notamment l'arabe, le groupe bantou d'Afrique, qui compte plusieurs centaines de langues, le sino-tibétain, et quelques autres encore. Merritt Ruhlen, l'un de mes confrères de Stanford, soutient que toutes ces familles ont une origine commune, qu'elles découlent d'un idiome initial unique. C'est une idée séduisante, qui a un certain retentissement dans les médias, mais impossible à prouver. Les critères de Ruhlen sont élastiques, il opère des rapprochements entre des mots qui s'accordent assez mal entre eux, tant phonétiquement que sémantiquement, qui présentent simplement une vague ressemblance, comme « genou » et « colline », « fleuve » et « pluie ». Son vif désir de découvrir la mère de toutes les langues le rend nerveux. Il néglige le fait que de nombreuses similitudes sont dues à des emprunts, ou qu'elles sont fortuites. Il n'est pas nécessaire de chercher longtemps pour trouver des éléments communs même entre le béninois et le chinois. Dans une langue d'Amérique du Sud, le piro, la mort est désignée par *hipna*, mot qui rappelle le grec *hypnos*, le sommeil, mais il s'agit évidemment d'une pure coïncidence.

– Dans la mythologie grecque Hypnos et Thanatos étaient frères, a commenté Jean-Christophe.

La serveuse avait une épaisse chevelure frisée et un visage émacié, un peu pâle, où brillaient deux yeux vifs. J'ai constaté à plusieurs reprises qu'elle portait une attention particulière à notre table, comme si notre conversation l'intéressait. Elle était grecque, je l'avais entendue s'entretenir en grec avec d'autres clients.

– Ruhlen présume que l'indo-européen fait partie d'un ensemble plus vaste, qu'il qualifie d'eurasiatique, que les langues des Indiens d'Amérique ont des traits communs avec celles d'Asie et qu'elles conservent toutes des souvenirs d'Afrique, qui fut notre berceau. Je vous donne ces précisions, a-t-il ajouté en s'adressant à moi, car je sais que vous êtes à la recherche du premier mot.

J'ai eu soudain l'intuition qu'il le connaissait et qu'il allait me le révéler, ce qui m'a affolée. « Ne me le dites pas, je vous en prie, l'ai-je imploré intérieurement. Je préfère le trouver toute seule. Je sais que ça me prendra du temps, mais je ne suis pas pressée. » Tandis qu'il poursuivait tranquillement son repas, je l'ai entendu me dire :

– Votre frère attend cependant votre réponse, n'est-ce pas ?

– Oui, il l'attend, mais il n'est pas pressé non plus. La mort est une patience.

Heureusement, Ruhlen ne prétend pas avoir identifié le premier mot. Il a simplement rédigé une liste de racines qui, selon lui, appartiennent à cette très ancienne langue qui a d'abord été parlée en Afrique : *bunka*, qui signifie « genou », *k'olo* « trou » (il admet parmi les dérivés de cette racine des termes signifiant aussi bien « cul » que « narine », ou « fenêtre »), *kuan* « chien », *kuna* « femme » (qui annonce déjà le mot *queen*, « reine »), *mako* « enfant », *maliq'a* « allaiter », *pal* « deux », *tik* « un » et également « doigt », *aq'wa* « eau ». Paul a eu la gentillesse de les noter pour moi sur la serviette en papier et d'ajouter le nom de leur auteur.

– Aucune de ces racines ne répond à mon avis à votre question. Il s'agit de notions que l'on peut sans difficulté exprimer par des mimiques, tu n'es pas d'accord ?

Jean-Christophe a acquiescé de la tête.

– Le chien n'a rien à faire dans le glossaire de nos ancêtres africains, a-t-il rouspété. Ton ami s'imagine peut-être qu'ils avaient des animaux de compagnie ? Sa tentative a tout de même l'avantage de rappeler au grand public, puisque c'est à lui qu'il s'adresse, que chaque langue entretient des liens multiples avec une foule d'idiomes. Si l'on se donne la peine de suivre attentivement une conversation entre des étrangers, il est très probable qu'on comprendra certains mots.

– J'ai l'impression qu'on n'apprécie guère en règle générale la musique des langues que l'on ne connaît pas, ai-je remarqué. Je l'ai constaté en Grèce, les gens font la moue quand ils entendent parler albanais. Est-ce que l'albanais fait également partie de la famille indo-européenne ?

– Oui, bien sûr.

Il était moins chaleureux que lors de notre première rencontre, plus réservé. Il me fixait bien sûr de temps en temps, mais son regard n'avait plus l'intensité que j'avais ressentie alors. J'ai eu l'idée qu'il essayait de retrouver sur mon visage certains des traits de Miltiadis. « Je suis un fantôme, en ai-je conclu. On ne tombe pas amoureux d'un fantôme. » Je dois admettre que son attitude m'a quelque peu froissée, en dépit du fait que je n'avais nulle envie de flirter avec lui. Si j'entreprenais de composer une histoire d'amour, je préférerais raconter sa fin. Je me sens plus apte à décrire un éloignement progressif qu'une attraction irrésistible. Paul s'est de nouveau adressé à moi :

– Vous soulevez le problème du racisme, qui continue d'agiter périodiquement nos sociétés. Nous savons aujourd'hui que la notion de race est vide de sens, que la famille humaine est une, comme le montre Darwin. Pourtant, les idées que formulait Gobineau à la même époque dans son *Essai sur l'inégalité des races humaines* refont régulièrement surface, en dépit des tragédies qu'elles ont provoquées. La classification des hommes en espèces supérieures et inférieures englobe aussi leurs langues. Les linguistes ont beau clamer qu'il n'existe pas d'idiomes primaires, qu'ils sont tous pareillement complexes, beaucoup continuent de douter que les Indiens d'Amérique ou que les Noirs d'Afrique parlent de « vraies » langues. Pour ce qui est des Indiens, le bruit court qu'ils n'utilisent que très peu de mots, qu'ils sont quasiment muets ! La grammaire de la langue des Esquimaux est l'une des plus complexes que j'ai jamais étudiées.

À la table voisine dînait un couple très peu bavard. Ils étaient relativement jeunes tous les deux et ne donnaient pas l'impression de s'être disputés. Ils n'avaient pas échangé un seul mot depuis le moment où ils avaient requis mon attention. Ils ne se parlaient même pas des yeux. Ils s'ignoraient réciproquement, comme s'ils n'étaient pas assis à la même table. « La littérature est incapable de rendre compte du silence, tout au moins d'un silence qui dure », ai-je pensé.

– Les Européens se découvrent un nouveau passé grâce à la révélation de l'idiome indo-européen, ils s'éloignent de la tradition hébraïque, ils revendiquent pour eux-mêmes le titre de peuple élu. La linguistique a contribué, bien malgré elle, à l'exaltation de cette vision qui a conduit au géno-cide des Juifs et des Tsiganes, bien que ces derniers usent d'une langue proche du sanscrit.

Je lui ai avoué que je ne savais pas qui étaient ces Aryens que l'Allemagne national-socialiste avait identifiés comme les arrière-grands-parents des Européens.

– C'est une tribu d'Iran qui a conquis le nord de l'Inde, est intervenu Jean-Christophe. Aryen est synonyme d'Iranien, les deux mots ont la même racine. L'indo-iranien était autrefois appelé indo-aryen. Voulez-vous que je demande aux gens d'à côté ce qu'ils pensent de la race blanche ?

Il avait pas mal bu, tout comme Paul. Je n'ai pas eu le temps de l'avertir que nos voisins n'étaient sans doute pas d'humeur à engager la conversation. Il leur a donc demandé sans préambule s'ils considéraient que la race blanche était supérieure aux autres. Il les a interrogés en français, en anglais, en allemand, en espagnol et en chinois, car il parle aussi le chinois. Il m'a priée de leur poser la même question en grec. Ils n'ont réagi à aucune de ces langues. Ils nous dévisageaient d'un air ahuri. Dans quelle langue avaient-ils donc passé leur commande ? Paul a finalement pris le relais en usant de tous les idiomes qu'il maîtrise, mais toujours sans résultat.

Aussitôt que nous les avons laissés tranquilles, ils ont réclamé l'addition par gestes, ils l'ont réglée avec une carte puis ils sont partis, non sans nous avoir aimablement salués d'une inclination de tête.

– Ce sont des Indiens ! s'est exclamé Jean-Christophe en riant.

– J'ai vu à midi une amie, Anaït, d'origine armé-nienne, qui travaille à l'Unesco, a dit Paul. Elle coordonne la publication d'une enquête périodique sur les langues du monde. Selon le dernier recensement, leur nombre s'élève à un peu plus de six mille, dont près de la moitié vont probablement disparaître dans les prochaines années. L'Unesco n'a pas les moyens d'empêcher ce désastre, elle se contente de tirer la sonnette d'alarme, ce qui est parfois bien utile. Il semble que les habitants de l'île de Man, qui se trouve entre l'Angleterre et l'Irlande, ont été profondément troublés en apprenant que l'Unesco avait classé leur idiome, le manxois, parmi les langues mortes, et ont entrepris de le ressusciter en introduisant son enseignement dans les écoles.

» Elle m'a présenté un tableau qui précise le nombre de locuteurs pour chaque langue. Deux cent quatre idiomes sont parlés par moins de dix personnes. L'un d'eux, le livonien de Lettonie, n'est plus connu que d'une jeune fille. Elle l'a appris de sa grand-mère qui, selon les informations d'Anaït, est morte récemment. Si j'étais plus jeune, je me rendrais volontiers en Lettonie pour la rencontrer et essayer de sauvegarder quelques éléments de sa langue. On doit se sentir bien seul quand on connaît une langue que personne d'autre ne parle.

Il était très ému. J'ai voulu lui demander pourquoi la mort d'une langue le chagrinait autant, mais cela n'a pas été nécessaire.

– Les langues sont des civilisations, des traditions, des histoires, m'a-t-il expliqué en bon professeur. Chacune d'elles préserve un mystère qu'aucune autre ne connaît. Je dois aux langues que j'ai apprises bien des pensées que je n'aurais jamais eues sans elles. Chaque langue que je découvre garantit à sa façon ma liberté.

Jean-Christophe remuait tristement la tête.

– Je regrette que la France ait effacé de sa mémoire le gaulois, qui était également issu de l'indo-européen, comme tous les dialectes celtiques, nous a-t-il avoué. La sagesse des druides a été définitivement perdue. Le vocabulaire gaulois qui a subsisté est si pauvre qu'on pourrait presque le caser tout entier dans une phrase. Il s'agit de mots comme « alouette », « mouton », « sapin », « braguette », « changer ».

J'ai réalisé que nous n'avons en grec qu'un mot d'argot pour dire « braguette » : c'est le mot « boutique ». L'injonction « Ferme ta braguette » serait rendue en grec par « Ferme ta boutique ».

Jean-Christophe a poursuivi en condamnant vivement le mépris que l'État français continue de manifester pour les parlers régionaux, qui prive de fait la langue française de la possibilité de mieux connaître son pays.

– Le panorama de l'Unesco note que la plupart des vingt-six langues qui existent encore en France risquent de s'éteindre, a confirmé Paul.

Il a demandé à la serveuse si elle avait du raki crétois. Comment connaissait-il le raki crétois ? « Il sait tout », ai-je pensé. Elle nous en a apporté trois verres.

– Vous ne voulez pas trinquer avec nous ? a suggéré Jean-Christophe.

– Oui, pourquoi pas ?

Il lui a fait une place à son côté.

– Je suis grecque, l'ai-je prévenue.

– Je l'avais deviné. Je reconnais les Grecs du premier coup d'œil. Les seuls ressortissants étrangers avec lesquels il m'arrive de les confondre sont les Lituaniens.

– Les Lituaniens ? s'est étonné Paul.

Elle a admis qu'elle avait suivi des bribes de notre conversation.

– Je croyais que la plus ancienne langue du monde était le grec.

– Le premier document écrit en grec dont nous avons connaissance remonte à mille quatre cents ans avant Jésus-Christ, lui a expliqué Jean-Christophe. La langue a évidemment été créée plus tôt, mais quand ? Il y a trois mille ans, peut-être ?

– On est au moins sûr que le premier mot n'était pas grec, ai-je observé.

La serveuse a applaudi quand elle a su que je projetais de le découvrir.

– Vous me le direz, à moi aussi, quand vous l'aurez trouvé ? m'a-t-elle priée.

Elle avait beaucoup de charme. Jean-Christophe était manifestement du même avis car, quand la jeune femme lui a révélé son nom, il s'est mis à l'employer systématiquement, on aurait dit qu'il lui rafraîchissait la bouche : « Il y a longtemps que vous êtes à Paris, Maria ? », « Comment vont les affaires, Maria ? », « Vous êtes fatiguée, Maria ? » Son empressement m'a rappelé Miltiadis, qui était toujours extrêmement prévenant avec les femmes qui lui plaisaient.

– Où êtes-vous née, Maria ? lui a-t-il encore demandé.

Nous avons appris qu'elle était originaire d'Ithaque.

– Voulez-vous que je vous cite un mot de votre dialecte ?

Je lui ai dit le mot *colombidi*, « le cul à l'air », que j'avais lu dans le cahier de mon frère, mais elle ne le connaissait pas.

– Je suis partie très jeune d'Ithaque.

Elle n'est pas restée longtemps avec nous, il y avait encore du monde dans le restaurant.

– Je vous conseillerai de rencontrer un pédiatre spécialiste du langage des bébés, m'a dit Paul. Lorsqu'ils ont tenté de parler, les *sapiens* ont vraisemblablement articulé les phonèmes que profèrent les tout-petits. Vous savez sans doute que le *m* et le *b* sont plus faciles à prononcer que le *k* et le *g*, le *a* que le *i*. Nous crions *a* quand nous souffrons, nous ne disons pas *i*. Tous les alphabets commencent par *a*, comme s'ils étaient nés dans la douleur.

– Les prénoms qui ont pour initiale la lettre *m* sont particulièrement attachants, vous ne trouvez pas ?

Ils en sont convenus sans difficulté. Jean-Christophe regardait Maria, Paul, je suppose, a songé à Margaret, tandis que je pensais naturellement à Miltiadis.

8

La Seine n'est pas loin d'ici. J'ai pris l'habitude de lui rendre visite tous les matins. Je descends le boulevard Saint-Marcel et en dix minutes je rejoins ses berges. Je ne m'arrête pas sur le quai d'Austerlitz qui surplombe le fleuve. J'ai découvert un escalier de pierre qui mène à une allée pavée construite à peine plus haut que le niveau de l'eau. Malgré son étroitesse, elle est peuplée de grands arbres qui filtrent la rumeur de la ville et, sur son bord, d'une rangée de bittes d'amarrage. Je m'assieds sur l'une d'elles, les pieds dans le vide.

Je suis des yeux les grosses péniches qui passent lentement, chargées de matériaux de construction, et ces bateaux touristiques qu'on appelle, je ne sais toujours pas pourquoi, « bateaux-mouches » et qui sont revêtus de verre afin que leurs passagers puissent admirer la ville. Il y a également des sièges sur leur pont, mais ils sont naturellement vides en cette saison. Je n'ai plus aperçu l'officier qui était apparu si inopinément sur une embarcation semblable à la veille de Noël. Je crois qu'il s'est acquitté de son rôle et qu'il ne donnera plus signe de vie.

J'ai remarqué que les péniches sont habitées par des familles. Derrière le poste de pilotage, je vois parfois du linge étendu et des pots de fleurs. J'imagine que la fumée dégagée par leur modeste cheminée provient de la cuisine et qu'elle sent bon. Mais la plupart du temps je contemple l'eau. La Seine a bien plus de couleurs que je ne le soupçonnais. Elle connaît toutes les nuances du vert, du gris, du brun. Elle connaît le noir aussi bien que le blanc. Elle projette parfois des reflets métalliques qui complètent le peu de lumière qui tombe du ciel. Le passage des bateaux ne suffit pas à la troubler. Un matin, une pluie fine s'est mise à tomber. Je l'ai supportée stoïquement, car elle arrosait au même moment l'olivier qui tient compagnie à Miltiadis.

Je murmure le premier vers d'une chanson qu'aimait mon père : « *Et la Seine roule, roule...* » Le verbe « rouler » me remet forcément en mémoire la théorie de Platon selon laquelle le *r* traduit mieux que toute autre lettre le mouvement de l'eau. En fait la Seine ne fait aucun bruit. Quelquefois j'ai même l'impression qu'elle ne coule pas, qu'elle s'est arrêtée, séduite elle aussi par les monuments de Paris. Je bouge les pieds d'avant en arrière au risque de faire tomber mes chaussures dans l'eau. Cette perspective ne m'inquiète pas outre mesure car des pêcheurs sont rassemblés un peu plus loin, armés de cannes. L'un d'eux harponnera mes chaussures et me les rapportera.

– Voici vos chaussures, madame, me dira-t-il.

Je commence à aimer Paris. Le choix de mon frère de vivre dans cette ville me paraît plus compréhensible à présent. Les bâtiments parisiens se souviennent d'une foule d'histoires anciennes. Chaque maison est un roman d'Alexandre Dumas. Athènes, comme on le sait, était un village jusqu'au début du XIXe siècle. Que pourraient nous raconter ses immeubles ? Comment ils ont empiété sur la propriété voisine ? Comment ils ont débordé d'un mètre sur le trottoir ? Par quel tour de passe-passe ils ont dépassé de deux étages supplémentaires la hauteur maximale fixée par le service de l'urbanisme ? Les bâtiments athéniens ne connaissent que des histoires de fraude.

Chemin faisant, j'observe les portes des maisons. Elles sont souvent énormes, en arc de cercle, comme le portail du fort d'Ali Pacha que j'ai vu à Jannina. Certaines sont percées à leur sommet de deux petites fenêtres derrière lesquelles se tient sans doute un concierge méfiant. Comment Miltiadis a-t-il réussi à ouvrir de telles portes quand il est arrivé à Paris ? Où a-t-il puisé la force nécessaire ? « Il les a franchies parce qu'il n'aurait pas pu survivre autrement, pensé-je. C'est la nécessité qui lui a donné cette force. » Même la porte du boulevard Haussmann, qui n'est

pourtant pas très grande, se laisse ouvrir difficilement. Il faut la pousser des deux mains pour
qu'elle vous laisse passer. Les bâtiments parisiens
n'ont pas besoin de gardiens comme les gratte-ciel
de New York : ils sont gardés par leurs portes. Par
chance, l'accès à l'immeuble où j'habite en ce
moment est plus aisé. La porte d'entrée n'a qu'un
seul battant et n'est pas plus lourde que celle de la
rue Lucien, qui est vitrée.

J'ai pris plusieurs petites habitudes en peu de
jours. Chaque après-midi, j'achète *Le Monde* au
kiosque du boulevard Saint-Marcel. Au retour, je
prends une bouteille de lait toujours au même
supermarché. Ensuite je m'étends sur le canapé
après avoir enlevé mes chaussures et je lis les
titres du journal et les légendes des photos. Je
rencontre peu de mots inconnus. Mon français se
serait-il amélioré ? Jamais de ma vie je n'avais
autant entendu parler français que ces derniers
temps. Il me vient parfois l'idée de m'installer
définitivement ici et de m'inscrire à l'université.
Bouvier m'a dit que Miltiadis avait écrit, quand il
était étudiant, un texte sur ses chaussures.

– C'était un dialogue, car ses chaussures parlaient aussi.

Apparemment, les portes ne l'ont jamais inspiré : Bouvier ne se souvient pas d'avoir jamais lu
un texte de mon frère sur ce thème.

J'ai vu dans le journal la photo sinistre de jeunes
clandestins afghans enfermés dans un car qui les
conduisait à l'aéroport. Là, ils devaient être

embarqués à bord d'un charter spécialement affrété qui les ramènerait dans leur pays. Ils s'étaient fait arrêter à Calais d'où ils espéraient gagner l'Angleterre. Comment étaient-ils arrivés jusqu'à Calais ? Je ne doute pas qu'ils aient quitté leur pays pour fuir la guerre à laquelle participe l'armée française. La France juge manifestement légitime la présence de ses soldats en Afghanistan, mais pas celle des Afghans en France. Le cliché a été pris de l'extérieur du car. Les jeunes gens regardent l'objectif à travers les vitres.

Après avoir parcouru le journal, je m'applique à résoudre le sudoku qui est publié dans les dernières pages. Le problème du mercredi est moyen, celui du jeudi difficile, du lendemain très difficile et du samedi réservé aux experts. J'expose à mon frère, comme je l'ai toujours fait, mes raisonnements :

– Une fois que je me suis assurée que les chiffres qui correspondent à deux cases d'une même ligne sont obligatoirement le sept ou le trois aussi bien pour l'une que pour l'autre, j'en conclus que ces deux chiffres ne concernent plus les autres cases vides de la rangée en question, tu comprends ?

– Parfaitement, parfaitement, dit-il.

– La même règle vaut dans le cas où trois cases alignées ne peuvent accueillir, pour l'une, que le sept et le huit, pour l'autre que le huit et le neuf, et pour la troisième que le sept et le neuf. Je considère que le sept, le huit et le neuf ont, d'une certaine façon, trouvé leur place, qu'il n'y a plus lieu de chercher à les loger ailleurs.

– Tu en es sûre ? ironise-t-il.

– Mais oui, mon cher Miltiadis, j'en suis absolument sûre !

La satisfaction que j'éprouve quand je résous un problème dure moins longtemps que la déception que me causent mes échecs. Je ne suis arrivée au bout du sudoku du samedi que le lendemain à midi, à ma troisième tentative.

La nuit, avant de m'endormir, j'ouvre pendant quelques instants la fenêtre et je m'assieds sur son rebord. Je regarde la façade obscure de l'Institut de paléontologie et les lumières jaunes du boulevard Saint-Marcel. Je vois une minuscule silhouette qui traverse promptement la chaussée. Je songe aux mouvements qu'Audrey fait dans son sommeil. Hier, dimanche, j'ai été témoin d'une scène peu banale à l'église Saint-Jacques, dans la rue du même nom, à deux pas de l'Institut des jeunes sourds, mais je ne veux pas la raconter maintenant. J'attendrai le moment opportun.

Nous sommes donc lundi. J'ai décidé de ne pas mettre les pieds dehors aujourd'hui afin de continuer mon récit. Je n'ai rien écrit depuis la nuit du mercredi. Mon texte occupe mes pensées même lorsque je n'écris pas, il a acquis une sorte de présence qui m'accompagne partout, comme s'il avait un commentaire à faire sur tout ce qui m'arrive.

Jeudi matin, après avoir salué la Seine, je me suis rendue boulevard Haussmann. J'étais assez

chargée, je portais deux sacs en papier, l'un contenant le cahier avec les notes de mon frère, son
vieux magnétophone, le dossier avec les dessins
de Théano ainsi que le petit livre en forme de
téléphone portable, et l'autre des vêtements que
j'avais trouvés dans le studio. Je n'ai gardé pour
moi qu'un pull-over tricoté par ma mère, un foulard de soie noir et le chapeau de feutre que
Miltiadis portait en été.

J'ai ralenti le pas en apercevant l'installation de
la Roumaine sur le trottoir. La couverture qui
coiffait le tout n'était pas celle que j'avais l'habitude de voir, elle m'a même paru familière. En
m'approchant davantage, j'ai constaté qu'il s'agissait du plaid vert olive qu'utilisait mon frère pour
envelopper ses jambes. J'ai été ravie de le retrouver là. Cela m'a aussitôt donné envie de connaître
sa nouvelle propriétaire et j'ai fait quelques pas de
plus vers elle. Peut-être dormait-elle ? Ne voyant
pas d'autre moyen d'attirer son attention, j'ai
caressé le plaid. Une ouverture s'est formée, qui
s'est peu à peu élargie, laissant apparaître un
visage à la peau très blanche, marqué certes par les
épreuves, mais qui n'en était pas moins beau. Je
suis restée un moment stupéfaite devant cette
icône, comme si j'étais témoin d'un miracle. J'ai
songé aux statues que les archéologues exhument
parfois de la terre. Je me suis efforcée de sourire.

– Bonjour, madame, lui ai-je dit.

Elle me considérait d'un air absent. Je lui ai
donné un billet. Elle a tendu la main pour le

prendre, ce qui a eu pour effet de faire glisser la couverture sur ses épaules et de dévoiler ses longs cheveux blonds. Des passants s'étaient arrêtés à quelque distance et la regardaient, admiratifs. Le propriétaire de la cave l'observait également depuis la porte de sa boutique.

– Je peux faire quelque chose pour vous ? lui ai-je demandé.

– *Vreau lanterna*, a-t-elle dit.

Le mot français « lanterne » m'a permis de comprendre qu'elle avait besoin d'une lumière. Mais de quel genre de lumière ? J'ai supposé qu'elle voulait une lampe de poche, que *lanterna* signifie « lampe de poche » en roumain. J'ai eu alors la bonne idée de demander conseil au caviste, qui m'a aussitôt déclaré :

– J'en ai bien une, de lampe de poche, qui ne me sert pas à grand-chose.

Il n'a pas accepté que je le paie.

– J'aimerais savoir comment elle a échoué ici, cette femme.

– Pourquoi ne le lui demandez-vous pas ? l'ai-je encouragé.

– Mais elle parle roumain !

– Vous la comprendrez bien un peu, lui ai-je assuré.

Je ne m'étais pas trompée : la Roumaine s'est complètement détendue lorsque je lui ai passé la lampe. Elle a même écarté les pans de la couverture comme si elle s'apprêtait à m'accueillir chez elle. Elle était assise sur des cartons épais. J'ai remarqué qu'elle avait un livre à ses pieds. Je me suis accroupie pour mieux le voir et l'ai finalement pris dans mes mains. C'était le Mauger, dans cette même édition à la couverture bleue et souple que j'utilisais quand je suivais les cours de l'Institut français. C'est ainsi qu'un second miracle a eu lieu dans la matinée du jeudi : j'ai trouvé le Mauger sans avoir eu besoin de le chercher. Il était ouvert page 47. Je suis remontée à la première leçon, qui présentait un échantillon de mots et d'images. Le premier mot était « *un homme* ». Le croquis qui l'illustrait montrait un individu portant une veste noire et un chapeau de paille, une cigarette à la main gauche. La cigarette elle-même n'était pas visible, mais on voyait très bien sa fumée. Suivaient divers objets, introduits, comme mon frère s'en était si bien souvenu, par la question « *Qu'est-ce que c'est ?* ». Il n'y avait pas de brosse à dents. Le premier objet était un livre.

– *Moultzoumesc*, m'a dit la Roumaine avant de disparaître de nouveau sous la couverture.

J'ai donc appris trois mots de roumain ce matin-là, *vreau*, je veux, *lanterna*, lampe de poche, et *moultzoumesc*, qui signifie de toute évidence « merci ». Je n'ai pas cessé de songer à cette femme tandis que l'ascenseur me portait au cinquième étage. Je la voyais en train d'étudier le Mauger à la lueur de la lampe de poche.

C'est Zoé qui m'a ouvert la porte. Je ne savais pas qu'elle était à Paris, Aliki ne m'avait pas mise au courant de sa visite. J'ai eu tout d'abord du mal à la reconnaître, car elle portait une serviette de bain enroulée autour de sa tête.

– Ne me regarde pas, m'a-t-elle dit, je me fais horreur !

Le peu que je voyais de son visage trahissait en tout cas son âge. Elle n'était pas maquillée, je l'avais manifestement tirée de la salle de bains. Elle s'était enveloppée dans le peignoir bleu de mon frère qui paraissait énorme sur son corps frêle.

– Aliki est aux toilettes, elle fait caca, m'a-t-elle précisé, et elle est partie en courant.

Zoé parle quelquefois comme un enfant qui n'a pas encore appris que l'usage défend de prononcer certains mots. Je l'ai déjà entendue déclarer en public :

– Je vais faire pipi !

Je n'ai jamais compris si elle usait de gros mots sciemment ou par inadvertance. Il ne fait pas de doute néanmoins qu'elle aime attirer l'attention, qu'elle ne supporte pas qu'on l'ignore.

La bougie était toujours allumée à côté de la photo encadrée de Miltiadis. Je suis allée dans la cuisine pour préparer un café. Nulle part ailleurs l'absence de mon frère ne me blesse autant que dans cet appartement. Mon regard s'est fixé sur le frigidaire : j'ai remarqué pour la première fois qu'il était noir. J'ai cru un instant que j'étais le jouet d'une hallucination : « Je verrai tout en noir, désormais, les frigidaires, les assiettes, les yaourts. » Alors que je voulais prendre la bouteille d'eau, je n'ai pas osé l'ouvrir. J'ai attendu l'arrivée d'Aliki.

– Tu peux me donner un peu d'eau ? l'ai-je priée.

– Et pourquoi tu ne t'es pas servie toute seule ?

Elle a rempli un grand verre. « Si je bois toute cette eau je vais sûrement m'étouffer », ai-je pensé.

– Je prendrais bien un café aussi.

Elle est persuadée que Miltiadis savait pertinemment, à Noël, qu'il ne lui restait plus que quelques jours à vivre.

– Il ne nous l'a pas avoué pour ne pas nous accabler.

Je lui ai rappelé qu'il était impatient de reprendre l'étude des impressions de voyage de Lebrun. Je lui ai encore dit que j'avais vu avec lui un film de James Bond et qu'il l'avait suivi avec un vif intérêt.

– Je te garantis qu'il n'a pas boudé son plaisir.

Je voyais bien qu'elle ne changerait pas d'avis, j'ai persisté cependant à défendre mon opinion. Je veux croire que mon frère a été aussi heureux que moi pendant les trois jours que nous avons passés ensemble.

– Il n'aurait pas éprouvé le besoin de sortir de la maison s'il n'envisageait pas de reprendre une vie normale.

– Quand est-ce qu'il est sorti de la maison ?

– Le jour de la visite du médecin. Nous sommes descendus dans la cour de l'immeuble.

– J'ai eu un mauvais pressentiment, ce jour-là.

– Moi aussi, ai-je admis.

Je me suis retrouvée devant la porte fermée de la chambre à coucher avec la poignée blanche en forme d'œuf.

La voix sèche de Zoé a retenti à l'autre bout de l'appartement :

– Aliki !

– Qu'est-ce qu'elle fait ici, ta mère ?

Elle a haussé les épaules, comme excédée par les caprices de Zoé. Je suis restée seule un moment. J'avais le dos tourné au frigidaire. J'étais à peu près certaine qu'il avait repris sa couleur blanche naturelle. Mon attention s'est concentrée sur le bruit du réveil. Je me suis rendu compte que son mécanisme n'émettait qu'un seul son, et non pas deux comme nous avons tendance à le croire. « Aucune horloge ne fait *tic tac* », ai-je pensé. Comment les langues que je ne connais pas rendent-elles ce bruit ?

– Ne te laisse pas absorber par de faux problèmes, m'a conseillé Miltiadis.

– Je pensais que tu ne reviendrais plus dans cette maison.

– Me voilà pourtant.

Je me suis retournée et j'ai regardé le frigidaire. Il était effectivement noir.

– Ma mère a continuellement un service à me demander, a déclaré Aliki en revenant.

306

Elle tenait à la main une chaussure verte dont le talon s'était légèrement décollé.

– Je ne vois pas où je pourrais la donner à réparer. Il n'y a pas de cordonnier dans ce quartier.

– Je peux t'arranger ça, lui ai-je proposé. Vous avez une multitude de colles dans la boîte à outils. Au besoin je consoliderai le talon avec deux clous.

– Je ne veux pas qu'on plante des clous dans mes chaussures ! s'est exclamée Zoé en apparaissant brusquement dans l'embrasure de la porte.

Elle était toujours enturbannée de la serviette de bain. Elle m'a fait penser à la figurine du vizir dans le théâtre d'ombres.

– Si je suis devenue une charge, il faut me le dire. Je ne veux être à la charge de personne.

Elle a redressé fièrement la tête et a fait demi-tour. Elle était pieds nus.

– Ma mère est têtue, égoïste et avare, a poursuivi Aliki à voix basse. Elle se plaint de ne pas avoir d'argent alors qu'elle possède trois appartements en Grèce et que mon père lui verse une pension de trois mille euros. Tu sais combien coûtent ces chaussures ?

Les sacs que j'avais déposés sur la table ont attiré son attention. Elle en a d'abord sorti le magnétophone de Miltiadis, qu'elle a dépoussiéré de sa main.

– Il l'avait toujours sur lui quand je l'ai connu. Il enregistrait les gens à leur insu, dans les cafés notamment. Il projetait d'écrire un dialogue basé sur ces conversations, un dialogue sans queue ni tête, sans signification, qui ne serait qu'un flot de paroles dites pour rien.

– On devrait l'essayer pour voir s'il fonctionne encore.

Elle l'a branché et a appuyé sur une touche. Une bande magnétique était apparemment restée à l'intérieur car, à l'instant même, nous avons entendu le brouhaha d'un café ainsi que le bruit assez proche d'un marteau-piqueur.

– Bonjour, monsieur Marcel, a dit une grosse voix.

– Ça va comme tu veux ? s'est enquis Marcel.

Soudain, des cris d'enfants ont jailli comme si toute une classe avait fait irruption dans l'établissement.

– Tais-toi, Basile ! a dit une femme.

– Qu'est-ce que vous écoutez ? a interrogé Zoé.

Elle ne tenait pas vraiment à le savoir car elle a ajouté :

– Moi, je m'en vais !

Elle avait fini par s'habiller. Elle portait une robe mauve et un manteau de cuir noir. Ses cheveux courts teints en jaune brillaient comme un soleil.

– Où est-ce que tu vas ?

– Je m'en vais ! a-t-elle répété à la manière d'une adolescente qui a décidé de ne plus rendre de comptes à ses parents.

Aliki avait éteint le magnétophone.

– Il m'est difficile de reconnaître que mes parents sont fous car cela me ferait douter de mon propre équilibre.

– Est-ce qu'il l'a jamais écrit, ce dialogue, Miltiadis ?

– Pas à ma connaissance.

Je lui ai conseillé de lire les notes qu'il prenait en été et lui ai même suggéré d'en traduire quelques extraits.

– J'en suis incapable. Je ne pourrais entreprendre ce genre de travail qu'avec l'aide de Théano, ou bien de Jean-Christophe… Il m'a dit que tu harcèles tout le monde pour savoir quel était le premier mot, c'est vrai ?

– Miltiadis avait montré de l'intérêt pour ce problème.

– Je m'en souviens.

Elle a compris que je ne désirais pas lui en dire davantage. « Le premier mot est une question qui ne concerne que mon frère et moi. » Mes relations avec Aliki n'ont jamais été très chaleureuses, elles n'ont pas évolué au fil des ans, nous ne sommes pas devenues amies. Je n'ai jamais tenté de mieux la connaître, je ne me suis jamais non plus confiée à elle. J'ai supposé que le vide laissé par mon frère nous obligerait à nous rapprocher l'une de l'autre.

– Miltiadis nous a probablement dissimulé ses craintes pour ne pas devenir le témoin de la détresse que provoquerait sa disparition, a-t-elle dit.

J'ai recommencé à entendre le bruit du réveil.

– Après la messe anniversaire qui aura lieu en février, à Saint-Étienne, je pense faire un voyage à Madagascar. J'ai un ami architecte là-bas.

J'ai compris qu'elle évoquait l'office qui, selon la tradition orthodoxe, est célébré quarante jours après le décès. Vingt-deux jours déjà s'étaient écoulés depuis le 2 janvier.

– Un voyage te fera sûrement du bien.

Je me suis rappelé que l'architecte en question lui avait téléphoné à Noël, quand nous jouions aux cartes avec Miltiadis. Je me suis souvenue également de l'intention qu'elle avait eue d'offrir ses gains de jeu à la Roumaine. C'est ainsi que la Roumaine s'est immiscée dans notre conversation.

– Son enfant a été provisoirement pris en charge par l'Assistance publique, m'a-t-elle expliqué. On lui a proposé de l'argent afin qu'elle puisse rentrer dans son pays, à condition qu'elle renonce à ses droits de mère et leur abandonne l'enfant. Comment une nation civilisée peut-elle faire pareille offre à une mère ? Par chance, le représentant d'une association d'aide aux sans-abri assistait à cet entretien et l'a dissuadée de signer le document. Elle ne connaît pas le français.

J'ai songé à l'indignation qui aurait gagné mon frère s'il avait eu connaissance de ce marché.

– C'est peut-être mieux que tu sois parti, tu ne penses pas ? l'ai-je interrogé.

Il ne m'a pas répondu. « Il est au salon, en contemplation devant l'arbre de Noël. »

– Je comprends mieux l'intérêt de la Roumaine pour le Mauger, ai-je dit. Elle apprend le français pour se protéger de la France.

– Comment as-tu fait pour communiquer avec elle ?

– Jean-Christophe soutient que nous devons écouter attentivement les langues que nous ne parlons pas.

Elle a remis le magnétophone en marche. Les enfants étaient toujours là. Au milieu de leurs cris se détachaient parfois des voix d'hommes :

– Une fois j'ai vu un hélicoptère qui volait très bas au-dessus des toits.

– Et où c'est qu'il va rester, lui, maintenant ?

– Si j'avais quinze millions…

Puis les enfants sont partis. Un grand silence a suivi leur départ.

– Alors, ce demi, Marcel ! a protesté un client.

L'enregistrement s'est achevé sur cette phrase.

Une nuit, je recevrai dans mon sommeil la visite de toutes les personnes que j'ai croisées récemment, de Marylène, du concierge de l'immeuble, de Paul Reed, du médecin à la jambe artificielle, de la conteuse aux huit enfants, du métropolite grec orthodoxe de Paris. Zoé fera partie du groupe. Elle portera ses chaussures vertes. Elle sera accompagnée par un petit bonhomme robuste aux joues roses, qu'elle me présentera.

– C'est Marcel, me dira-t-elle simplement.

J'ai informé Aliki que j'avais retrouvé la boîte de chocolats qui était autrefois dans le cabinet de mon père.

– Elle contient des ampoules de rechange et une bobine de fil à coudre.

311

Elle m'a scrutée sévèrement, comme on regarde les enfants dont les déclarations vous inspirent des doutes.

— Toutes les femmes le troublaient, m'a-t-elle dit. Sa curiosité pour le beau sexe était inépuisable. As-tu remarqué une de ses étudiantes qui était présente à l'enterrement et qui est venue ensuite avec nous au café ?

J'ai compris qu'elle pensait à Natalia.

— Celle-là, je suis sûre qu'elle a déjà dormi rue René-Panhard. Elle ne nous a pas suivis quand nous sommes partis du café, elle est restée seule à une table. Je veux que tu saches que je ne garde pas rancune à Miltiadis.

Elle m'a de nouveau regardée bien en face.

— J'ai fait moi aussi quelques bêtises.

Elle a attendu ma réaction, mais je n'ai pas réagi. « Miltiadis a bien fait d'aller au salon. »

— Mes peurs se sont multipliées, a-t-elle poursuivi. Le moindre bruit me fait sursauter. J'ai la quasi-conviction que les lettres que je reçois me réservent de mauvaises surprises et j'hésite à les ouvrir. J'ai peur de faire tomber les conserves des rayons du supermarché et d'être humiliée par le personnel. Je ne peux plus supporter les scènes de violence à la télévision, je suis émue plus qu'il n'est raisonnable par les combats d'animaux préhistoriques. J'envie les fourmis qui ont la possibilité de s'abriter sous terre. Mon seul refuge à moi est le sommeil. Je dors beaucoup plus qu'auparavant. J'ai essayé de lire le roman de Takopoulos, mais il m'a fatiguée, je butais sur chaque phrase. Tu sais qu'il écrit le mot « froid » avec deux *r* ?

« Il n'a pas tort », ai-je songé.

– Je mets du temps à ouvrir les yeux le matin, je ne veux pas admettre que je suis réveillée, je me réveille en espérant que je vais me rendormir aussitôt.

» Je perds aussi mes affaires. Je cherche un pull-over en sachant parfaitement où je l'ai rangé et je ne le trouve pas. Il arrive que les choses disparaissent sous mes yeux. Le couteau avec lequel je coupe le pain joue régulièrement à cache-cache avec moi. Il n'est plus sur la table, il n'est pas dans les tiroirs, il n'est pas par terre, je suis bien obligée de constater qu'il n'est nulle part. Je me demande pourquoi la chaussure de ma mère ne s'est pas encore volatilisée.

La chaussure était restée sur la table. C'est moi, finalement, qui l'ai réparée, comme je l'avais envisagé, avec de la colle et deux clous que j'ai pris soin de camoufler sous la semelle qui recouvre l'intérieur du soulier.

J'ai songé à James Bond aux prises avec les flammes du four d'incinération.

– Quel était l'avis de Miltiadis au sujet de l'incinération des morts ?

Elle a immédiatement froncé les sourcils.

– Tu n'ignores pas, j'espère, que notre Église est opposée à cette pratique ?

Elle était sur le qui-vive, prête à défendre la position de l'Église contre toute critique. Je crois que sa ferveur religieuse fera toujours obstacle à notre relation. Elle m'a raconté qu'elle avait assisté en compagnie de Miltiadis à l'incinération d'Elias Pétropoulos, l'écrivain et spécialiste du folklore grec qui vivait à Paris.

– La salle où nous nous sommes réunis au cimetière du Père-Lachaise ressemblait un peu à une église. Un joueur de bouzouki a interprété des chants rébétikas, parmi ceux qu'affectionnait particulièrement Pétropoulos, dont l'œuvre est pour une bonne part consacrée à cette musique. Miltiadis a parlé du dictionnaire de l'argot des homosexuels que l'écrivain avait publié sous la dictature. Il n'a fait aucun commentaire sur la cérémonie, pas même sur son issue : selon la volonté expresse du défunt, sa veuve a dispersé ses cendres dans les égouts. Elle a vidé l'urne dans une bouche d'égout, à la sortie du cimetière.

Je sais que Pétropoulos avait été condamné à une peine de prison à cause de la publication de ce dictionnaire et qu'il avait définitivement quitté la Grèce après la chute de la junte. Je lisais de temps en temps les articles qu'il envoyait de Paris aux journaux grecs et dans lesquels il s'en prenait violemment à la classe politique du pays, à l'université, et à l'Église. C'était un polémiste qui s'exprimait dans une langue des plus crues. Il a peut-être choisi les égouts pour dernière demeure afin d'exprimer de manière définitive l'aversion que lui inspirait l'espèce humaine. Panayiotis le lisait assidûment.

– À quoi penses-tu ?

– À Panayiotis, ai-je avoué.

– Je voulais justement te poser la question : où en est votre liaison ?

– Au point mort.

Je suis restée deux heures boulevard Haussmann. J'ai noté le téléphone de Bouvier et celui d'Alexandre Dumas, l'ancien étudiant de Miltiadis. Ce n'est qu'avant de partir que j'ai pensé à Audrey, et je m'en suis voulu d'avoir tant tardé à remarquer son absence. Les personnes qui n'ont pas de voix occupent probablement moins de place dans notre mémoire que les autres. J'ai appris qu'elle avait un petit ami et qu'elle dormait le plus souvent chez lui.

Pas une fois je ne suis entrée dans le couloir. Je ne veux pas savoir si le tableau avec les figurines du théâtre d'ombres est toujours placé de travers. J'ai jeté cependant un coup d'œil dans le salon comme pour prendre congé de Miltiadis. Le sapin de Noël avait disparu.

Il y a des métiers dont je ne soupçonnais même pas l'existence avant d'entreprendre cette enquête. Charlotte Dumas, qui est pédiatre, essaie d'élucider le mystère du fonctionnement du cerveau chez les très jeunes enfants. Tantôt elle les coiffe d'un bonnet constitué d'électrodes et tantôt elle les installe dans un appareil qui est à peine plus petit que le studio de mon frère, et qui n'est, en fait, qu'un gigantesque aimant. Grâce à lui, elle peut observer les aires du cerveau de l'enfant qui consomment le plus d'oxygène lorsque, par exemple, après lui avoir répété plusieurs fois la même syllabe, elle en ajoute une nouvelle.

– Par quelle syllabe commencez-vous d'habitude ?

– « Ba ».

– Et que dites-vous ensuite ?

– « Bi ».

Quand elle était petite, Théano appelait sa grand-mère Irini « Babiba ».

Je ne peux pas dire que j'aie vu Charlotte dans les meilleures conditions. Je l'ai rencontrée le vendredi après-midi à l'Institut Pasteur. J'ai franchi, non sans émotion, le seuil de ce vénérable établissement après avoir remis mon passeport au gardien, qui m'a examinée de la tête aux pieds comme si je venais d'une autre planète. Charlotte m'a accueillie plus chaleureusement. Elle m'a montré un bonnet d'électrodes, et l'aimant qui ressemble à un four et dont l'intérieur est habillé de fils de cuivre. Ensuite nous sommes descendues à la cafétéria où le personnel fêtait le départ à la retraite d'un des siens.

– Je vous aurais volontiers donné rendez-vous un autre jour, mais je pars demain pour l'Afrique du Sud.

Dans la cafétéria, l'ambiance était à la liesse. Au moins cinquante personnes étaient là, la plupart en blouses blanches, qui buvaient, criaient, se réjouissaient. J'ai été surprise par leur jeunesse : ils avaient, dans leur grande majorité, moins de quarante ans. « Ils ont découvert l'élixir de jeunesse et le gardent pour eux. » Je n'ai remarqué que deux hommes d'un certain âge, celui qui allait prendre sa retraite et un autre, trapu, de taille moyenne, au visage avenant.

– Jean-Pierre aussi est venu ! a constaté Charlotte d'un air ravi, et elle a pris l'initiative de me le présenter.

Je me suis approchée avec une certaine hésitation de Jean-Pierre Changeux, comme si je redoutais les conséquences de la mise en contact d'un esprit aussi brillant avec mon incompétence. J'ai imaginé une mèche allumée filant vers un baril de poudre. Je lui ai tendu la main en songeant que tout l'Institut Pasteur allait peut-être sauter.

– Ainsi, vous venez de Grèce, m'a-t-il dit avec bienveillance.

J'ai compris que la Grèce lui rappelait de bons souvenirs. Charlotte lui a parlé brièvement de Miltiadis, elle lui a dit qu'il était professeur de littérature comparée et qu'il venait de disparaître.

– Je suis vraiment navré, m'a dit Changeux.

Il buvait de l'eau. Il portait un long pull-over à rayures horizontales brunes et vertes et une chemise rose dont seul le col était apparent.

– La mort n'interrompt pas complètement le fonctionnement du cerveau, a-t-il ajouté. Les cellules continuent de se diviser, surtout celles dont

317

les besoins en flux sanguin sont réduits. C'est ce qui explique que notre barbe ne cesse de pousser.

« La mort a rendu à Miltiadis son visage d'étudiant », ai-je songé. Charlotte a rempli deux flûtes de champagne et m'a entraînée dans un coin de la salle. Elle tenait son ordinateur qu'elle a ouvert sur une table. J'ai pris place à côté d'elle. Un nourrisson est apparu sur l'écran, porté par un médecin.

– Il a quinze jours, a précisé Charlotte. Le médecin s'appelle Albert Grenier, je l'ai eu comme professeur.

J'ai réalisé que je n'avais jamais tenu dans mes mains un enfant aussi jeune. Quand j'ai fait la connaissance de Théano elle avait déjà trois mois. La tête du nouveau-né penchait dangereusement en arrière, on aurait dit qu'elle était sur le point de se détacher de son corps. Le médecin la lui a relevée doucement, l'incitant du même coup à regarder le gros poisson en plastique qui reposait devant lui sur un cube. Dès qu'il l'a aperçu, le bébé s'est mis à agiter ses mains qui, jusqu'alors, étaient restées parfaitement inertes. Il voulait absolument saisir le poisson : il a fait de grands efforts pour y arriver et, en fin de compte, il a réussi à le pousser, à l'attirer vers lui, à le renverser.

– Les enfants revendiquent leur part de vie dès leur naissance, m'a dit Charlotte. Ils sont impatients de s'associer à la représentation, comme s'ils savaient déjà qu'ils ont, eux aussi, quelque chose à dire.

Le médecin a rendu le bébé à sa mère, qui l'a pris dans ses bras. Pendant un long moment, la mère et le fils se sont dévisagés, comme fascinés.

– Ils sont en train de se dire quelque chose, vous ne croyez pas ?

Le bébé a levé une main, cette fois-ci pour toucher le visage de sa mère.

– Les chimpanzés ne regardent jamais leurs petits dans les yeux. Je crois que les hommes ont d'abord communiqué en se regardant attentivement les uns les autres. Il faudra deux ou trois ans à ce petit garçon pour maîtriser le langage, cependant le besoin qu'il a de s'exprimer est si vif qu'on pourrait dire qu'il parle déjà.

Je me suis rappelé que « mot », en français, signifie aussi « silence ». « Le premier mot a été l'épilogue d'un très long silence. »

– Est-ce qu'il connaît déjà les structures du langage ?

– Tous les enfants apprennent à parler avec une grande facilité bien qu'aucune langue ne soit facile. Ils disposent incontestablement d'une capacité innée, sans que cela signifie qu'il existe un gène où seraient inscrites les règles grammaticales, comme le prétend Chomsky. Mais cette capacité doit être développée à temps par l'entourage du petit, sans quoi il la perdra définitivement.

« Tarzan n'apprendra jamais à parler anglais, ai-je songé. Jane se fatigue en pure perte. »

– Se rend-il compte qu'il se trouve dans les bras de sa mère ?

– Il reconnaît sa voix. Il l'entend depuis le sixième mois de sa vie d'embryon. Elle lui est déjà familière au moment de sa naissance. Si une autre femme ne parlant pas la même langue le prenait dans ses bras, il percevrait immédiatement la supercherie. Il est en mesure de distinguer le français de l'anglais ou de l'allemand. Mais il faut dire que les singes aussi sont capables de reconnaître les différences d'intonation entre deux langues, tout au moins lorsqu'il s'agit de langues aussi éloignées que l'anglais et le japonais.

Je lui ai fait part de l'opinion de Miltiadis selon laquelle notre langue maternelle n'est pas nécessairement celle que parle notre mère, mais plutôt l'idiome qu'utilisent les gens autour de nous, l'épicier, le marchand de journaux, l'instituteur.

– Ce n'est pas faux, a-t-elle reconnu après mûre réflexion. La langue maternelle de mes enfants est le français, bien que je sois espagnole et que je leur aie toujours parlé dans ma langue. Ils connaissent assez bien le castillan, mais ils le parlent avec l'accent français. Ils ont oublié sa musique.

Elle a éteint l'ordinateur, dont l'écran est devenu complètement noir, et s'est levée.

– Vous partez ?

– Non. Alexandre passera me prendre en voiture. Je veux juste dire un mot à Jean-Pierre.

Je suis restée le regard fixé sur l'écran. Peu à peu le vacarme ambiant s'est atténué. J'ai fait quelques pas dans l'obscurité.

– Tu es là ? ai-je demandé.

Une silhouette s'est détachée au fond de la rue, je crois qu'elle a surgi de derrière un arbre.

– Qui cherchez-vous ? m'a dit l'homme dans une langue inconnue que je n'ai eu cependant aucun mal à comprendre.

– Mon frère, lui ai-je répondu en français, car il m'a paru peu probable qu'il connaisse le grec.

– Cela fait un moment que je ne l'ai pas croisé. Il est peut-être passé sans que je le voie. Comme vous pouvez le constater, l'obscurité est profonde par ici.

– C'est pour cette raison que vous avez choisi cet endroit, n'est-ce pas ?

– Oui, a-t-il dit d'un ton sec avant de déguerpir.

Des bruits de pas, des sifflements et des aboiements se sont aussitôt fait entendre. Un coup de feu a également retenti, mais au loin, tout au fond de la nuit.

– Que voulez-vous me demander d'autre ? m'a dit Charlotte.

Elle tenait à la main un livre de Changeux intitulé *L'Homme neuronal*. J'ai soudain pris conscience qu'il était écrit en grec.

– Il m'a dit de vous le donner. C'est l'édition grecque de son ouvrage le plus connu.

– Est-il vrai que nous assimilons les langues étrangères grâce à l'hémisphère droit du cerveau ?

– C'est vrai. Il arrive cependant, quand nous apprenons vraiment bien une langue et que nous avons l'occasion de l'utiliser souvent, que son siège se déplace de l'hémisphère droit à l'hémisphère gauche, qu'elle se rapproche de la langue maternelle. Je suis néanmoins incapable de vous dire si, dans mon cas, le français loge du côté droit ou du côté gauche.

La conviction de Miltiadis que le français habitait son hémisphère droit était probablement fausse. « Le français et le grec partageaient le même espace, ils étaient devenus une seule langue. » J'ai songé que le texte qu'il avait consacré au philosophe Polyandre reflétait exactement cette réalité.

Elle a fait revenir la mère et le nouveau-né sur l'écran. Ils étaient toujours face à face. « Charlotte pense que l'image m'aide à mieux la comprendre. »

– L'apprentissage de la langue maternelle conduit à une sorte de castration phonétique. Les nourrissons, qui peuvent virtuellement prononcer tous les sons, n'en découvrent en fait, à travers leur langue, qu'un nombre limité. Leur répertoire phonétique se réduit au strict nécessaire. Les petits Japonais ignorent le *r*, et perdent même la capacité de le reconnaître dans les autres langues, ils le confondent avec le *l*. En apprenant un idiome, on désapprend inévitablement tous les autres, on entérine son ignorance.

Dans les premiers temps de ma relation avec Panayiotis, j'étais captivée par son visage. Je ne me lassais pas de redécouvrir ses traits. Il me regardait avec la même application. Nous communiquions sans paroles. Les plus belles discussions que j'aie jamais eues avec lui ont été absolument muettes.

322

– Quelles sont les premières consonnes que prononcent les nourrissons ?

– Ils ne commencent pas par les consonnes mais par les voyelles. Ils prononcent le *a*, puis vient le *é*. Le *o* les rebute davantage. Ils découvrent les consonnes vers huit mois, d'abord le *b*, après le *p*, ensuite le *m*. Il leur est plus facile de dire « papa » que « maman ». Ils tardent à distinguer le *f* du *v*, de même qu'ils confondent le *k* avec le *t*, ils disent « krain » au lieu de « train ».

Pourquoi quand j'étais petite disais-je « *tsatsoukia* » au lieu de « *papoutsia* » ? Puisque les enfants préfèrent le *b* au *p*, j'aurais dû appeler les chaussures « *baboutsia* ». Ce mot m'a permis de remarquer une analogie à laquelle je n'avais jamais pensé auparavant entre le terme grec « *papoutsia* » et l'arabe « babouche », que j'ai appris en France. « La chaussure grecque est la cousine de la pantoufle arabe », ai-je décidé.

– Darwin raconte que le premier mot inventé par l'un de ses fils fut « *mum* », et qu'il signifiait « j'ai faim », « je veux manger ». L'enfant le prononçait, semble-t-il, sur le mode interrogatif, il disait « *mum* ? » et attendait la réponse.

Les participants à la petite fête s'étaient calmés pour de bon. De paisibles discussions avaient succédé aux cris et aux rires. Tous les gens étaient debout, à l'exception du nouveau retraité qui avait pris un siège. Personne ne lui parlait. « Ils ont déjà commencé à l'oublier. » Jean-Pierre Changeux n'était plus là. J'ai regretté de ne pas avoir pu le remercier pour son livre.

– Je pense que les hominidés ont utilisé les phonèmes qu'articule un enfant au commencement de sa vie. La question est de savoir quel sens ils ont donné à leur premier mot, pour quelle raison ils l'ont créé.

– On peut supposer qu'il commençait par *a*.

– On peut le supposer, a-t-elle reconnu.

Elle a reçu à ce moment un appel d'Alexandre sur son portable, il la prévenait qu'il l'attendait devant l'entrée de l'Institut. Nous sommes parties précipitamment après avoir salué le retraité qui s'était à moitié assoupi sur sa chaise.

J'ai pris moi aussi place dans la voiture. Alexandre m'a assuré qu'il lui était très facile de me déposer rue René-Panhard.

– Je connais l'adresse, j'ai raccompagné jadis votre frère.

La nuit était tombée. Nous avons pris le boulevard Garibaldi. Alexandre me regardait de temps en temps dans le rétroviseur. Au bout d'un moment il m'a confié qu'il avait été bouleversé par la chanson qu'il avait entendue au cimetière. Ils avaient assisté tous les deux à l'enterrement, mais je n'avais remarqué ni l'un ni l'autre.

– Ça vous ennuie si je fume ?

– Pas dans la voiture ! s'est indignée Charlotte.

– Pas du tout, ai-je dit.

« Il faut bien que je m'habitue à la fumée

puisque je fumerai moi aussi un jour. » Il a baissé légèrement sa vitre et a allumé une cigarette.

– Je tiens de Jean-Pierre Changeux que la nicotine stimule le fonctionnement du cerveau, m'a-t-il déclaré gaiement. L'Institut Pasteur prépare actuellement un médicament contre la maladie d'Alzheimer à base de nicotine !

Il a jeté un coup d'œil à Charlotte.

– Il t'a averti également que tu détruisais tes poumons.

Elle tenait l'ordinateur portable dans ses bras comme la mère portait son bébé dans le film.

– Il faut que vous veniez un soir à la maison, a-t-elle continué, vous ferez ainsi la connaissance des enfants. Je vous appellerai la semaine prochaine, dès mon retour de Johannesburg.

Malgré la sympathie que j'avais pour eux, je n'étais pas très curieuse de connaître leurs enfants. Nous nous étions engagés sur le boulevard du Montparnasse. J'ai songé que derrière les lumières des restaurants et des salles de cinéma poussait un petit olivier.

– Vous savez ce que je fais en ce moment ? m'a encore dit Alexandre. Je relis *Don Quichotte* !

Je n'ai pas appris dans quelle université il travaillait ni sur quoi portait son enseignement. Tandis que nous attendions au feu rouge, nous avons entendu un accordéon. Le musicien se tenait sur le trottoir, à une vingtaine de mètres en retrait de la voiture. Il jouait une chanson italienne très vive dédiée à une certaine Marina que j'avais complètement oubliée et dont je connaissais autrefois les paroles. Je me suis demandé si les notes parvenaient jusqu'au cimetière.

Je n'arrive pas à réfléchir quand je n'écris pas. Je m'assieds sur le canapé, je ferme les yeux et je me dis : « Je vais réfléchir à présent. » Mais au bout d'une heure, force m'est de constater que je n'ai pensé à rien. Le crayon que je tiens m'aide à me concentrer, à me vouer à un sujet. Sa mine m'indique continuellement le chemin à suivre. Je me fie à mon crayon comme l'aveugle suit son chien, en espérant qu'il sait où il va.

J'ai constamment sous les yeux le pouce de ma main droite qui presse le crayon. Mes mains ne sont pas belles, j'en ai toujours eu honte. J'enviais les garçons qui pouvaient aisément les cacher dans leurs poches. Mes doigts sont plutôt gros et courts. Mes ongles n'ont pas la forme élégante que j'observe chez d'autres femmes. Je porte toujours des gants en hiver, même lorsqu'il ne fait pas très froid.

Dois-je décrire chaque personne que je rencontre ? Je n'ai pas dit un mot de l'aspect physique de Charlotte ni d'Alexandre. Il est vrai que ce dernier, je l'ai surtout vu de dos, dans la voiture. « Je les décrirai tous les deux la prochaine fois que je les verrai. » J'ai également omis de fournir quelques éléments sur la cantine de l'Institut Pasteur, mais je n'ai rien remarqué qui la différencie des autres restaurants d'entreprise. Il n'y a même pas le portrait du fondateur de la maison.

L'appartement de Bouvier ne nécessite pas de description particulière. Il suffit de dire que c'est une bibliothèque : tous les murs, du plancher jusqu'au plafond et au-dessus des portes, sont couverts de livres. Ceux qu'il n'a pas pu caser sur des rayons sont sous le canapé. J'imagine qu'il en a empilé d'autres encore dans les toilettes, autour de la cuvette.

Depuis quelque temps, j'éprouve le besoin de confier à quelqu'un que j'écris un texte sur mon frère. Ce récit, je l'ai déjà noté, a pris une importance considérable pour moi, il ne me tient pas seulement compagnie, il est devenu ma nouvelle adresse. Je n'en ai rien dit à Aliki car je suis sûre qu'elle voudrait le lire, mais j'en ai parlé à Bouvier.

– Vous avez raison d'écrire, m'a-t-il dit. Les mots comprennent mieux nos peines que nos joies. Ils ont quelque chose de mélancolique, vous ne trouvez pas ?

– Je raconte les trois jours que j'ai passés chez Miltiadis à Noël, ai-je précisé.

– J'étais absent de Paris pendant les fêtes. Je suis tout à fait désolé de n'avoir pas eu une dernière conversation avec votre frère. Cette rencontre manquée a laissé un vide dans ma mémoire. Nous nous sommes séparés sans avoir pris congé l'un de l'autre.

En dépit de la chaleur qui régnait dans le salon
– il y avait des radiateurs sous toutes les fenêtres –,
Bouvier était emmitouflé dans une robe de
chambre de laine. Il était assis dans un fauteuil,
une jambe étendue sur un escabeau rembourré. Il
portait des chaussettes rayées aux couleurs vives.
Je m'étais installée pour ma part sur le canapé, un
meuble antédiluvien au sommier défoncé. J'ai fini
par lui demander la permission de poser mes
pieds dessus.

– Mais faites donc ! Mettez-vous à votre aise.
Nous avons tant de sujets à aborder ensemble. Je
dirai à Magdalena, quand elle rentrera, de vous
apporter une paire de pantoufles.

La plupart des noms féminins que j'ai mentionnés commencent par un *m* : je pense à Maria,
qui travaille au Métèque, à la femme de Paul
Reed, à mon amie Margarita, à Marylène Préaud,
à Monica, à Magdalena. Mais qu'y puis-je ? Je ne
m'autorise pas à les changer. Margarita serait certainement fâchée si elle apparaissait dans mon
récit sous le nom de Phrosso.

– Pourquoi m'as-tu appelée Phrosso, je peux
savoir ?

Je lui expliquerais que la femme d'un linguiste
américain, qui est morte récemment, se prénom-
mait Margaret.

– Tu n'avais qu'à changer le prénom de cette
Margaret, me répondrait-elle. Elle, au moins, elle
ne risque pas de te lire !

J'ai parlé également à Bouvier du journal de Miltiadis, je lui ai expliqué qu'il était consacré pour l'essentiel à l'histoire et à la culture des îles grecques et que j'avais encouragé Aliki à en traduire certains passages.

– Je les lirai avec grand plaisir. J'espère qu'ils me rappelleront certaines des discussions que nous avions sur les poètes grecs.

– D'après ce que j'ai pu voir, il n'évoque qu'Elytis.

– Il ne l'aimait pas particulièrement. Il paraît que sur toutes ses photos Elytis a les yeux tournés vers le ciel, comme s'il était en communion avec l'au-delà. Miltiadis pensait que les poètes doivent regarder la terre. Il me disait que les poèmes de Cavafis et de Séféris sont des produits de la terre, comme les radis.

Il a retrouvé l'espace d'un instant le sourire que j'avais si souvent vu sur le visage de mon frère.

– Il exprimait souvent des points de vue extrêmes, il s'emportait, se répandait en injures. Il tournait en dérision Hugo, traitait de tous les noms Kazantzakis, décriait Robbe-Grillet, le principal représentant du nouveau roman des années 60. Je lui avais demandé à maintes reprises de coucher sur le papier ses jugements, mais il craignait de perdre sa verve en écrivant. C'était un excellent connaisseur de la littérature orale, qu'il plaçait sur le même pied que la littérature écrite, à la différence de la plupart de nos confrères qui méprisent la première sans la connaître.

Robbe-Grillet, que j'ai eu naguère l'avantage de rencontrer, était vif et étincelant lorsqu'il parlait, vertus qui l'abandonnaient, hélas, lorsqu'il se mettait à écrire... Je ne vous ai rien offert, vous ne voulez pas boire quelque chose ? Vous déjeunerez avec nous, j'espère ?

— Je ne veux rien, je me sens très bien.

« Il ne peut rien m'arriver de mal ici », ai-je pensé. Bouvier me procurait le même sentiment de sécurité que j'éprouvais, enfant, près de mon père. Les livres formaient autour de nous une muraille imprenable.

— Avez-vous des enfants ? lui ai-je demandé.

— Je n'en ai pas, et j'avoue qu'ils ne m'ont pas manqué, peut-être parce que j'ai toujours été en contact avec des gens beaucoup plus jeunes que moi. Aucune femme ne m'a inspiré l'amour que j'avais pour mon travail. J'étais impatient que le dimanche se termine pour retourner à mon bureau de la Sorbonne. Les commentaires de Miltiadis sur les jolies passantes m'amusaient bien pourtant. En réalité, je n'avais pas de vie propre. Je me contentais du rôle de spectateur, je m'identifiais aux personnes que je côtoyais de la même façon que l'on s'identifie aux héros de roman. Les succès de votre frère étaient aussi un peu les miens. Je ne me souviens pas de mes vingt ans, comme si je n'avais jamais eu cet âge.

» Les femmes que j'ai le plus aimées, je les ai connues dans les livres. Les plus belles histoires que j'ai vécues étaient écrites par d'autres. J'ai envisagé un temps de composer un roman en utilisant exclusivement des phrases empruntées aux œuvres que j'avais lues. J'aurais ainsi contourné le problème du style qui tourmente tellement les écrivains. Je voulais écrire un livre sans style !

– Et pourquoi ne l'avez-vous pas écrit ?

– Mais parce qu'il l'était déjà ! m'a-t-il dit en me montrant d'un mouvement ample les bibliothèques. Magdalena m'intrigue par moments, je me demande si elle existe vraiment. Ne serait-elle pas sortie des pages d'un livre ? Le fait qu'elle parle si bien le français ne vous semble pas un peu bizarre ? Il est vrai que le roumain et le français sont des langues sœurs, puisqu'elles sont issues toutes les deux du latin. Ionesco a adopté le français sans la moindre difficulté.

– Quelle langue aurait selon vous choisie Miltiadis pour rédiger un texte autobiographique ?

– Son journal, m'avez-vous dit, est écrit en grec, ce qui paraît logique étant donné qu'il est entièrement consacré à la Grèce. Sauf erreur de ma part, il a passé la majeure partie de sa vie en France. La question est de savoir dans quelle langue il évoquerait sa vie parisienne, qu'il partageait avec une Grecque, ce qui signifie qu'il parlait sa langue maternelle au commencement et à la fin de ses journées. Je suppose qu'il utiliserait les deux langues, d'abord l'une puis l'autre, et qu'il choisirait au hasard celle par laquelle il commencerait. Au temps de ses études, il craignait que le français ne l'éloigne du grec, ne l'oblige à se métamorphoser. J'avais exactement la même crainte quand je suis parti faire mes études en Allemagne. Les langues n'exigent pas de ceux qui s'en servent qu'ils trahissent ou qu'ils oublient. Elles sont disposées à engager la conversation avec chacun. Miltiadis me disait un jour qu'elles ne sont pas seulement capables de parler, mais qu'elles savent aussi écouter.

» N'est-il pas étrange que tous ces livres que vous voyez, bien qu'écrits dans la même langue, se ressemblent si peu ? Les mots dégagent une perspective, ils désignent un espace de liberté.

– Quel est le mot le plus précieux pour vous ?

– « Imagination ». Sans elle, aucun de ces ouvrages n'aurait vu le jour. Elle est indispensable même aux textes qui se limitent apparemment à la transcription de faits réels. L'écriture crée inévitablement sa propre réalité. Classer séparément textes autobiographiques et textes de fiction n'a aucun sens, étant donné que les uns comme les autres découlent du dialogue mystérieux que chaque auteur entretient avec les mots. En écrivant sur Miltiadis, vous cultivez votre propre voix.

– Mais je n'ai pas l'intention de devenir écrivain ! ai-je protesté. Je dois vous avouer que je n'ai jamais été une grande lectrice. Je m'efforce de restituer correctement ce que j'entends. Il est vrai que je bavarde de temps en temps avec mon frère.

– Moi aussi, il m'arrive de lui parler. J'entends les voix de bien des gens qui ne sont plus. Les fantômes se sont multipliés autour de moi... Le jour de l'enterrement, vous avez demandé à Jean-Christophe si le premier mot était sorti de la bouche d'un enfant. À quel mot faisiez-vous allusion ?

Je n'avais pas l'intention d'aborder avec lui ce sujet, je lui ai confié néanmoins le problème qui me tracassait.

– Vous avez bien fait de vous adresser à Jean-Christophe. Je suis pour ma part tout à fait incapable de vous aider. Il ne serait pas sage d'ajouter une énigme supplémentaire à toutes celles que je n'ai pas encore résolues... Je peux toutefois imaginer que le premier mot a été imposé par un drame sans précédent, par un changement sidéral, qu'il est né dans un climat de panique... J'ai à l'esprit un poème d'Henri Michaux, écrit en 1929, qui décrit la désagrégation du monde à l'aide de mots qui ne figurent dans aucun dictionnaire.

J'ai compris qu'il voulait se lever. Je lui ai offert de l'aider mais il a préféré aller seul jusqu'à la bibliothèque, où il s'est appuyé des deux mains sur un rayonnage, le souffle court. Il m'a semblé que j'avais déjà vécu cette scène dans l'appartement de mon frère. Il a finalement pris un livre et l'a ouvert en revenant vers moi.

– Le poème s'intitule « L'avenir ». Écoutez quelques mots : « *mahahahahas* », « *mahahaborras* », « *mahahamaladihahas* », « *matratrimatratrihahas* ».

Il s'est mis à tousser sans cesser pour autant de lire. Malheureusement, les mots qui suivaient n'ont guère apaisé son irritation :

– « *Hondregordegarderies* », « *honcucarachon-cas* ».

Sa toux a redoublé, j'ai cru qu'il allait vomir, le livre lui est tombé des mains. Je me suis précipitée vers lui, mais au même instant Magdalena a fait son apparition et l'a pris dans ses bras en lui tapotant le dos.

– Il y a un moment que je suis rentrée, m'a-t-elle expliqué, mais je ne faisais pas de bruit pour ne pas vous déranger.

Nous l'avons porté toutes les deux jusqu'à son fauteuil. Magdalena a pris un mouchoir dans la poche de la robe de chambre de Bouvier et le lui a donné.

– Mouchez-vous bien, professeur. Vous toussez parce que vous respirez par la bouche.

J'ai ramassé le livre par terre et je l'ai rangé dans la bibliothèque, non sans avoir pris connaissance de son titre : *Mes propriétés*.

Bouvier s'était enfin remis lorsque nous sommes passés à table pour le déjeuner.

– Le poème comprend également des mots courants, cependant les plus expressifs sont ceux, emberlificotés, du début. Ils n'ont pas d'autre sens que celui que leur accorde leur sonorité. Ce sont des mots fabriqués spécialement pour ce poème, à usage unique, qui ne rêvent pas de faire carrière.

Ils parlent d'un monde qu'aucun dictionnaire n'est en mesure de comprendre.

La salle à manger de Bouvier a elle aussi l'aspect d'une bibliothèque.

– C'est pour vous que j'ai acheté le tarama, m'a dit Magdalena.

– *Moultzoumesc !* lui ai-je répondu.

Je leur ai raconté comment j'avais appris ce mot. En prenant connaissance de la proposition que l'Assistance publique avait faite à la Roumaine au sujet de son enfant, Bouvier a réagi comme l'aurait fait Miltiadis : il est devenu tout rouge. Il a eu aussitôt après une nouvelle quinte de toux.

– Je suis jaloux des hommes qui parlent fort, qui crient, car leurs poumons sont en meilleur état que les miens, nous a-t-il confié un peu plus tard.

Outre le tarama, le repas comprenait un pot-au-feu et une salade de choux crus. Bouvier a bu une bière, Magdalena et moi avons pris du vin rouge.

– Le roumain doit beaucoup de ses mots au grec, non seulement au grec ancien mais aussi à la langue moderne, m'a renseignée Magdalena. Au XVIIIe siècle, d'importantes communautés helléniques se sont constituées dans les principautés danubiennes, qui étaient alors placées sous l'autorité de Grecs d'Istanbul nommés par le sultan.

Aurais-je passé l'âge où je pouvais encore assimiler de nouvelles connaissances sans m'en rendre compte ? Devrais-je cesser de poser des questions ? Ces doutes n'ont pas réussi à refréner ma curiosité.

– Comment se fait-il que les Grecs n'aient pas adopté le latin ?

– Je suppose que c'est le prestige dont jouissait votre langue qui vous a permis de la préserver, a répondu Bouvier. Il n'a pas été nécessaire que vous appreniez le latin, étant donné que les Romains apprenaient le grec... Ne croyez pas que j'aie oublié votre intérêt pour le *r*. J'ai essayé de deviner pourquoi vous aviez si mauvaise opinion de cette lettre. Je me suis remémoré divers personnages historiques qui auraient pu la marquer par leurs actions funestes, Robespierre, Raspoutine, Ravaillac, le cardinal de Richelieu. J'ai également identifié quelques personnages de roman qui sont loin d'être des modèles de vertu, Rastignac, Raskolnikov, le comte de Rochefort qui est le bras droit de Richelieu dans *Les Trois Mousquetaires*. Mais à la fin de l'histoire il se réconcilie avec d'Artagnan. Le dernier à qui j'ai songé est l'ennemi juré de Tintin, un Grec du nom de Rastapopoulos !

Il a ri de bon cœur.

– Ne riez pas trop, professeur, sinon vous allez encore suffoquer, l'a prévenu Magdalena.

– Mais il existe aussi des personnages tout à fait sympathiques dont le nom commence par un *r*, comme Robinson Crusoé et Robin des Bois. Il ne fait pas de doute toutefois qu'il s'agit d'une lettre difficile à prononcer, et c'est ce qui explique à mon avis que les Français, mais aussi les Allemands, l'ont remplacée par un son plus doux. Démosthène se mettait des galets dans la bouche pour arriver à la dompter. Un théologien arabe, Wasil Ibn Ata, évitait systématiquement dans ses discours les mots comprenant cette lettre. Il se pliait autrement dit à l'exercice auquel s'est livré Georges Perec en écrivant un roman sans employer une seule fois la lettre *e*, qui est pourtant d'un usage très fréquent en français. Le titre de son livre, *La Disparition*, se rapporte à la suppression du *e*. Quel est donc le mot auquel vous reconnaissez le droit de conserver la lettre *r* ?

– *Aros*, ai-je dit. Cela signifie « malheur ».

Nous nous sommes tus pendant un moment.

– En roumain le malheur s'appelle *nefericire*, a dit Magdalena.

– Pourquoi avez-vous quitté la Roumanie ?

La moue de Bouvier m'a fait comprendre que j'aurais dû éviter cette question. Magdalena m'a cependant répondu sans hésitation.

– J'ai découvert que l'homme qui renseignait la Securitate sur mes déplacements, mes contacts, mes pensées, était mon mari. J'ai trouvé dans mon dossier des dizaines de lettres de sa main qui faisaient même état des romans que je lisais. Durant vingt-cinq ans cet individu a écrit à mon insu l'histoire de ma vie… Je dois vous dire que j'ai eu beaucoup de mal à accéder à mon dossier. Personne ne souhaite que les archives de la Securitate voient le jour car tout le monde espionnait tout le monde sous Ceausescu.

– Les Grecs en faisaient autant à l'époque des colonels, ai-je observé.

– Savez-vous si les interdictions que décrètent les dictatures ont un effet sur le cours de la langue ? nous a interrogées Bouvier. Je sais qu'à l'époque où l'Allemagne était divisée les gens de l'Ouest jugeaient quelque peu anachronique le parler de l'Est, comme si son évolution avait été stoppée.

J'ai essayé de deviner la réponse que Miltiadis aurait donnée à cette question.

– Le rétablissement de la démocratie en Grèce s'est accompagné d'une grande effervescence intellectuelle, qui a certainement favorisé le renouvellement de la langue.

– La seule chose que je puisse vous dire, quant à moi, c'est qu'aucun Roumain n'utilise plus aujourd'hui le mot « camarade ».

– Bien répondu ? ai-je questionné Miltiadis.

– Pas trop mal, a-t-il reconnu.

Il était sous la table, comme autrefois, et essayait de me voler les jolies pantoufles que m'avait prêtées Magdalena.

– Arrête, lui ai-je dit.

– Au temps de Ceausescu, l'Union des écrivains avait rédigé une liste de rimes en -ou dans laquelle devaient puiser les poètes désireux de chanter les louanges du dictateur.

– Tu devrais lui demander comment on dit « papillon » en roumain, m'a soufflé mon frère.

338

– *Floutouré*, a dit Magdalena. Je crois qu'on le nomme pareillement en albanais.

C'était encore un samedi midi quand j'ai traversé pour la deuxième fois le marché qui fait face à la porte centrale du cimetière du Montparnasse. J'ai constaté qu'on n'y vendait pas uniquement des victuailles mais également des fleurs, des vêtements, des bijoux fantaisie et des jouets.

– Mon père aimait visiter les marchés, m'a dit Théano. Il s'intéressait surtout aux produits qu'il ne pouvait plus manger.

Je m'étais arrêtée devant un étal de jouets, attirée par un train en bois peu ordinaire : les petits plateaux qui constituaient ses wagons portaient chacun une lettre de l'alphabet. Les caractères étaient vendus séparément de façon que le client puisse composer le nom ou le mot de son choix. Ils coûtaient cinquante centimes pièce.

– Quel mot choisirais-tu ? ai-je demandé à ma nièce.

Elle a fait une grimace plutôt comique, en avançant sa lèvre inférieure. Toutes les lettres sans exception étaient là, en plusieurs exemplaires, même le *W*, le *K* et le *Z*, que la langue française n'apprécie pas énormément. Je lui ai proposé de lui offrir celles qui entrent dans la composition du prénom de Patrick.

– Il n'en est pas question, a-t-elle dit en faisant

cette fois une grimace de dégoût, qui n'était pas en fait très différente de la précédente.

C'est ainsi que j'ai appris que les relations de Théano avec Patrick s'étaient sensiblement dégradées depuis Noël. Avait-elle rencontré quelqu'un d'autre ? Les lettres m'ont donné l'occasion de lui poser indirectement la question :

– Tu as un autre prénom en vue ?

– Pas pour le moment… Si tu avais eu une fille, comment l'aurais-tu appelée ?

– Il m'arrive d'imaginer que j'ai une fille, lui ai-je avoué, mais je n'ai jamais songé à lui donner un nom. Elle n'a pas de visage.

– Je préfère que tu m'achètes quelques lettres au hasard.

Elle a fermé les yeux et a posé sa main sur les wagons. Après en avoir renversé quelques-uns, elle a saisi successivement le *W*, le *O*, le *L*, le *R* et le *I*.

– Je vous les mets dans cet ordre ? a demandé la vendeuse qui avait suivi avec inquiétude l'opération de sélection.

Nous l'avons vue assembler le mot *WOLRI* derrière la locomotive qui avait l'aspect d'une machine à vapeur.

– Ce mot te rappelle quelque chose ? m'a questionnée Théano.

– Non, mais il a peut-être un sens dans l'une des langues que nous ignorons.

– Cela va vous faire deux euros cinquante, nous

340

a dit la vendeuse. La locomotive vous est gracieusement offerte.

– Nous ne savons pas ce qu'il veut dire, mais nous savons au moins combien il coûte ! a observé ma nièce avec entrain.

Je me suis souvenue brusquement de Manolis, le fils de Stella, cet enfant qui n'est malheureusement pas en mesure de suivre les cours de l'école. Serait-il amusé par un train portant les lettres de son prénom ? J'ai estimé que c'était probable et j'ai également acheté les wagons qui étaient nécessaires à la formation du diminutif Manolakis, puisque c'est ainsi que l'appelle sa mère. J'ai payé sept euros en tout.

J'ai oublié momentanément Théano lorsque nous sommes entrées dans le cimetière et que j'ai retrouvé l'avenue principale avec ses mûriers.

– Dès mon retour à Athènes, j'irai à Callithéa pour voir le mûrier qui te servait d'échelle, ai-je annoncé à mon frère.

– Tu feras bien, a-t-il approuvé.

– Je verrai également si la remise d'Agni est toujours debout.

– Tu comptes grimper sur le mûrier ? l'ai-je entendu railler.

– Je ne l'exclus pas, lui ai-je répondu crânement.

Le ciel était beaucoup plus dégagé que le jour de l'enterrement, mais il faisait plus froid. En tournant dans l'avenue du Nord, Théano m'a prise par le bras. Son bonnet noir lui recouvrait entièrement le front, jusqu'aux sourcils. Nous avons longé la tombe d'Henri Langlois sans commenter les photos d'acteurs qui la décorent.

– J'ai commencé à travailler pour la SNCF. Cette semaine j'ai enregistré tous les messages concernant les mouvements des trains à la gare Saint-Lazare. Si par hasard tu vas par là, tu m'entendras. Tu sais où est cette gare ?

– Oui, près du boulevard Haussmann. J'y étais à la veille de Noël.

Une femme âgée se tenait devant la tombe, un tuyau d'arrosage à la main.

– Bonjour, madame Carrier, lui a dit Théano.

– Bonjour, mademoiselle. Comme vous voyez, je le gâte, votre olivier.

Le petit arbre était effectivement en excellent état. Bien que sa taille ne dépassât pas encore le demi-mètre, il portait de nombreuses branches et possédait un feuillage riche et brillant. On aurait dit un arbre mûr en miniature. Sur la terre fraîchement retournée était posée une pierre noire gravée de lettres d'or. Elle avait l'épaisseur et les dimensions des volumes d'une vieille encyclopédie que j'ai à la maison. Le nom de mon frère était accompagné de sa qualité, « *Professeur* », et des dates « *28.10.1943 - 2.1.2008* ». Mme Carrier s'éloignait à petits pas en enroulant le tuyau. Nous nous sommes assises sur la tombe voisine, où Louise Richard repose depuis un siècle, les yeux tournés vers l'olivier.

– Il grandira vite, ai-je dit à Théano.

C'étaient les premiers mots que je lui adressais en grec.

– Tu me rappelles mon père quand tu parles grec, m'a-t-elle dit, en grec elle aussi. Autrefois, je n'aimais pas du tout cette langue. J'éprouvais une solitude insupportable quand j'entendais mes parents la parler, je me sentais comme une étrangère dans ma propre maison. Je m'imaginais qu'ils m'avaient adoptée.

– Mais Miltiadis te donnait bien des cours de grec, n'est-ce pas ?

– Je l'exaspérais parce que je n'apprenais pas assez vite. C'était la langue de l'autorité qu'il exerçait sur moi et je revendiquais le droit de ne pas l'apprendre. J'avais besoin de trouver ma propre voix. À vingt-six ans je n'y suis toujours pas parvenue. La voix qu'on entend dans les films que j'ai doublés n'est bien sûr pas la mienne, ni celle que diffusent les haut-parleurs de la gare Saint-Lazare. J'ai vécu un an avec un homme qui n'avait pas de voix non plus. Je suis comme Audrey.

Je l'écoutais avec un profond étonnement car son grec était bien meilleur que je ne le croyais, et je le lui ai dit.

– J'ai suivi cette année des cours intensifs avec une Grecque qui a été l'élève de Jacqueline de Romilly, l'helléniste bien connue. J'ai également suivi un grand nombre d'émissions grecques à la radio, sur les ondes courtes. Mais il y a encore une foule de mots que j'ignore. Qu'est-ce que ça veut dire, *groussouzis* ?

C'était le titre d'une des comédies que je lui avais offertes.

– C'est la personne qui porte malchance, ai-je dit en français.

– Qui porte la poisse, m'a-t-elle corrigée.

Je ne connaissais pas le mot « poisse » mais j'ai compris que c'était celui qui convenait.

– Je regrette que ton père ne t'ait pas entendue parler ainsi.

– Il m'a entendue, je crois. Je ne lui ai parlé qu'en grec, le dernier matin, à l'hôpital. Quand je lui ai fait part de mon intention de m'installer en Grèce, il a écarquillé les yeux. « La meilleure façon pour moi d'apprendre le grec, c'est d'aller en Grèce, tu n'es pas d'accord ? » lui ai-je demandé. Il a hoché la tête affirmativement. Je n'en ai pas encore parlé à maman.

– Il n'a fait aucun commentaire ?

– Non... Il m'a juste expliqué que « mot » signifiait « silence » à l'origine. « C'est un mot qui a acquis une voix, alors qu'il n'en avait pas », m'a-t-il dit.

Elle s'est penchée pour arracher une mauvaise herbe. Au même moment, nous avons vu sortir de terre, à côté de la pierre gravée, un petit insecte noir au dos bombé. Il a avancé un peu puis s'est arrêté.

– Il ne sait pas dans quelle direction aller car en réalité il ne va nulle part, ai-je observé.

– C'est une bonne idée, à ton avis, de m'installer en Grèce ?

Je ne voulais pas lui avouer que sa venue me rendrait heureuse pour éviter de peser sur son choix. J'essayais du reste de contenir mon enthousiasme, craignant la déception que je ressentirais si elle changeait d'avis. Je lui ai juste demandé si elle envisageait sérieusement ce projet.

– J'y pense de plus en plus. J'ai une amie qui travaille pour le Centre du cinéma grec, au département de promotion des films à l'étranger. Ils ont besoin dans ce service de quelqu'un qui connaisse bien le français et qui ait une expérience de la postsynchronisation. Papa disait que la Grèce est un pays difficile.

– Il est vrai qu'elle ne reconnaît pas toujours les services qu'on lui rend. Je crois qu'il en est ainsi depuis l'Antiquité.

Elle a ramassé une brindille et a légèrement poussé l'insecte. Puis elle a ri :

– Tu sais comment j'imagine la sépulture de Patrick ? Avec la silhouette de Bugs Bunny gravée au milieu de la pierre tombale !

L'insecte s'est mis à courir comme s'il avait enfin trouvé sa destination. Il a trotté jusqu'au muret encadrant la tombe et là, il s'est de nouveau figé. « Il se demande si ça vaut la peine de passer de l'autre côté. »

Je lui ai dit que j'avais gardé un de ses dessins d'enfant, et que j'avais rendu à sa mère le journal que tenait Miltiadis en été.

– Tu trouveras à la dernière page un texte qui semble avoir été écrit pour toi.

Elle m'a pressée de questions pour que je lui révèle son contenu, mais je ne le lui ai pas révélé.

– Il concerne le philosophe Polyandre, lui ai-je seulement dit et, je ne sais pour quelle raison, j'ai ri à mon tour.

Mme Carrier, qui traversait à ce moment l'allée, enveloppée dans un gros manteau noir, tenant un sac en plastique dans chaque main, a fait mine de ne pas nous voir. C'était une façon, je pense, de désavouer notre bonne humeur.

– Ne fais pas attention à elle, m'a dit Miltiadis.

Théano s'occupait de l'insecte, elle l'a aidé à escalader le muret.

– Les décisions difficiles sont généralement les bonnes, a encore dit Miltiadis.

Était-ce à moi ou à sa fille qu'il adressait ce conseil ? J'ai informé ma nièce que j'avais rencontré l'expression « *hypercompétitif* » dans un courrier de la société des télécommunications.

– Je sais par ma prof que de nombreux scientifiques et chercheurs font appel à Jacqueline de Romilly afin qu'elle leur indique des mots grecs susceptibles de servir de noms à leurs inventions et leurs découvertes. La technologie de pointe a largement recours au mot *nannos*[1], utilisé comme préfixe dans des termes tels que « nanoparticule ». C'est un élément microscopique qui peut pénétrer sous la peau et porter atteinte à l'organisme. On le

1. Nain.

346

trouve dans le matériel informatique mais aussi dans les crèmes solaires.

C'est en français, bizarrement, qu'elle m'a tenu ce discours. Avait-elle changé de langue sans s'en rendre compte ? Elle avait adopté un peu le ton de son père. J'ai songé au nœud papillon que portait Jean-Christophe le soir où nous avons dîné au Métèque. « Nous copions tous les manières de Miltiadis de façon à rendre moins sensible son absence. »

– L'adjectif « nosocomial », qui rappelle le *nosokomeion*[1] grec, s'est largement répandu ces dernières années.

L'insecte avait franchi le muret mais il s'était de nouveau immobilisé, ne sachant probablement pas par quel bout commencer l'exploration de l'immense espace qui s'étendait autour de lui. Loin de l'endroit où nous étions, un cortège passait entre les tombes.

– Les mots qui ont condamné mon père étaient tous les trois grecs : « cirrhose », « artériosclérose », « hémorragie ».

Je me suis souvenue de la remarque de Jean-Christophe à propos du mot « cimetière ». « Tous les Français meurent d'une maladie grecque et sont conduits au cimetière, qui est un mot grec aussi. »

– Mon père apportait un soin méticuleux à tout ce qu'il entreprenait. Il mettait le café en

1. Hôpital.

347

poudre dans la cafetière en faisant attention que pas un grain ne tombe hors de la petite cuillère. Il ouvrait les lettres avec un coupe-papier. La coupure qu'il opérait était si fine qu'elle était à peine visible. C'est avec la même application qu'il nouait ses lacets. Je crois qu'il n'était jamais distrait. Moi, j'ai tendance à tout bâcler, comme si la tâche que j'accomplis me paraissait toujours moins importante que celle qui m'attend. Rien ne m'intéresse vraiment... Est-ce que la guitare de grand-père est toujours dans l'appartement de la rue Démocharous ?

– Ton père a changé ses cordes l'été dernier. Près de la rue Démocharous il y a un café traditionnel que ton grand-père aimait bien. Je t'y emmènerai quand tu seras installée à Athènes.

J'ai prévenu Miltiadis que je boirais prochainement un ouzo avec sa fille place de la Citerne.

– Comme ça, tu pourras voir la statue d'Elytis, a-t-il dit. Tu le salueras bien de ma part.

J'ai de nouveau baissé les yeux. Après avoir soigneusement inspecté la terre le long de la tombe et autour de mes bottes, j'ai dû me rendre à l'évidence que l'insecte était parti. Cela m'a contrariée, comme si j'avais commencé à m'habituer à sa présence.

– Moi non plus, rien ne me passionne vraiment, ai-je reconnu. Par chance, ton père m'a donné l'idée de trouver le premier mot qu'ont prononcé nos lointains ancêtres. Parfois ils sont sagement assis autour d'un feu, parfois ils courent comme des possédés en poussant des clameurs derrière des animaux qui aujourd'hui n'existent plus, et d'autres fois encore ils marchent le long d'une route sans fin.

– Sans fin ? a-t-elle dit déconcertée.

– Ils sont venus d'Afrique. Je ne sais pas combien de temps il leur a fallu pour arriver en Europe.

– Ils ont peut-être chanté avant de parler, qu'est-ce que tu en penses ? Les hommes qui marchent beaucoup chantent généralement, comme les sept nains.

Nous nous sommes remises à rire.

– On y va tout doucement ?

Je commençais à avoir froid.

– Combien de mots imaginaires peut-on former avec les vingt-six lettres de l'alphabet ? m'a-t-elle interrogée alors que nous nous dirigions vers la sortie.

Ce n'est qu'à ce moment qu'elle a allumé une cigarette. Elle n'en avait pas fumé une seule devant la tombe, comme si la fumée pouvait encore incommoder son père.

– Je ne sais pas, mais j'ai eu l'occasion d'en entendre quelques-uns.

Je lui ai parlé du poème de Michaux, j'ai essayé de lui décrire les mots mystérieux qui l'émaillent.

– Ils ressemblent aux mots de la langue française, ils suivent le rythme de la langue. Un poète grec ne créerait jamais les mêmes vocables. S'il entreprenait de traduire le poème de Michaux, il lui faudrait les remplacer par des termes tout aussi obscurs et menaçants, mais conformes aux intonations du grec. Il devrait donc, en un sens, les traduire eux aussi !

Nous sommes passées devant une vieille librairie du boulevard du Montparnasse, qui possédait deux exemplaires du recueil *Mes propriétés*. Je les ai achetés tous les deux, l'un pour ma nièce et l'autre pour moi. Nous sommes convenues de dîner ensemble un soir au Métèque.

Il faut croire que l'insecte du cimetière avait grimpé sur mes bottes, car je l'ai aperçu sur le plancher du studio pendant que je me déshabillais. Il ne s'est déplacé que d'une cinquantaine de centimètres, puis, comme à son habitude, il a marqué une pause.

– Qu'est-ce que je vais faire de toi, tu peux me dire ? lui ai-je demandé.

Jeudi, 31 janvier. Je ne suis pas mécontente de voir se terminer ce mois qui a si mal commencé. Dimanche dernier, une autre disparition, celle du père d'Audrey, est venue s'ajouter à son actif. J'ai appris la nouvelle par Aliki, qui m'a téléphoné vers dix heures du matin.

– La petite ne le sait pas encore. Elle est en ce moment à l'Institut des jeunes sourds ou à l'église d'à côté. Je préfère que ce soit toi qui la préviennes plutôt que de lui envoyer un message écrit sur son portable. L'Institut n'est pas loin du studio.

Elle m'a expliqué quelles rues je devais emprunter, comme elle l'avait fait le jour de l'enterrement pour m'indiquer le chemin qui me conduirait à l'église Saint-Étienne.

– J'y serais allée moi-même, mais je n'ose pas laisser ma mère seule à la maison, je crains qu'elle ne soit devenue folle. Tu sais à quoi elle est occupée en ce moment ? Elle joue avec le téléphone portable que tu as trouvé dans les affaires de Miltiadis. Tantôt elle appelle Pat, tantôt le pirate borgne et tantôt l'ambassadeur de Grèce ! Je crois qu'elle est tombée amoureuse de l'ambassadeur, tu te rends compte ?

Je me suis rappelé qu'Audrey m'avait notifié la mort de Miltiadis en croisant l'index et le majeur d'une main avec l'index et le majeur de l'autre. J'ai marché au moins une demi-heure sur le boulevard Saint-Marcel, que j'ai pris à gauche pour arriver jusqu'à la rue Saint-Jacques où j'ai tourné à droite.

L'Institut est un vieux bâtiment qui date, je pense, de l'époque de l'abbé de l'Épée, c'est-à-dire du XVIIIᵉ siècle. La femme qui était dans la loge m'a dit qu'elle avait aperçu Audrey un peu plus tôt.

– Vous êtes de sa famille ? m'a-t-elle questionnée d'un ton méfiant.

Je lui ai expliqué pourquoi je devais la contacter au plus vite.

– Je vais la faire chercher, a-t-elle consenti sans se départir de sa froideur.

Elle m'a néanmoins accordé la permission d'attendre dans la cour que j'apercevais à travers la deuxième porte de la loge.

Il s'agit d'une vaste cour intérieure, pavée de pierres noircies par le temps et dont aucune n'est au niveau des autres. Elle était presque vide : il n'y avait qu'un groupe de quatre jeunes gens qui discutaient en signant et un homme qui fumait. Je me suis approchée de la statue de bronze qui se dresse au milieu de cet espace, sur un socle plus grand que moi. Elle représente l'abbé de l'Épée et un enfant, tous deux montrant le ciel du doigt.

– Connaissez-vous le sens de ce geste ? m'a demandé l'homme qui fumait.

– Non.

– Il signifie « Dieu » dans la langue des signes française. L'abbé de l'Épée a étudié cette langue pour transmettre la parole de Dieu aux sourds. Pour ma part, je l'ai apprise pour communiquer avec ma fille.

– J'imagine que cela n'a pas dû être facile.

– J'avais une bonne raison de l'apprendre.

Il a fait quelques pas de côté comme s'il jugeait qu'il m'avait suffisamment dérangée. Mais il ne m'avait pas dérangée du tout.

– Comment traduit-on les noms propres dans cette langue ?

– À chaque lettre de l'alphabet correspond un geste.

Il m'a montré son poing.

– Ça, c'est le *a*.

Je l'ai interrogé sur le *r* : il a posé son majeur sur son index.

– Les sourds n'utilisent pas forcément l'alphabet lorsqu'ils se réfèrent à une personne. Ils peuvent s'attacher à une de ses particularités physiques, un peu comme le font les caricaturistes. Vous devez vous souvenir que les canines de Mitterrand étaient particulièrement pointues. Les présentateurs des bulletins d'informations en langue des signes le désignaient en montrant leurs canines de l'index et du petit doigt. Les signes sont des dessins, comme les caractères chinois.

– Quel est le signe qui permet de nommer les Grecs ?

Il s'est légèrement gratté la tempe de son index replié.

– Je vous montre cette partie du casque grec de l'Antiquité qui masquait les joues.

« Je n'apprendrai jamais la langue des signes, ni aucune autre langue, ai-je pensé. Mes connaissances resteront limitées au peu de français et d'espagnol que je connais déjà. » J'ai senti que le temps se resserrait autour de moi de manière étouffante, il m'a semblé que je n'arriverais même pas à sortir de la cour de l'Institut. « Je vais m'effondrer sous le regard de l'abbé de l'Épée. Les quatre jeunes gens me transporteront à l'hôpital. L'un d'eux prononcera mon oraison funèbre, dans sa langue naturellement. »

– Je dois vous laisser, ai-je dit à l'homme.

– Moi j'attends ma fille. Elle vient à l'Institut même le dimanche car c'est ici que se donnent rendez-vous ses amis. Elle apprend à fabriquer des prothèses dentaires. L'Institut est l'une des rares écoles où l'enseignement est dispensé en langue des signes. Savez-vous quel est le paradoxe dans tout cela ?

– Quel est-il ? lui ai-je demandé en me dirigeant vers la loge.

– Que l'établissement ne relève pas du ministère de l'Éducation nationale, comme cela devrait être le cas, mais du ministère de la Santé. L'État persiste à considérer les sourds comme des handicapés. Il verse d'ailleurs une allocation d'invalidité à ceux qui ne peuvent pas travailler.

– Comment dit-on « père » en langue des signes ?

Il a placé sa main près de sa bouche et a fait semblant de caresser du pouce et de l'index le bout d'une moustache imaginaire.

– Audrey n'est pas là, m'a dit la concierge. Vous la trouverez sans doute à l'église.

La venelle qui sépare l'Institut de l'église perpétue elle aussi le souvenir de l'illustre abbé. L'édifice religieux est construit en pierres blondes qui m'ont paru beaucoup plus propres que celles des vieux bâtiments parisiens. Sa porte principale, de couleur bordeaux comme la cave à vins du boulevard Haussmann, est encadrée par quatre colonnes qui supportent un fronton hellénisant. Je suis entrée par une porte latérale. Le maître-autel, qui était désert, est entouré par de multiples chapelles disposant chacune d'un bon nombre de sièges. J'ai aperçu quelques personnes réunies dans l'une d'elles et je me suis avancée en essayant de ne pas faire craquer mes bottes. Le lieu était parfaitement silencieux. La clarté des pierres assurait au sanctuaire une luminosité que je n'avais jamais observée dans une église catholique.

Au-dessus de la table d'autel trônait une statue de marbre de la Vierge portant l'Enfant Jésus et écrasant de son pied nu la tête d'un gros serpent. L'assistance était plutôt jeune. J'ai tout de suite repéré Audrey. Je me suis postée à l'extrémité de la première rangée de sièges en espérant qu'elle tournerait la tête dans ma direction. Mais toute son attention était requise par le prêtre, un homme à l'allure imposante qui célébrait l'office dans la langue des signes. Périodiquement il montrait le ciel du doigt.

Un orgue a résonné soudain. Je n'ai pas compris où il se trouvait mais sa musique, qui semble produite par plusieurs instruments à la fois, a pris possession de tout l'espace. Les dalles de marbre qui recouvraient le sol étaient à l'évidence insensibles aux vibrations des basses. « Quel besoin ont-ils de la musique puisqu'ils ne l'entendent pas ? » Les premières notes ont immédiatement fait réagir un monsieur d'un certain âge qui s'est placé devant les fidèles, le dos tourné au prêtre, et les a invités à se mettre debout. Après avoir levé les bras assez brusquement pour faire reculer les manches de sa veste, il a entrepris de les diriger. Grâce à lui, qui entendait manifestement la musique puisque ses mouvements en respectaient le tempo, le public la suivait aussi. J'ai vu autrement dit ces jeunes gens réciter dans la langue des signes les versets d'un psaume de façon parfaitement rythmée, chanter en quelque sorte avec leurs mains. Leurs gestes étaient plus légers que ceux que faisaient Audrey et Jean-Christophe quand ils discutaient, plus doux, plus mélodieux pourrais-je dire. Ils s'emballaient lorsque la musique gagnait en intensité puis ils s'apaisaient peu à peu avec elle. « Cela aussi, je le raconterai à Miltiadis, ai-je pensé. Je lui dirai qu'à l'église Saint-Jacques de Paris j'ai entendu une chorale muette. »

Avant la fin du cantique, Audrey m'a aperçue. Elle a deviné que quelque chose était arrivé et m'a suivie à l'extérieur de l'édifice. Nous nous sommes arrêtées sur le trottoir en nous regardant l'une l'autre. J'ai fait le geste qui veut dire « père » et que je venais de découvrir. J'ai aussi formé une croix comme Audrey elle-même m'avait appris à le faire. La jeune fille a continué à me regarder jusqu'au moment où elle a éclaté en sanglots.

9

Certaines des observations que fait Pierre Lebrun dans ses *Notes itinéraires* m'ont rappelé le journal de mon frère. Bien que la transformation des temples antiques en églises ne le choque pas énormément, il ne manque pas de signaler que la Vierge aux cent portails de Paros a emprunté ses colonnes à un temple d'Héra. Lors de sa visite au monastère dit de la Grande Grotte, en Achaïe, il constate que la continence sexuelle des moines est un mythe. La présence de femmes dans les cellules lui inspire ce commentaire mesuré : « *La règle du monastère ne paraît pas des plus sévères.* » Alors que mon frère écrit que l'île de Tinos est réputée pour son ail, d'après Lebrun elle serait surtout célèbre pour la beauté de ses femmes.

Il s'intéresse à la civilisation antique – il assure qu'il faut aller à Ithaque pour saisir l'esprit de l'*Odyssée* : « *Je n'avais jamais senti Homère avant de l'avoir lu à Ithaque* » –, cependant l'essentiel de ses notes concerne le présent. Il parcourt la Grèce davantage en journaliste qu'en archéologue. Il s'étonne de ne jamais entendre les cloches des églises jusqu'au moment où il apprend que les autorités ottomanes les ont condamnées au silence. Les popes « *avertissent les fidèles que la messe commence en frappant aux portes de leurs maisons* ». Il écrit vite, comme Miltiadis.

C'est vrai qu'il ne considère pas les Grecs comme les descendants dégénérés d'un grand peuple, tels que, selon mon frère, les voyait l'Europe à l'époque. Il préfère être hébergé par les habitants afin de mieux les connaître. À Chios il découvre une école où l'on enseigne l'esprit des Lumières et qui compte dans sa bibliothèque les œuvres de Voltaire. Il croit que « *le feu sacré n'est point éteint dans les âmes des Grecs* » et qu'ils se libéreront du joug ottoman qui « *leur est devenu insupportable : leur œil étincelle quand ils croisent un Turc.* » Il ne se rend pas compte toutefois qu'ils sont sur le point de prendre les armes – la guerre d'Indépendance éclatera trois mois à peine après la fin de son voyage. Le grec ancien qu'il a étudié ne lui permet pas de comprendre ce qui se dit autour de lui. Ses connaissances en matière de grec moderne se résument à deux mots : « *Hora calè*[1] », salutation qu'il entend tout le temps et qu'il répète lui aussi inlassablement. Il nomme l'Acropole

---

1. « Que l'heure vous soit propice. »

Acropolis, comme les autochtones, mais persiste à appeler Mykonos *Mycone*.

J'ai fini par avoir de la sympathie pour cet humble poète, qui est visiblement plus amoureux de la Grèce que de sa femme Rosalie. «*J'aimerais à habiter Ithaque*», confie-t-il. Je n'ignore pas que les grandes passions bouleversent nos habitudes : sur le bateau qui le conduit en Grèce, Lebrun fume pour la première fois. Il embarque à Marseille. Il rapporte que les marins chantent et racontent des histoires la nuit, assis en rond sur le pont. C'est ainsi, je pense, que les *Homo sapiens* devaient passer leurs soirées. « On a davantage besoin de parler la nuit que le jour. » J'ai retrouvé, dans cette partie de ma mémoire où sont préservés les produits de mon imagination, un poète que je n'ai jamais rencontré et qui pourtant m'a dit, comme si c'était une évidence : « Les mots sont des enfants de la nuit. » Lebrun croit que les marins sont inspirés par la mer, peut-être à la façon dont les *Homo sapiens* étaient inspirés par le feu.

J'ai trouvé les photocopies de son journal dans la pile qui était posée par terre et qui n'est pas tombée toute seule finalement : c'est moi qui l'ai renversée en retirant les documents en question. Je suis sûre d'avoir lu les trois cent quatre-vingt-quatorze pages du manuscrit aussi attentivement que l'aurait fait mon frère.

L'insecte n'a plus donné signe de vie depuis que je l'ai amené ici. Je ne crois pas l'avoir écrasé : aucune trace suspecte n'est décelable sur les semelles de mes chaussures. Un jour où je fouillais dans l'armoire à provisions, j'ai surpris un mouvement derrière les boîtes de conserve de tomates pelées. C'était un cafard, nettement plus grand et pas aussi noir que la bestiole du cimetière. Je l'ai laissé en paix. « Les deux insectes feront connaissance et noueront des relations amicales... Il est impossible qu'ils ne se rencontrent pas. »

L'armoire abritait un autre petit animal, le lièvre sculpté dans un bloc de sel que Monica avait offert à mon frère. Alors que je l'examinais, il m'a échappé des mains et a plongé dans la casserole où je faisais cuire des spaghettis. Le temps de trouver une louche et de le sortir de là, il avait déjà perdu ses oreilles et son museau s'était sensiblement réduit. Il ressemblait plus à un œuf qu'à un animal. Comme il continuait de fondre, j'ai précipité sa fin en le remettant dans l'eau.

– C'en est fait de ton lièvre ! ai-je annoncé à Miltiadis.

J'ai compris que cela lui importait peu.

– Les pâtes sont meilleures quand on les fait bouillir dans l'eau salée, a-t-il dit.

En terminant la lecture de Lebrun, tard dans la soirée, j'ai allumé pour la première fois la télévision. Je suis tombée sur le journal qui était consacré à deux des plus grands drames de notre époque, la sous-alimentation et le réchauffement climatique, qui fait monter le niveau des mers.

– Dans quelques décennies, les cartes d'aujourd'hui ne seront plus valables, le dessin des côtes aura changé et de nombreuses îles seront englouties, a déclaré avec détachement le présentateur.

« Nous ne pourrons plus aller nulle part à pied. » J'ai vu Aliki en tenue de plongée, nageant dans les profondeurs marines à la recherche de la maison qu'elle possède dans l'île de Cos. La caméra suivait un ours à la dérive sur un bloc de glace. J'ai songé aussitôt aux îlots portés par le cours des fleuves d'Argentine et qui finissent par déboucher dans la mer. Je me suis rappelé qu'ils ont eux aussi parfois des passagers. J'étais d'humeur à broder des histoires apparemment, car je me suis représenté la rencontre de l'ours polaire avec un cheval des faubourgs de Buenos Aires au beau milieu de l'océan.

Du pôle Nord nous sommes passés à la savane de la République centrafricaine, le pays d'origine de la sculpture d'ébène qui se trouve boulevard Haussmann, et où l'on parle, je ne l'ai pas oublié, le sango. Une flopée d'enfants, la plupart complètement nus, étaient assis sous un arbre gigantesque. Leur faiblesse était telle qu'il leur était impossible de bouger. Seuls leurs yeux étaient vivants. Une infirmière a essayé de faire une piqûre à l'un d'entre eux et lui a soulevé le bras. Mais son bras était un os. Elle a aidé le petit à se tourner sur le côté et lui a planté l'aiguille dans les fesses.

Depuis que mon frère est parti, je porte une attention particulière aux mauvaises nouvelles. J'essaie de composer une image de la vie capable de me réconcilier avec la mort. C'est peine perdue, car la vie n'a pas qu'un seul aspect. Dès qu'il a eu fini avec le thème de la sous-alimentation, le présentateur a annoncé deux événements qui auraient sans nul doute enchanté Miltiadis : la création de la *Somnambule* de Bellini à l'Opéra Bastille avec la célèbre soprano Natalie Dessay, et le match de qualification pour la Coupe du monde de football entre l'Autriche et la France.

– Ça ne m'ennuie pas trop de rater ce match, m'a-t-il dit. La France a peu de chances de gagner à Vienne.

J'ai rêvé que j'étais sortie dans les rues avec un sudoku à moitié résolu en main. Je priais les passants de m'aider à le terminer, mais un seul a eu la gentillesse de s'arrêter. Il a jeté un coup d'œil à la grille et m'a dit, en m'indiquant une colonne où toutes les cases étaient vides :

– Ici vous devez écrire « autrefois ».

– Mais c'est avec des chiffres que je dois la remplir, pas avec des lettres !

Il m'a signifié d'un haussement d'épaules qu'il ne pouvait rien pour moi et a repris son chemin. Il s'appuyait sur une canne noire à pommeau d'argent que j'avais déjà vue quelque part, mais où ? Je suis descendue sur la voie pavée qui passe sous les ponts de la Seine. Je n'ai trouvé là, sous un pont précisément, qu'un homme endormi couvert de haillons, et je l'ai réveillé car le jour commençait à poindre.

– Pourriez-vous m'aider à résoudre un sudoku ?

– Bien volontiers, madame. C'est le journal d'hier ?

Il s'est mis à étudier le problème d'un air concentré, en s'éclairant d'une lampe de poche qu'il avait sortie de sa literie. Au bout d'un assez long moment, cependant, j'ai constaté qu'il avait tourné la page.

– Il y a très longtemps que je n'ai pas lu un journal si récent, s'est-il justifié.

À force de marcher, je me suis trouvée à la campagne, devant un cirque au chapiteau jaunâtre, moucheté de taches noires comme une peau de panthère. Un dompteur assis devant la tente en compagnie d'un chien buvait son café et fumait une cigarette. Ses bras nus étaient pleins de tatouages. Son fouet reposait dans l'herbe. Je l'ai pris un instant pour un serpent.

– Seuls les chiens sont vraiment intelligents, m'a-t-il dit. Aucun autre animal ne comprend, quand vous lui montrez un point du doigt, qu'il doit courir dans cette direction. Les chiens, eux, le comprennent. Vous en voulez la preuve ?

Il a montré l'horizon de sa main droite. Il n'avait qu'un seul doigt à cette main et c'était justement l'index. Le chien s'est immédiatement dressé sur ses pattes et, après avoir attentivement regardé la main amputée, il est parti comme une flèche dans la bonne direction. Il a couru tant et si bien que nous avons fini par le perdre de vue.

– Malheureusement, ils ne comprennent pas qu'ils doivent s'arrêter quelque part. Vous n'imaginez pas combien de chiens j'ai perdus de cette façon.

J'ai jugé superflu de lui soumettre le sudoku, persuadée que les dompteurs ne connaissent rien à ce jeu. Je me suis réveillée alors que j'étais en train de m'éloigner de lui, j'ai allumé la lumière et j'ai repris le journal. J'avais repéré une case où deux chiffres seulement étaient susceptibles d'être logés, le six et le sept. J'ai opté pour le six, hypothèse qui m'a permis de bien avancer. Elle était cependant erronée car au bout d'un moment j'ai vu apparaître le huit deux fois dans la même rangée. J'ai donc remplacé le six par le sept, mais cela n'a servi à rien, je me suis encore retrouvée dans une impasse. « C'est la vengeance du lièvre, ai-je pensé. C'est lui qui a rendu ce problème insoluble. » En refermant le journal, j'ai aperçu un titre qui annonçait la défaite de l'équipe de France à Vienne par 3 buts à 1.

Le matin, le journal avait disparu. J'ai pensé téléphoner à Yannis Sficas, l'ami de mon frère qui habite Bangui, pour lui demander comment on dit « bonjour » en sango, mais je n'avais pas son numéro. J'ai examiné les livres de la bibliothèque et j'ai finalement trouvé un guide de la Centrafrique dont les dernières pages étaient consacrées à sa langue. « Bonjour » se traduit par *balao*. « Feu » ne commence pas par un *f*, on dit *wa*. Le mot « papillon », qui désigne aussi par métaphore la femme frivole, m'a paru séduisant : *poupoulingué*. « J'élaborerai un idiome à moi,

avec des mots empruntés à toutes les langues. »
En revanche, j'ai été déçue par le terme qui évoque le malheur, *mawa*. « Il y a des mots qui n'ont pas conscience de leur signification », ai-je songé.

Le dîner au Métèque, le samedi soir, a pris des proportions imprévues. Ma nièce, tout d'abord, n'est pas venue toute seule mais avec Natalia, l'élève de mon frère.

– Elle avait très envie de faire ta connaissance, m'a confié Théano.

J'ai craint un instant que cette personne silencieuse ne nous communique sa mélancolie. Mais ce soir-là Natalia n'a été ni silencieuse ni triste.

– Miltiadis était convaincu que tu ne parlais pas, lui ai-je dit.

– Il est vrai que j'évitais de parler en sa présence. Je préférais l'écouter.

Sa voix m'a semblé plus mûre que la première fois où je l'avais entendue, au café La Liberté, à Montparnasse, comme si beaucoup de temps s'était écoulé depuis. Vers dix heures, alors que nous avions presque fini de manger, deux groupes ont fait leur entrée qui, en nous apercevant, ont marqué une surprise égale à la nôtre. Le premier était composé de Jean-Christophe, de Paul Reed et d'une jolie femme qui, comme je l'ai appris par la suite, travaille à l'Académie française, et le second, qui a franchi le seuil quelques instants plus tard, d'Aliki, de Zoé et de l'ambassadeur de Grèce.

– Je suis sûre que vous venez ici tous les soirs ! ai-je dit à Jean-Christophe dont les joues se sont empourprées.

– Quand même pas, a-t-il protesté mollement.

Notre échange n'a pas échappé à Maria, qui a eu un large sourire.

– Presque, a-t-elle dit.

Zoé s'était fait teindre les cheveux en rouge et portait les escarpins verts que je lui avais réparés. Elle a eu le culot de présenter Théano comme sa nièce à l'ambassadeur. Elle ne se rappelait apparemment pas qu'ils avaient déjà fait connaissance à l'enterrement. Aucun groupe n'a souhaité se mêler aux autres. Une heure plus tard, cependant, lorsque les tables qui nous séparaient se sont vidées, nous nous sommes rassemblés. La soirée a donc eu trois actes, comme une bonne pièce de théâtre : le premier s'est déroulé avec la participation de Théano, de Natalia et de moi-même, au deuxième ont pris part trois groupes distincts et au troisième toute la troupe réunie. La représentation s'est achevée, comme cela se fait couramment, par un épilogue succinct.

Maria était incontestablement en beauté, jusqu'au troisième acte du moins, car des signes de fatigue ont alors marqué son visage. Les murs de son établissement sont ornés de quelques lettres majuscules de l'alphabet grec découpées dans du fer : phi (Φ), oméga (Ω), mu (M), xi (Ξ), delta (Δ), gamma (Γ), psi (Ψ) et alpha (A). Je ne les avais pas remarquées lors de ma première visite mais cela ne m'a nullement étonnée. Je sais désormais que je tarde à remarquer certaines choses. Nous nous sommes mises d'accord sur le fait que le psi (Ψ) rappelle un chandelier juif et le xi (Ξ) une pile de journaux. Je leur ai soumis l'idée que j'avais eue à Saint-Étienne, que l'oméga (Ω) est la serrure de la porte du paradis.

– Alors le phi (Φ) est l'anneau d'une clef cassée, a dit Théano.

– Elle ne peut ouvrir aucune porte, a observé Natalia.

– Ce n'est pas grave, lui a répondu ma nièce en badinant. L'oméga est la serrure d'une porte qui ne mène nulle part.

– Le mu (M) est un cul-de-jatte soutenu par deux béquilles.

Ma suggestion a fait une certaine impression à Natalia, qui est demeurée un moment les yeux rivés sur cette lettre.

– Vous m'avez fait penser à mon père, a-t-elle dit. Il est sorti avec des béquilles du centre de détention de la police militaire après l'effondrement de la junte. Il avait perdu l'usage de ses jambes. Sur sa photo qui est accrochée à la maison, il ressemble à un mu.

– Il ne vit plus ?

– Il est mort avant ma naissance, quelques mois seulement après le rétablissement de la démocratie.

– Mais quel âge as-tu donc ? lui ai-je demandé, car elle paraissait aussi jeune que Théano.

– Je suis née en janvier 75. Le mois dernier j'ai eu trente-trois ans. J'ai mis longtemps à me décider à passer ma thèse en France, et sans doute n'aurais-je jamais pris cette décision si Miltiadis ne m'y avait fortement encouragée.

J'ai fait signe à Maria de nous apporter d'urgence un autre pichet de rouge.

– Savez-vous qui j'ai eu comme professeur à Athènes ? Euthymiadis, celui qui est devenu titulaire de la chaire de littérature comparée en mystifiant votre frère.

– Je lui casserais volontiers la tête, ai-je reconnu.

– Si vous avez besoin de mon aide, n'hésitez pas.

– Très bien, a dit Théano, on lui cassera la tête toutes les trois ensemble !

J'ai songé à la bûche d'Argentine ainsi qu'à l'injonction de mon frère de donner un nom original au bateau que je construirai pour Théano. J'ai regardé de nouveau les lettres qui s'étalaient sur les murs.

– Dis-moi un mot ayant pour initiale la lettre phi.

– *Phevgo*[1], a dit Théano.

J'ai trouvé que c'était un bien joli nom pour un bateau et j'ai décidé sans la moindre hésitation de l'attribuer à celui que je lui offrirai.

– Le phi me rappelle Phileas Fogg, a dit Natalia. C'est l'un des rares noms inventés par Jules Verne que les traducteurs grecs n'aient pas trafiqués. Ils

1. Je pars.

n'ont pas altéré Fogg, ni Phileas bien sûr, qui est un prénom grec.

J'ai eu à plusieurs reprises au cours de la soirée, et je ne parle pas uniquement du premier acte, l'impression que nos propos nous étaient dictés par mon frère. J'en ai même eu la certitude lorsque Théano nous a proposé d'imaginer une phrase composée exclusivement de mots commençant par les lettres qui nous entouraient.

– Bonne idée, a approuvé Natalia.

Ce jeu nous a absorbées pendant la majeure partie du repas. Après plusieurs tentatives que nous notions sur des serviettes en papier, nous avons abouti à la phrase : « *Je pars, ma belle étrangère, car la vieille ment effrontément.* »

– Qui ment effrontément ? a demandé Maria en déposant sur notre table un troisième pichet.

– La vieille ! avons-nous répondu à l'unisson.

Nous avions du plaisir à être ensemble, nous étions même plutôt gaies. Natalia nous a raconté que Miltiadis avait failli se tuer, quelques années auparavant, pour attraper un bateau en partance du port de Patras.

– Il m'avait demandé de l'accompagner à un festival de théâtre d'ombres qui allait se tenir à Corfou. J'habitais Patras à l'époque. Je l'attendais sur le pont du bateau, qui était un ferry, juste au-dessus de la porte qui donne accès aux véhicules et qu'on avait basculée sur le quai. Il est apparu au dernier moment avec sa voiture, alors que le navire se mettait en route. Au lieu de freiner, il a appuyé sur l'accélérateur et a bondi, au risque de tomber dans la mer, du quai sur la porte qu'on avait déjà commencé à relever. Il était très fier de son exploit, qui avait glacé d'effroi tous les passagers qui en avaient été témoins.

J'ai été bouleversée moi aussi, comme si la scène venait d'avoir lieu sous mes yeux. J'ai eu peur de perdre mon frère une seconde fois.

— Déjà quand il était enfant il voulait accomplir des hauts faits. Il était féru de romans d'aventures, ses maîtres à penser étaient Tarzan, d'Artagnan, Robur le conquérant. Il aimait forcer l'admiration.

Tout en disant cela, j'ai eu la conviction qu'il était certainement très amoureux de Natalia à cette époque.

— Quand on manque d'audace, comme moi, on ne fait pas grand-chose dans sa vie, a commenté Théano.

— Tu as sans doute raison, lui ai-je dit. Je ne suis pas bien courageuse, moi non plus. J'ai plutôt tendance à protéger ma médiocrité des faux pas.

Je lui ai demandé si elle tenait toujours un journal.

— Je l'ai abandonné il y a un mois. J'avais commencé à l'écrire quand nous avions appris que mon père souffrait d'une cirrhose. Je ne parlais pas que de lui dans mon cahier, il en était cependant la figure centrale. Il était fatal que je le referme après son départ.

— Moi, au contraire, c'est sa disparition qui m'a donné envie d'écrire.

J'ai eu l'intuition que les *Homo sapiens* avaient parlé pour conserver le souvenir d'un membre éminent de leur société ayant pris congé de la vie. « Le premier mot était un nom... Ils ont donné un nom au défunt pour ne pas l'oublier. J'écris pour assurer la survie du nom de mon frère. »

– Le même vide me sollicite constamment, a dit Natalia. Mais je sais que Miltiadis se moquerait de moi si je tentais de m'exprimer... Le nom Miltiadis vient du mot ancien *miltos*, qui était de genre féminin et qui désignait une pierre rouge. Il signifiait aussi « sang ».

J'ai songé à l'hémorragie qui avait privé mon frère de ses dernières forces. Théano a eu apparemment la même pensée, car elle a dit :

– Son prénom savait le sort qui l'attendait.

– Est-ce qu'il en connaissait, lui, l'étymologie ?

– Mais bien sûr ! a dit Natalia. C'est lui qui me l'avait expliquée. Il aimait en tout cas le rouge, il avait plusieurs chemises de cette couleur.

Je me suis rappelé le pull-over que portait Panayiotis lors de notre première rencontre. Elle avait eu lieu dans le garage de la rue Solon où nous avions laissé nos voitures à réparer. Comme aucune des deux n'était prête, le patron nous a offert le café dans l'espèce de grenier qui lui servait de bureau. Nous ne sommes restés là qu'un quart d'heure, mais je crois que j'étais déjà amoureuse lorsque je suis descendue de ce local par un escalier en bois pas très solide. Panayiotis m'avait écrit le numéro de son portable sur un morceau de papier. Je craignais tellement de le perdre que je l'ai reporté, à peine rentrée chez moi, sur mon agenda. Cela n'a pas suffi à calmer mon appréhension. Je l'ai donc copié une deuxième fois dans le cahier où ma mère consignait ses recettes, sous mon plat préféré, qui est la soupe aux boulettes de viande. Mais l'éventualité que mon appartement prenne feu et que tout l'immeuble soit carbonisé m'a convaincue que le plus sûr était encore de l'apprendre par cœur. Le premier soir qui a suivi ma rencontre avec Panayiotis, je me suis endormie en murmurant le numéro de son portable. Je le soupçonne de vouloir garder de bonnes relations aussi bien avec moi qu'avec sa femme, non parce qu'il nous aime toutes les deux mais parce qu'il est incapable de vivre seul.

– Quand je parle avec vous, j'ai par instants l'illusion de faire partie de votre génération, ai-je avoué aux deux jeunes filles. Mais les taches brunes qui maculent mes mains me ramènent constamment à la réalité. Je sais que je ne tomberai plus amoureuse. Je me suis rendue à mon âge.

– Tu as congédié Panayiotis ? m'a demandé ma nièce.

– Il nous arrive encore de déjeuner ensemble. Mais alors qu'autrefois je ne me lassais pas de le regarder, maintenant je porte les yeux ailleurs. Il fait la même chose, du reste. Il consulte furtivement son journal qu'il laisse toujours traîner sur la table.

– Vous rencontrerez sûrement quelqu'un d'autre, m'a dit Natalia avec une conviction touchante.

– Je préférerais que tu me tutoies.

C'est à cet instant que les deux autres groupes ont franchi le seuil du restaurant. Seul Paul Reed m'a donné l'impression qu'il était vraiment content de me voir.

– Vous avez suivi mon conseil ? m'a-t-il questionnée.

Je lui ai résumé mon entrevue avec Charlotte Dumas.

– Je vous raconterai les détails plus tard.

Le deuxième acte a été le plus court, il n'a pas duré plus d'une demi-heure. Il me semble qu'il a toujours une fonction transitoire, qu'il récapitule les problèmes exposés dans le premier acte et annonce les solutions qui seront données dans le troisième. Les nouveaux arrivants se sont installés bien à l'écart les uns des autres, Jean-Christophe et ses amis sous l'oméga, Aliki et les siens sous l'alpha.

– Quelle était l'opinion de Miltiadis sur sa belle-mère ?

– Il avait deux opinions, parfois elle l'amusait et parfois elle l'exaspérait, m'a dit Théano. C'est un personnage fantasque au cœur sec. Elle a cessé de me faire des cadeaux pour mon anniversaire quand j'ai eu dix ans, elle a considéré que j'étais grande, désormais. Elle n'aime pas donner. Elle m'a priée un jour de l'appeler Zizi. Elle trouve ce prénom plus élégant, plus français que le sien. Une danseuse française qui a eu son heure de gloire s'appelait Zizi Jeanmaire.

– En grec aussi il existe des diminutifs de ce type, comme Zozo, Kiki, Fofo, Vivi, Nana.

– Ils ressemblent aux mots que fabriquent les jeunes enfants, ai-je remarqué.

– Le phénomène du redoublement de la première syllabe est courant notamment dans les onomatopées : *tzitzikas*, *barbaros*, *titivizo*, *mourmourizo*, *gargara*, a continué Natalia, non sans une légère ostentation. Certains de ces mots possèdent leur double en français : « barbare », « murmurer », « gargarisme ».

– Que veut dire *titivizo* ? a interrogé Théano.

– « Piailler ».

– Mon père soutenait que *tzitzikas* était un nom idéal pour la cigale.

J'en ai déduit qu'elle avait commencé à lire son journal. « Elle ne va peut-être pas trouver de réponses, mais elle trouvera sûrement des questions qu'elle ne se posait pas. » Aliki nous scrutait de temps en temps. J'ai supposé que la présence de Natalia ne lui était pas agréable. Zoé, elle, n'avait d'yeux que pour l'ambassadeur, qui parlait beaucoup, en faisant force gestes. Il s'adressait davantage à Aliki qu'à Zoé.

– Tu crois qu'il va demander ma mère en mariage ? a dit Théano.

– Ta grand-mère ne lui donnera jamais son consentement. Elle veut le garder pour elle.

Tandis que nous plaisantions aux dépens de Zoé, nous l'avons entendue demander à Maria :

– Où est-ce qu'on peut faire pipi, ici ?

Nous n'avons pas été les seules à l'entendre, tout le restaurant l'a entendue, à l'exception de Maria qui se trouvait près de la cuisine et lui tournait le dos. Il faut croire que la plupart des clients étaient des habitués, car plusieurs mains se sont levées en indiquant la bonne porte. L'une de ces mains était celle de Jean-Christophe. Zoé est passée devant notre table sans nous regarder. Paul a levé son verre en me fixant des yeux. Je lui ai aussitôt rendu la politesse. « Il ne retournera jamais aux États-Unis... Rien ne l'attend là-bas, hormis une maison vide. » C'est aussi une maison vide qui m'attend à Athènes, cependant j'y retournerai un jour ou l'autre. Je serais consternée si le mûrier à côté de la remise d'Agni n'existait plus. Quel âge peut avoir Agni aujourd'hui ? Elle était sensiblement plus âgée que nous. J'ai imaginé une vieille femme s'avançant prudemment dans l'obscurité. Seuls ses cheveux blancs étaient visibles. « Si je vis autant que mon frère, il me reste trois ans. » J'ai jugé que ce n'était ni peu, ni beaucoup.

– Que signifie la répétition du *p* dans le mot « papillon », qui n'est pas une onomatopée ?

J'ai décidé de transmettre immédiatement la question de ma nièce à Paul et à Jean-Christophe et je me suis levée de table. Je suis pratiquement tombée sur Zoé qui sortait des toilettes, mais elle a une nouvelle fois fait semblant de ne pas me voir.

– Eh bien, Zoé, lui ai-je dit, tu ne me reconnais pas ?

En guise de réponse, elle a relevé sa jambe pour me montrer que son talon était toujours en piteux état.

– Je n'ai pas trouvé de papier dans les toilettes, m'a-t-elle admonestée, comme si elle me jugeait responsable de ce désagrément aussi.

Paul m'a appris que le redoublement d'une syllabe ou d'une lettre ne reflète pas forcément un son naturel, mais qu'il peut rendre compte d'un mouvement.

– Le mot « papillon » s'inspire probablement du charmant battement d'ailes de ce lépidoptère. En latin, il se nomme *papilio*. Dans bien des langues on l'évoque en redoublant une consonne ou une voyelle. Les Turcs l'appellent *kelebek* et les Arabes *faracha*.

– En breton, on dit *balafenn*, a ajouté Jean-Christophe.

Ni l'un ni l'autre ne savaient qu'on l'appelait *poupoulingué* en sango. Ce mot les a immédiatement conquis, ils l'ont approuvé avec enthousiasme, même la dame de l'Académie a applaudi. Elle avait de petites mains potelées.

L'une des deux tables qui encadraient la nôtre venait de se vider.

– Vous ne voulez pas vous asseoir avec nous ?

C'est ainsi qu'a commencé le troisième acte.

– Miltiadis disait que les mots sont des constructions aberrantes, ai-je rappelé à Jean-Christophe.

– Il n'y a aucun doute là-dessus. Ceux qui épousent leur signification sont en nombre infime. Pour vous donner un exemple, les mots grecs anciens qui redoublent leur première syllabe ne sont que deux cent soixante.

– Vous assuriez alors que le son *ou* exprimait la lourdeur. Si c'est vrai, le mot *poupoulingué* ne convient pas à un insecte.

– En grec moderne, on appelle *poupoulo* le duvet des oiseaux, a commenté Natalia.

Paul a tranché le problème en rappelant que toute règle a ses exceptions.

– Quand j'étais petit, nous a-t-il dit, je lisais une bande dessinée dont les trois héros répondaient aux noms de Pim, Pam et Poum. Pim était décharné, Pam avait une constitution normale, et Poum était un petit gros qui mâchouillait en permanence un morceau de pain. Il restait silencieux la plupart du temps pour éviter que les miettes ne tombent de sa bouche.

Aliki et les siens n'ont pas tardé à nous rejoindre une fois que l'autre table voisine a été libérée. C'est le français qui a dominé au cours de cet acte, sans éliminer toutefois entièrement le grec. J'ai été un peu déçue en apprenant le nom de la dame de l'Académie : il commence lui aussi par un *m*, elle s'appelle Marie-Claire.

– Pourquoi la presse française appelle-t-elle

l'homme moyen, qui ne se distingue pas de la masse, « citoyen lambda » ? l'a questionnée Théano.

– Parce que le lambda se trouve à peu près au milieu de l'alphabet grec. Le « citoyen lambda » occupe une place analogue dans la société.

– C'est la onzième lettre, a précisé Jean-Christophe.

– Vous êtes tous les trois linguistes ? s'est étonné l'ambassadeur qui parlait le français avec une aisance admirable.

Zoé faisait de son mieux pour attirer son attention. Elle remuait sur sa chaise, elle soupirait, elle s'éventait avec le menu, elle a aussi renversé son verre sur la table. Le vin a coulé du côté d'Aliki qui a réussi à l'arrêter avec une serviette.

– Tu es fatiguée ? a-t-elle demandé à sa mère.

– Non, pourquoi serais-je fatiguée ? lui a répondu Zoé agacée.

Nous avons commandé des gâteaux, j'ai mangé une tarte au citron comme chez Michèle. Maria me l'a servie accompagnée d'un bol de crème au chocolat. Zoé a voulu goûter à la crème et l'a mangée entièrement. Nous sommes restés silencieux un moment, comme si le mélange des trois groupes nous avait mis mal à l'aise. Je voulais interroger Marie-Claire sur l'origine de la dénomination « bateau-mouche », mais j'ai songé qu'on devait perpétuellement l'importuner avec des questions de ce genre. La conversation a redémarré grâce à Aliki :

– J'ai reçu un appel d'un Argentin du nom de José Luis, c'est toi qui l'as prévenu ?

– Je le connais très bien, José Luis, s'est vanté Jean-Christophe.

Allait-il évoquer à nouveau Elvira, la belle secrétaire du professeur ? « Nous avons tous tendance à répéter les mêmes choses, comme si nous n'avions que très peu vécu. » Il a préféré parler des Argentins qui, à l'entendre, ne sont pas seulement des amateurs de football et de tango mais également de littérature.

– La fête du Livre de Buenos Aires attire du monde de tout le pays. Des gens viennent des provinces les plus reculées au moyen de cars spécialement loués pour l'occasion. Certaines librairies restent ouvertes toute la nuit. L'une d'elles, l'Ateneo, est établie dans un ancien théâtre dont on a enlevé les sièges. Borges fait l'objet d'un véritable culte. Aux environs de la rue Florida on peut voir des plaques commémoratives signalant tous les endroits où il s'arrêtait, pour manger, pour boire un café ou pour feuilleter un livre.

» Le restaurant où nous avions nos habitudes, José Luis et moi, sur l'avenue Cordoba, portait un nom français : il s'appelait L'Être, tout simplement ! Son propriétaire était un admirateur de Sartre. "Pourquoi ne l'avez-vous pas baptisé L'Être et le Néant ? l'ai-je interrogé. Parce que je ne dispose pas d'une façade suffisamment large. Il n'y a pas assez de place pour le néant !"

– Pensez-vous que l'espagnol d'Argentine prendra les mêmes distances avec sa langue mère que le français avec le latin ?

Jean-Christophe a regardé son ami qui s'est empressé de me répondre :

– Les Argentins ont déjà pris beaucoup de libertés. Ils prononcent le double *ll* comme les Français le *j*, le verbe *llegar*, « arriver », ils le disent *jegar* et parfois même *chegar*. Un agriculteur argentin aurait du mal aujourd'hui à se faire comprendre d'un agriculteur espagnol, voire d'un paysan du Chili. Une amie de Buenos Aires qui a parcouru récemment la campagne chilienne m'écrivait qu'il lui était très difficile de communiquer avec les gens du lieu. Les changements ne concernent pas seulement la prononciation des mots mais aussi leur signification. *Coger*, qui signifie « prendre » en castillan, veut dire en argentin « copuler ».

Ce verbe a piqué la curiosité de Zoé.

– Comment dit-on « copuler » en argentin ? a-t-elle demandé à l'ambassadeur.

– Tu veux vraiment le savoir, mamie ? l'a rabrouée Théano qui n'avait manifestement pas digéré la façon dont sa grand-mère l'avait présentée.

– Tous les mots m'intéressent ! a déclaré Zoé avec son aplomb habituel.

L'ambassadeur ne s'est pas donné la peine de lui répondre.

— L'américain aussi s'est éloigné de l'anglais, a-t-il dit. Dans un magasin de New York j'ai dit à une vendeuse qui me demandait ce que je voulais : « *I'm waiting for my lift* », entendant par là que j'attendais la voiture qui devait venir me chercher. Elle a cru que j'avais besoin de stupéfiants et elle a répété, interdite : « *Your lift ?* »

Paul a acquiescé en souriant.

— L'écart est considérable surtout en ce qui concerne le vocabulaire, pas les structures de la langue, a-t-il précisé.

— On pourrait demander l'addition, a suggéré Zoé.

Mais l'ambassadeur l'a encore ignorée.

— Je me souviens que les Français s'inquiétaient vivement autrefois de l'expansion de l'anglais, qui influence aujourd'hui toutes les langues, y compris le grec, a-t-il dit.

— Je connais des gens qui considèrent l'ignorance de l'anglais comme un acte de résistance à l'hégémonie américaine, lui a répondu Jean-Christophe. Je ne pense pas que le dialogue puisse nuire aux langues, qui sont toutes le produit d'un échange très ancien. Le français est davantage menacé par l'étouffement des idiomes régionaux que par l'expansion de l'anglais. Vous n'ignorez pas que nous refusons toujours de signer la charte du Conseil de l'Europe sur la protection des langues minoritaires. Bien qu'il n'existe aucun pays où l'on ne parle qu'une seule langue, nous persistons à redouter, comme à l'époque de Jules

Ferry, les effets du multilinguisme sur l'unité nationale.

J'ai songé que si Miltiadis avait été présent, il aurait tenu à peu près le même discours.

– Tous les peuples fondateurs d'empires jugent superflue l'étude des langues étrangères, a ajouté Paul. Les Anglais refusent d'apprendre le français, peut-être parce qu'ils le connaissent : la moitié de leur vocabulaire est d'origine française.

Une atmosphère plaisante se dégageait de notre comité, qui est devenue franchement joyeuse lorsque Maria nous a apporté la bouteille de raki et nous a distribué des petits verres. Aliki avait cessé depuis un moment d'observer Natalia. Seule Zoé faisait grise mine. Elle a réagi à l'indifférence de l'ambassadeur en allant s'asseoir à côté de Marie-Claire.

– L'Institut français d'Athènes assure la promotion du français en faisant valoir qu'il constitue une excellente introduction à l'anglais, nous a informés Natalia.

Zoé a brocardé Marie-Claire qui refusait de goûter au raki.

– Allez-y, buvez, a-t-elle insisté. Moi j'en bois depuis l'âge de trois ans. C'est mon père qui, le premier, me l'a fait goûter. Il était pharmacien de son métier, c'était un homme taillé comme un roc. Il me disait que personne ne pouvait vaincre les Grecs parce qu'ils buvaient du raki.

– Comment se fait-il alors que nous ayons

passé tant de siècles sous domination étrangère ? lui a demandé Aliki.

Patrick était à la fenêtre, je n'ai vu que sa tête, il s'était penché pour regarder à l'intérieur, je l'ai reconnu à ses cheveux longs. Théano lui tournait le dos. Sans perdre une seconde je me suis levée, mon verre à la main et, sous le prétexte que je voulais prendre un peu l'air, je suis sortie dans la rue.

– Qu'est-ce que vous fichez ici ? l'ai-je interpellé sans dissimuler ma colère.

– Je veux parler à Théano. Je l'ai suivie quand elle est sortie de chez elle, mais je n'ai pas osé me présenter devant elle.

Sa respiration sentait le whisky.

– Je suis gelé.

– Vous feriez bien de rentrer chez vous. Je vais prévenir Théano que vous êtes ici, mais si elle ne vient pas vous voir tout de suite, promettez-moi que vous déguerpirez.

– D'accord, a-t-il consenti. Elle m'avait traduit un jour un distique populaire grec qui est cité dans l'anthologie de Claude Fauriel. Il disait : « *Si ma poitrine était de verre, tu pourrais voir mon cœur / qui est noir et muet à cause de toi, ma belle !* »

J'ai eu de la pitié finalement pour ce grand gaillard aux lèvres bleuies et au souffle lourd. Je lui ai tendu mon verre de raki, qu'il a vidé d'un trait.

En regagnant ma place, j'ai raconté discrètement à Théano la scène qui venait de se dérouler et qui a indéniablement donné du piquant au dernier acte.

– Je ne sortirai pas. La dernière fois que j'ai parlé avec lui, il m'a collé une paire de baffes.

– Les Français aussi donnent des coups ? s'est exclamée Natalia qui avait tout entendu. Je croyais que seuls les Grecs battaient leur femme.

La discussion avait pris une tournure politique.

– Les hommes d'État cultivent des mythes autour de la langue qui exaltent le sentiment national et légitiment de funestes projets, disait Jean-Christophe. Les génocides perpétrés par les Européens depuis la découverte de l'Amérique ont été accomplis au nom de la supériorité de la civilisation du Vieux Continent. Ernest Renan, l'un des plus brillants intellectuels français du XIXᵉ siècle, soutenait que l'esprit sémitique « *rétrécit le cerveau humain* ».

Je l'ai imaginé en train de discuter avec mon frère, en mai 68, de la révolution prolétarienne. Il m'a soudain paru beaucoup plus jeune.

– Vous n'ignorez pas, j'espère, a dit l'ambassadeur en souriant finement, que le peuple grec est le plus ancien du monde. Il a toujours vécu en Grèce, nourri par sa terre, et a fait ses débuts il y a onze millions d'années, comme l'atteste l'analyse d'un tibia découvert en Chalcidique, près de la grotte de l'homme de Pétralona, qui est lui-même beaucoup plus vieux que ne le croit la communauté scientifique internationale. Ce sont donc les Grecs qui ont inventé la première langue. Elle compte deux millions de mots et a engendré l'ensemble des langues européennes. Nous ne venons pas d'Afrique, nous n'avons aucune dette envers l'Inde et la Perse et nous devons nous garder des Juifs, qui cherchent à s'approprier les titres qui nous reviennent.

– Deux millions est un chiffre astronomique, a estimé Jean-Christophe.

– On l'obtient en multipliant chaque mot par le nombre de désinences qu'il est susceptible de recevoir, suivant le jeu des déclinaisons et des conjugaisons. En réalité, le grec ancien ne compte pas plus de cent cinquante mille mots.

– Vous ne parliez pas sérieusement, il y a un instant ? a demandé Zoé, abasourdie.

– Je vous ai exposé quelques-unes des rumeurs qui circulent en Grèce, et qui trouvent une large audience grâce à Internet. Beaucoup de personnes sont prêtes à croire ce qui les flatte.

Maria avait cessé de s'activer pour suivre notre conversation. Elle n'a rien dit, mais elle m'a semblé déçue.

– Les Macédoniens du Nord aussi avancent des arguments fantaisistes concernant leur langue. Je les comprends mieux cependant que les nationalistes grecs, car leur État n'a même pas vingt ans d'existence. Ils sont pressés de se doter d'un passé.

– Miltiadis nous disait qu'ils parlent un dialecte bulgare, a rappelé Jean-Christophe.

– Ils revendiquent un passé beaucoup plus ancien. Selon l'Académie des sciences de Skopje, le troisième texte gravé sur la pierre de Rosette, à côté de ceux composés en hiéroglyphes et en grec, serait en macédonien ancien, langue qui aurait été introduite en Égypte par les Ptolémées. Mais c'est le grec qu'Alexandre et ses épigones ont répandu à travers leur empire, pas le macédonien, dont nous n'avons justement aucun échantillon. Eh bien, disent les académiciens de Skopje, cet échantillon existe, il se trouve sur la pierre de Rosette. Selon Champollion, cette troisième langue n'en est pas une : c'est encore de l'égyptien, noté d'une écriture simplifiée.

Patrick n'avait pas reparu dans l'encadrement de la fenêtre.

– Il a dû partir.

– Tu le connais mal, m'a dit Théano.

À ma grande joie, Zoé, qui ne supporte pas de se taire longtemps, a posé à Marie-Claire la question que je n'avais pas osé lui soumettre.

– Pourquoi appelez-vous « mouches » les grands bateaux qui circulent sur la Seine ?

– Peut-être parce qu'ils étaient beaucoup plus petits à l'origine, peut-être parce que les premiers ont été construits dans un chantier naval de Lyon appelé La Mouche, du nom du quartier où il était situé.

– J'aimerais beaucoup visiter l'Académie française, a poursuivi Zoé, voir sa fameuse coupole de l'intérieur.

– Je peux vous la montrer, un matin. Les académiciens n'arrivent jamais avant onze heures trente.

– Moi aussi, je serais curieux de la voir, a dit l'ambassadeur.

– On n'a qu'à y aller ensemble ! s'est emballée Zoé.

Il ne restait plus que très peu de clients. Comme la première fois, Maria a bu un verre avec nous. Nous avions vidé la moitié de la bouteille de raki. Zoé, qui avait décidément oublié qu'elle était peu de temps auparavant pressée de partir, s'est réjouie en apprenant que Maria était née à Ithaque.

– J'ai passé de merveilleux moments à Ithaque, nous a-t-elle confessé. Je n'ai pas bien vu l'île, car je sortais très peu de ma chambre d'hôtel. Il faut dire que j'étais en excellente compagnie.

Aliki a fait une moue de scepticisme en tournant la tête de côté.

– L'hôtel se trouvait rue du Cheval-de-Troie.

– Il existe une rue du Cheval-de-Troie à Ithaque ? a dit Paul interloqué.

– Bien sûr ! Vous pouvez demander à Maria. C'est tout naturel, d'ailleurs, puisque le cheval de Troie est une invention d'Ulysse, qui était le roi de l'île.

– On s'en va ? a dit Aliki.

– Mais on est très bien ici ! a protesté sa mère. Où qu'on aille, tu n'es contente que quand on s'en va. Tu n'es donc bien nulle part ?

– C'est vrai que je n'aime pas m'attarder, même quand je n'ai rien à faire ailleurs. Il se peut effectivement que je ne sois bien nulle part. Il n'y aurait pas autant de monde dans les rues si les gens étaient heureux chez eux.

Nous avons commandé des cafés. Paul a demandé un café turc.

– On ne l'appelle plus turc, mais grec, l'a corrigé Maria.

– Un grec, alors… Tout le monde est attaché à sa langue comme à une bouée de sauvetage. À l'époque de l'apartheid, en Afrique du Sud, bien des Noirs ont donné leur vie afin d'imposer l'enseignement de leur idiome dans les écoles. L'une des principales réformes de Kemal Atatürk, le premier président de la République turque, a été l'abolition de la langue savante de l'Empire ottoman, qui était truffée de termes arabes et perses, au profit de la langue turque traditionnelle. Comme celle-ci manquait de prestige, il a bien fallu trouver un moyen de la mettre en valeur. Appelés en renfort, les linguistes proches du pouvoir ont soutenu que le turc était le premier idiome créé et que le premier mot était *ag*, qui voulait dire « soleil ».

– Mon Dieu, comment des Turcs ont-ils pu affirmer une chose pareille ? a demandé Maria d'une voix étranglée.

– Ils ne l'affirment plus, l'a rassurée Paul. Après la mort d'Atatürk, en 1938, cette théorie a été enterrée. Vous voyez, a-t-il poursuivi en se tournant vers moi, je vous ai trouvé un premier mot. Je suis certain que vous en découvrirez d'autres.

– Moi aussi, j'en ai un à vous proposer, m'a dit Jean-Christophe. Un auteur français, Jean-Pierre Brisset, écrivait il y a un siècle que nous descendons de la grenouille et que le premier mot était « croax-croax ».

– Miltiadis nous avait parlé de lui, s'est souvenue Aliki.

– Il pensait que « croax-croax » exprime le trouble que ressent la grenouille lorsqu'elle découvre sa sexualité.

– En Grèce, les grenouilles font plutôt « coax-coax », est intervenue Natalia. Elles disent également « vrekekex ». Il se peut que « vrekekex » signifie « quoi de neuf ? » et que « coax-coax » soit la réponse, « comme ci, comme ça ».

– Les parlers régionaux ne sont pas persécutés uniquement en France, a dit l'ambassadeur. Les autorités grecques ignorent qu'on parle diverses langues sur le territoire national, de la même façon que les Turcs refusaient jusqu'à une date récente d'admettre l'existence du kurde. L'Espagne range l'andalou parmi les dialectes alors qu'il s'agit, si je ne me trompe, d'une langue à part entière.

– Les Chinois suivent la même politique, ils ne reconnaissent ni le cantonais, ni le shanghaïen comme des langues étrangères, a renchéri Jean-Christophe.

Je me suis souvenue qu'il avait fait une partie de ses études en Chine. J'ai aussi songé au gigantesque paquet de cigarettes dont il avait rêvé après avoir arrêté de fumer.

– En mandarin, « moi » se dit *wo*, en cantonais *nga* et en shanghaïen *ala*. Mais le contraire se produit aussi, je veux dire qu'un dialecte soit érigé, arbitrairement, en langue autonome. Les Norvégiens utilisent un dialecte danois, mais le nient obstinément, tout comme les Croates, depuis qu'ils disposent d'un État indépendant, contestent qu'ils s'expriment en serbo-croate, qu'ils parlent la même langue que les Serbes. La différence entre un idiome et un dialecte, c'est que le premier a derrière lui une armée, tandis que le second est sans défense. Le basque constitue un cas à part car il survit tout seul depuis des millénaires. C'est une langue sans famille, antérieure à l'époque où l'indo-européen a pris racine sur notre continent, qui date du temps où nous vivions de la chasse. J'ai acheté cet après-midi un dictionnaire français-basque.

Il est allé jusqu'au portemanteau, qui se trouve à gauche de l'entrée, et a retiré le dictionnaire de la poche de son blouson. C'était un gros livre bleu de format moyen. Je l'ai compulsé moi aussi afin de découvrir une nouvelle version du mot « malheur ».

– Qu'est-ce que tu regardes ? m'a demandé Jean-Christophe.

J'ai été ravie de l'entendre enfin me tutoyer. Pourquoi les Français préfèrent-ils vouvoyer leurs interlocuteurs ? Est-ce par respect ou par défiance ?

– Le mot « malheur », les Basques l'appellent *zorigaitz*.

– Comme c'est étrange ! a commenté l'ambassadeur. Le mot *zori* existe aussi chez nous et il signifie « difficulté ». Nous l'avons emprunté aux Turcs.

Le dictionnaire était entre les mains de Zoé, qui l'a feuilleté un long moment.

– Tu l'apprends par cœur ? a ironisé Aliki.

– Je cherche le mot « pipi »… En basque, on dit *txiza*.

– Mais nous avons à peu près le même mot en grec, *tsissa* ! a relevé Natalia, vivement impressionnée.

– C'est vrai, je l'avais oublié, a admis Zoé.

– Peut-être parlons-nous tous la même langue sans le savoir, a plaisanté Jean-Christophe.

J'ai demandé l'addition. J'avais hâte de rentrer à la maison pour prendre quelques notes. Je prévoyais que ce travail me prendrait facilement deux heures.

– Paul a un ami qui soutient que toutes les langues sont nées d'un seul idiome, que nous avons d'une certaine façon six mille langues maternelles.

Malgré mon souhait de voir la discussion s'achever au plus vite, je lui ai posé encore une question :

– Si j'allais en Chine et si j'écoutais les Chinois avec toute l'attention dont je suis capable, tu crois que je comprendrais quelque chose ?

– Sans doute pas. Les seuls mots que tu pourrais reconnaître seraient des emprunts aux langues européennes. Mais tu aurais du mal à les saisir car ils les prononcent différemment, ils ajoutent toujours une voyelle entre les consonnes qui se suivent et remplacent le *r* par le *l*.

– Comme les Japonais ! n'ai-je pas manqué de faire remarquer.

– «Démocratie» se dit *de mo ke la si ya*, «logique» *luo ji*, «prolétariat» *pu luo lie ta li ya*. Ce mot, très en vogue sous Mao, a été remplacé par l'association des termes «peuple» et «souverain», *min zhu*. «Paris» se nomme en chinois *Ba li*.

L'épilogue a à peine duré cinq minutes. Nous avons remercié l'ambassadeur qui avait payé les trois additions. Je me suis enhardie jusqu'à avouer à Marie-Claire que je désirais connaître le nom du médecin suisse qui avait fabriqué le mot «nostalgie», ainsi que l'étymologie de la comptine *Am stram gram*.

– Je tâcherai de me renseigner, m'a-t-elle promis en me donnant sa carte. Appelez-moi d'ici quelques jours.

Paul m'a fait la confidence qu'il avait décidé de se rendre en Lettonie et qu'il avait déjà eu une conversation téléphonique avec la jeune fille qui parle le livonien.

– En quelle langue avez-vous parlé avec elle ?

Il m'a considérée d'un air de profonde surprise, en écarquillant les yeux.

– Je ne m'en souviens plus, a-t-il fini par m'avouer.

Natalia a ignoré la main que lui tendait Aliki et l'a embrassée chaleureusement sur les deux joues. Le sombre pressentiment de Théano ne s'est pas vérifié. Patrick était rentré chez lui. Mais sur le trottoir restaient éparpillés les éclats d'un verre de raki brisé.

On dit que les hommes primitifs se sont dressés sur leurs pieds pour voir au-delà des hautes herbes qui les entouraient dans la savane, de façon à repérer à temps les prédateurs qui pouvaient les menacer. Mais pourquoi aucun autre animal n'a-t-il adopté cette posture ? Les chimpanzés aussi sont capables de se mettre debout mais, dès qu'ils aperçoivent un danger, ils détalent à quatre pattes. La bipédie ne va pas sans inconvénients : c'est moins grave d'être blessé à une patte quand on en dispose de quatre. Elle met par ailleurs le cœur à rude épreuve, puisqu'elle l'oblige à envoyer le sang en hauteur jusqu'au cerveau. Les maladies cardio-vasculaires sont moins répandues chez les animaux que chez les hommes.

Il semble que les australopithèques ne se sont pas levés pour mieux voir la terre mais le ciel. Ils repéraient les charognes en observant les cercles décrits dans le ciel par les rapaces. Ils devaient dépouiller les bêtes mortes et récupérer leur viande avant la fin du ballet des oiseaux. C'est dire qu'ils couraient beaucoup, ce qui leur a permis de développer leurs poumons et d'acquérir une endurance bien supérieure à celle des autres animaux. Les lions sont certes rapides, cependant au bout de cent mètres ils s'arrêtent, essoufflés, trempés de sueur. S'ils n'arrivent pas à s'emparer de leur proie sur cette distance, ils la laissent vivre.

D'aucuns pensent que la libération des mains a contribué de façon décisive au développement du cerveau. Ils considèrent les outils de pierre des hominidés comme des œuvres d'art. Faut-il admettre qu'on a besoin du langage pour imaginer l'efficacité d'une arme et pour enseigner son art aux plus jeunes ? D'autres observent que les artisans, même ceux d'aujourd'hui, sont peu bavards. La formation qu'ils dispensent à leurs apprentis a un caractère pratique et se passe généralement de mots. Ils soutiennent qu'on peut organiser une partie de chasse sans se parler. Les chimpanzés, encore eux, s'entendent parfaitement lorsqu'il s'agit de traquer les petits singes. Ils savent également fabriquer l'outil qui leur est nécessaire pour sortir un termite de son trou.

– Les chimpanzés de l'Afrique de l'Ouest ont mis sur pied des ateliers où ils cassent des noix de coco, m'a dit Bernard, l'ami de Marylène. Ils utilisent des pierres dures en quartzite.

Ce n'est pas tant l'usage de ses mains qui a permis à l'*Homo erectus* d'évoluer que le changement de son régime alimentaire. Il est unanimement admis que les protéines recelées par la viande ont accru son intelligence et qu'il a fait un saut supplémentaire sur la voie de son épanouissement intellectuel en découvrant le feu. J'ai appris que les aliments cuits sont bien meilleurs pour l'organisme et naturellement pour le cerveau. Ils sont surtout plus faciles à digérer. Le feu lui a donc fait gagner de précieuses heures de liberté, qu'il consacrait auparavant, comme les autres animaux, à une digestion laborieuse. Il lui a permis de se livrer à de nouvelles activités, il lui a enfin donné le temps de réfléchir.

Voilà ce que m'exposait Bernard pendant que nous déambulions entre les vitrines de l'Institut de paléontologie. Dans l'une d'elles j'ai vu une statuette d'un blanc crémeux d'une vingtaine de centimètres de hauteur, qui représentait un homme debout à tête de lion. Il était doté d'un sexe relativement important, mais nettement moins bien travaillé que le reste de son corps et que sa tête. L'idée de Marylène selon laquelle les hommes et les animaux ne vivaient pas alors dans deux mondes différents m'est revenue à l'esprit. C'était l'œuvre d'un *Homo sapiens*, puisqu'elle datait de trente-cinq mille ans avant notre ère. Elle était en ivoire de mammouth et avait été découverte à Stadel, en Allemagne.

– La sculpture préhistorique s'intéresse beaucoup moins aux hommes qu'aux femmes, m'a informée mon accompagnateur. Elle a un faible très marqué pour les femmes ayant de gros seins et un gros ventre que les paléontologues appellent des « Vénus ».

Il m'en a montré une qui présentait cette particularité que son torse était prolongé par un autre buste, sculpté à l'envers, qui possédait lui aussi une tête. Elle était accolée à son double, à la manière des dames du jeu de cartes. Elle venait des Pyrénées et était âgée de vingt-trois mille ans.

– Les *Homo sapiens* peignaient presque exclusivement des animaux dans les grottes. Ils les dessinaient avec une grande précision, il est manifeste qu'ils les avaient étudiés, qu'ils connaissaient très bien les bisons, les rhinocéros, les chevaux, les ours… Tous les objets exposés ici sont des moulages. Si vous voulez voir les originaux, vous devrez aller au musée de Saint-Germain-en-Laye, à l'extérieur de Paris.

Je savais qu'il avait débuté sa carrière comme mathématicien, mais je ne lui ai pas demandé comment il en était arrivé à étudier la linguistique, les hominidés et les grands singes. Je lui ai posé la question que Marylène avait laissée sans réponse :

– Est-ce que les grands singes savent dire « non » ?

– Ils le disent à leur façon, lorsqu'ils transgressent les règles de leur groupe, lorsqu'ils volent par exemple, qu'ils se battent ou qu'ils importunent les femelles. Il leur arrive encore de s'opposer à leur chef pour prendre sa place. Notez cependant que le combat qui s'ensuit n'est jamais mortel. Il s'arrête dès que l'un des antagonistes parvient à terrasser l'autre. Les grands singes sont extrêmement violents quand ils se heurtent à des bandes rivales, mais pas quand ils se mesurent entre eux. Ils savent qu'une guerre civile serait catastrophique pour tous. « Comment le savent-ils ? » me direz-vous. D'instinct, je suppose.

» Ils ne sont pas fous, ils sont juste malins. Si vous cachez dans la terre des bananes en présence d'un singe isolé de son groupe, savez-vous ce qu'il fera ? Il rejoindra ses compagnons et s'arrangera pour les éloigner de l'endroit. Aussitôt son but atteint, il reviendra sur ses pas et mangera seul les bananes. Ce sont des animaux surprenants, égocentriques et compatissants en même temps. Ils lèchent pendant des heures la plaie d'un des leurs jusqu'à ce qu'elle cicatrise. La salive agit comme un antibiotique. Leur cerveau n'est pas aussi gros que le nôtre, il est clair cependant qu'ils ne sont pas privés de raison. Le singe vervet, qui vit au Kenya et en Éthiopie, émet trois cris différents pour prévenir ses amis de l'imminence d'un danger : l'un indique que la menace vient d'un aigle, l'autre d'un léopard et le troisième d'un serpent. Ce dernier cri équivaut à la recommandation de grimper dans les arbres. Il peut arriver toutefois qu'un singe le lance hors de propos.

– Pourquoi ferait-il cela ?

– Mais pour manger les bananes !

Nous sommes entrés dans la bibliothèque, une grande salle au plafond surélevé. Un balcon étroit courait à mi-hauteur le long des trois murs chargés de livres. Le quatrième mur était remplacé par une verrière à travers laquelle j'ai pu voir la fenêtre du studio de Miltiadis. Autour de la grande table placée au centre de la pièce étaient assis quelques gamins et une dame qui était peut-être leur professeur. Un des enfants feuilletait un album sur les mammouths. La bibliothécaire, une jeune femme brune aux cheveux rebelles, a eu l'amabilité de nous préparer du café. Ce n'était pas la première fois qu'elle voyait Bernard, bien sûr.

– Pensez-vous que la théorie de Darwin serait mieux reçue si nous connaissions davantage les grands singes ?

– Certainement. L'étude systématique des primates a fait ses débuts dans les années 60, un siècle après la publication de *L'Origine des espèces*. Il y a d'autres animaux d'ailleurs qui possèdent un genre d'intelligence. Les loups savent compter : lorsqu'ils voient quatre cerfs se cacher derrière un rocher et peu après trois d'entre eux prendre la fuite, ils devinent que le quatrième est resté à sa place. Les corbeaux de Nouvelle-Calédonie apprennent à leurs petits à exécuter des tâches délicates avec une brindille. L'enseignement de Darwin contrarie non seulement les convictions relatives à la création de l'homme, mais aussi la distinction radicale qu'opère Descartes entre la matière et l'esprit, le corps et l'âme. Il se focalise sur ce qui différencie l'homme de l'animal, qu'il considère comme une espèce d'automate, et méconnaît ce qui les rapproche... Lorsque les macaques décident de se déplacer, ils choisissent tous ensemble, démocratiquement en quelque sorte, la direction qu'ils vont prendre. Le chef est le premier à voter, en faisant quelques pas. Un autre singe s'avance dans une direction différente. Le reste de la bande se rassemble peu à peu soit autour du chef, soit autour de l'objecteur. La décision qui l'emportera finalement et s'imposera à tout le monde sera celle choisie par le plus important des deux groupes.

– Les singes aussi savent donc compter, ai-je remarqué.

Une vive excitation a gagné soudain mon voisin le plus proche. Il examinait un énorme mammouth qui occupait une double page. Il a montré à ses camarades le pli que formait la peau de l'animal au-dessus de son derrière. Son effervescence a attiré l'attention de la dame.

– Effectivement, les mammouths avaient un pli à cet endroit qui protégeait leur anus du froid, a-t-elle expliqué en conservant tout son sérieux.

J'ai perçu un mouvement à la fenêtre du studio, qui n'était sans doute que le reflet d'un oiseau de passage. J'ai dit cependant à mon frère :

– Il me semble que je n'en ai plus pour long-temps.

– C'est ce que je crois aussi. Il te reste néan-moins un bout de chemin encore.

– Les organes phonatoires du singe produisent une gamme de sons bien plus limitée que celle de l'homme, a repris Bernard. Nous avons un tho-rax plus large, une cavité buccale plus grande et notre larynx est placé nettement plus bas que le sien. La parole implique la coopération de plu-sieurs organes et naturellement du cerveau. Mais cela ne nous dit pas pourquoi nous nous sommes mis à parler.

Le jeune garçon avait abandonné l'album sur les mammouths et en avait ouvert un autre qui pré-sentait un échantillon des réalisations des hommes préhistoriques. J'ai pu entrevoir la statue de cou-leur verte d'une femme élancée qui avait un ventre proéminent comme un ballon et un derrière aussi gros. On aurait dit qu'elle était enceinte des deux côtés. Elle se tenait absolument droite, comme si son corps ne lui pesait guère. Elle avait une poi-trine juste un peu forte. Malheureusement, les traits de sa physionomie étaient effacés, comme usés par le temps. Le jeune homme s'était rendu compte de mon intérêt et ne s'est pas empressé de tourner la page.

– C'est l'une des Vénus les plus célèbres. On l'appelle « polichinelle », *pulcinella* en italien, nom d'un personnage de la commedia dell'arte ventru et bossu à la fois. On l'a trouvée en Italie, près de la frontière française. À mon humble avis, elle a davantage l'air d'une déesse que d'une créature comique. « Pulcinella » est évidemment un nom charmant.

– On pourrait revenir à notre sujet, qu'en pensez-vous ?

– Plusieurs anthropologues sont convaincus que nous avons parlé très tôt, il y a un million d'années peut-être, comme Tarzan, en alignant au hasard des mots qui se seraient ordonnés progressivement jusqu'à former une langue, de la même façon que le pidgin a accouché du créole. Selon cette thèse, les premiers mots répondaient à un besoin d'information. Mais comme je vous l'ai dit, les singes échangent des renseignements sans parler pour autant. Ils gesticulent énormément. Pour demander une chose, ils tendent la main comme les mendiants.

» D'autres pensent que nous avons parlé beaucoup plus récemment, après notre départ d'Afrique, et que le premier à parler a été l'*Homo sapiens*, le plus vif et le plus proche de nos ancêtres.

L'idée de Théano selon laquelle l'humanité a d'abord chanté m'est revenue à l'esprit, et j'ai demandé à Bernard s'il la jugeait plausible.

– Un grand nombre de langues d'Afrique, d'Asie et d'Amérique, comme l'algonquin et l'iroquois, sont des langues à tons, qui font varier la hauteur de la voix d'une syllabe à l'autre. Cela leur confère une certaine musicalité qui est peut-être le souvenir d'une très vieille chanson qu'entonnaient nos ancêtres pendant leur voyage d'Afrique vers l'Europe et l'Asie. On peut penser qu'ils se déplaçaient surtout la nuit pour échapper à la chaleur accablante du jour. Chanter était peut-être un moyen de tenir les félins à distance. Je songe à une cacophonie d'airs menaçants, guerriers, sans paroles probablement.

» Je crois qu'ils ont parlé pour évoquer une chose invisible qu'ils ne pouvaient pas montrer du doigt. Ils rêvaient sans doute et devaient ressentir le matin le besoin de raconter leurs rêves. Ils devaient bien revisiter le passé de temps en temps, se remémorer les péripéties qu'ils avaient vécues. Je les imagine comme des immigrés qui se retrouvent au café après leur journée de travail et discutent du pays. Ils ne se souvenaient plus de l'Afrique puisque leur voyage avait duré des millénaires, mais ils se rappelaient certainement le dernier endroit où ils s'étaient arrêtés, où certains avaient trouvé la mort et d'autres étaient nés. On sait qu'ils avaient des égards pour leurs morts, qu'ils déposaient dans leurs tombes des armes et de la nourriture comme s'ils étaient eux aussi des voyageurs.

» D'autres croient savoir qu'ils ont parlé avant tout pour enrayer les conflits qui mettaient en péril leur groupe et dont leur instinct ne les protégeait plus. Le premier mot a été prononcé lors d'une crise par un homme âgé qui savait d'expérience les conséquences funestes que pareilles situations avaient eues dans le passé. Il a été le point de départ d'un mythe instaurant quelques barrières morales, interdisant par exemple le meurtre ou l'anthropophagie.

J'ai songé également à la supposition de Bouvier que le premier mot avait été engendré dans un climat de panique. Je n'étais pas la seule à écouter Bernard : ses propos avaient retenu l'attention des enfants et de leur accompagnatrice. Il avait d'ailleurs tourné légèrement sa chaise et s'adressait également à eux.

– Selon Piaget le premier mot n'a pas surgi tout seul. On peut imaginer que le vieil homme qui a pris la parole pour empêcher une tragédie a énoncé une phrase semblable à celle qui introduit les contes : « Il était une fois... » Toutes les fables sont imprégnées de valeurs morales.

– Il a peut-être dit « autrefois », ai-je suggéré.

– « Autrefois, ailleurs », a-t-il complété.

Je me suis rendu compte que la lettre initiale de ces deux mots était le *a*, dans leur forme écrite tout au moins. En grec aussi ils commencent par la même lettre : *allotè*, *allou*.

– Après avoir quitté l'Afrique certains *Homo sapiens* ont gagné l'Asie et sont arrivés jusqu'en Australie. Ils ont entrepris la conquête des mers en n'apercevant que de vagues îlots à l'horizon. Ils ont fait preuve d'une opiniâtreté remarquable. Sans doute avaient-ils en tête un mythe relatif au soleil et au levant. Ils rêvaient d'atteindre le pays du soleil. Ils étaient infiniment curieux de l'inconnu.

Les enfants étaient sous le charme, ainsi que la dame. Elle avait croisé ses doigts sur la table comme une bonne élève.

– Quand on est disposé à voyager longtemps, on est sûr d'arriver quelque part, n'est-ce pas ? ai-je interrogé.

« Il faut absolument que je regarde le mot *hélios* dans le dictionnaire étymologique, me suis-je souvenue. J'espère que lui au moins est grec. »

– Je dirais plutôt qu'ils se sont mis en route en étant convaincus que leur aventure avait un sens.

– Marylène croit que le premier mot a été « hier ».

– Rien de bien important n'a pu se produire si récemment sans que tout le monde soit au courant. « Hier » annonce un événement mineur, un commérage probablement. Il est dans les habitudes des grands singes d'informer leur chef lorsqu'ils constatent qu'une de ses femelles le trompe... Un ami à moi assure que nous avons commencé à parler sans raison, pour passer le temps. Le feu n'a pas seulement allongé les jours en réduisant le temps de la digestion, mais aussi les nuits. J'imagine les *Homo sapiens*, concentrés sur le feu et sur leurs ombres dansant alentour au rythme des flammes. Mais, d'après mon expérience, le spectacle du feu donne plus envie de se taire que de parler.

404

– Les flammes m'hypnotisent, nous a soudain avoué la dame. Je m'endormirais même, si les craquements du bois ne faisaient tant de bruit. Le feu m'endort et m'empêche de dormir.

Cette intervention inattendue m'a laissé penser que les *Homo sapiens* avaient dû être profondément surpris en entendant l'un d'eux dire un mot pour la première fois. J'ai supposé qu'ils le lui ont fait répéter à plusieurs reprises avant de le comprendre et de l'adopter. Le premier mot a certainement eu quelque succès puisqu'il a été suivi par un deuxième et un troisième.

– Un autre de mes confrères proclame que le mobile du premier orateur était de s'imposer à ses camarades, de faire valoir sa stature de chef. Aristote dit que l'homme est par nature un animal politique. Le premier mot, suivant cette hypothèse, pourrait être « moi ».

La dame a pris de nouveau la parole :

– J'ai remarqué que les femmes sont particulièrement sensibles à l'éloquence. La clientèle des écrivains se compose essentiellement de femmes. C'est nous qui faisons vivre les auteurs ! a-t-elle conclu avec exaltation.

Marylène a pénétré précipitamment dans la salle. Elle a d'abord salué la dame, qu'elle a embrassée.

– C'est mon amie Chantal, nous a-t-elle dit.

« Voilà enfin un nom qui ne commence pas par un *m.* »

Elle a ensuite embrassé Bernard.

– Tu ne lui as pas dit, j'espère, que l'homme de Neandertal ne parlait pas ?

– Non, mais j'allais le faire ! Je crois qu'il a disparu justement parce qu'il était incapable de forger les mythes qui auraient préservé sa société de la violence de ses membres. Marylène est convaincue, a-t-il poursuivi en nous prenant à témoin, qu'il était plus civilisé que l'homme de Cro-Magnon, plus sensible.

– Qui était-ce, Cro-Magnon ? a questionné l'un des enfants.

– Ton arrière-grand-père ! lui a répondu Marylène. Ses restes ont été localisés à Cro-Magnon, en Dordogne.

Son arrivée avait rendu Bernard plus alerte, plus enjoué. Ils avaient le même âge, ils s'étaient connus peut-être quand ils faisaient leurs études. J'ai tenté de me les représenter tels qu'ils étaient alors, je les ai installés à la terrasse d'un café place de la Sorbonne. Je n'avais pas omis de prendre avec moi la photo de Miltiadis que je devais à Marylène, je l'avais mise dans une enveloppe.

– J'étais avec un inspecteur des Finances, nous a-t-elle dit. La recherche scientifique n'intéresse les représentants du pouvoir que dans la mesure où elle peut rapporter de l'argent. Cet homme avait découvert qu'une exposition sur les mammouths que nous avions organisée il y a un certain temps avait eu beaucoup de succès et m'a recommandé de cultiver la curiosité du public pour les animaux préhistoriques. J'ai dû lui rappeler que des films comme *La Guerre du feu*, qui ressuscitent la vie de nos ancêtres, touchaient également un vaste public. « Est-il vrai que nous avons une origine africaine ? m'a-t-il demandé d'une moue dubitative. – C'est très probable ! » lui ai-je annoncé gaiement.

– Sarkozy voit les Africains comme des enfants qui n'ont pas grandi, qui restent attachés à des coutumes puériles réglées par l'alternance des saisons, a dit Bernard. Ils ont raté le train de l'histoire et sont même incapables d'imaginer l'avenir. « Vous avez besoin d'une Renaissance », les a avertis le président français dans le discours qu'il a prononcé à Dakar en juillet dernier. Il leur a recommandé d'apprendre le français, langue à vocation universelle riche en vocabulaire abstrait, par opposition aux idiomes locaux, dont il ne connaît pas un mot naturellement, et d'adopter les valeurs de l'Occident moderne. Il a donné une image de l'Afrique qui n'était pas très différente de celle qui avait cours en France au XIXe siècle. Il a souligné que les colonisateurs n'étaient pas tous des voleurs et que certains ont même contribué au développement du continent noir. Il a passé sous silence la question du dédommagement que la France doit aux pays qu'elle a vampirisés pendant des décennies.

« Il se serait très bien entendu avec Miltiadis. »

Chantal a fait remarquer que l'histoire était la matière préférée des enfants. La plupart des gamins qui l'entouraient ont acquiescé.

— Nous avons tous besoin de savoir d'où nous venons, a confirmé Marylène en reprenant la première phrase de son livre.

— Il est vrai que le présent ne nous suffit pas, a dit Bernard. Mais pourquoi donc ? Peut-être parce qu'il est un peu fastidieux. Nous vivons avec un pied hors de la réalité, nous menons une double vie. Le présent n'est que le témoin d'un dialogue sans fin entre notre mémoire et notre imagination. Nous avons besoin d'histoires. Le premier homme qui a parlé, je le nommerais volontiers *Homo narrans*.

J'ai pensé que Bouvier avait vécu la plus grande partie de sa vie en marge de la réalité. Les enfants ont demandé l'autorisation d'aller jouer dans la cour de l'Institut.

— Mettez vos bonnets, leur a recommandé Chantal.

— On peut savoir qui t'a dit à toi que le premier mot était « hier » ?

— Personne ! a reconnu Marylène en souriant. Je voulais expliquer à notre amie que le langage nous permet de faire des sauts dans le temps. J'ai lu quelque part une phrase, que j'ai recopiée, qui montre que cette gymnastique est pour nous un jeu d'enfant.

Elle a sorti un papier de son sac.

— Écoutez : « *Pendant qu'il faisait l'amour avec Virginie qu'il n'avait pas vue depuis l'été précédent, il a songé à Valérie qui lui avait donné*

*rendez-vous une semaine plus tard, le lendemain
du départ de son mari pour les Antilles. »*

– Je peux te dire où tu l'as lue ! a protesté
Bernard. Dans un de mes articles ! C'est moi qui
l'ai écrite !

J'ai cessé de les entendre. Je me suis souvenue
de l'oiseau que j'avais observé sur mon balcon à
Athènes et qui m'avait donné l'idée que les mots
reviennent toujours à leur point de départ. J'ai eu
la nostalgie de mon appartement.

– Je ne vais pas tarder à rentrer, ai-je dit à
Miltiadis. Tu sais ce que je ferai en arrivant ?

– Tu iras à Callithéa. Crois-tu que le mûrier est
toujours là ?

– J'en suis certaine.

Marylène se livrait à un étrange exercice : elle
faisait divers bruits avec sa langue, un peu comme
on s'adresse à un cheval.

– Ces sons font partie de la langue des
Bushmen, au même titre que les consonnes et les
voyelles, ce qui explique qu'on l'appelle « langue
à clics ». Tu as peut-être vu ces hommes dans un
film sud-africain qui s'intitulait *Les dieux sont
tombés sur la tête*. Ce sont des gens de petite taille,
comme les Pygmées.

– J'aimerais bien en savoir plus sur ce mode
d'expression.

– Je ne sais pas si tu auras le temps. Les
Bushmen, qui habitent le désert du Kalahari, sont
en voie d'extinction. Leur nombre est passé au

cours du siècle dernier de deux cent mille à sept mille.

Bernard s'est tourné vers moi.

– Certains Danois prétendent que la plus ancienne langue du monde est la leur. Je le sais par ma femme.

– Et elle, comment le sait-elle ?

– Mais elle est danoise !

Nous nous sommes levés tous en même temps. J'ai passé l'enveloppe à Marylène qui m'a remerciée chaleureusement et l'a fait disparaître dans la poche de sa gabardine. Puis elle a regardé la fenêtre du studio.

– Toute manifestation humaine est une énigme, m'a encore dit Bernard tandis que nous descendions le grand escalier de marbre. Pourquoi les *Homo sapiens* laissaient-ils l'empreinte de leurs mains sur les parois des grottes ? Et pourquoi plantaient-ils des statuettes à l'entrée de leurs habitations ?

Il m'a conseillé une nouvelle fois de visiter le musée de Saint-Germain-en-Laye.

Jeudi, 7 février. Aliki m'a rendu visite de bonne heure, chargée de caisses en carton. Elle voulait qu'on déménage dans la journée le reste des affaires de mon frère au boulevard Haussmann. Elle compte repeindre le studio après mon départ et le louer. Sa situation économique n'est pas brillante. Son père le sait sans doute, car il lui a offert trois œuvres de peintres grecs parmi les plus cotés. Elle n'ose pas les mettre en vente cependant, car elle est persuadée que Philippe les a sorties frauduleusement de Grèce comme les autres peintures qui sont en sa possession, qu'il ne les a jamais payées. Je lui ai proposé de l'aider, jusqu'à ce qu'elle commence à percevoir sa pension de réversion.

– Comment se fait-il que tu aies tant d'argent ? m'a-t-elle interpellée d'un air sombre.

Elle sait pertinemment que mes revenus proviennent des deux appartements que je loue et de mon travail.

– Je n'ai pas beaucoup de dépenses. Les matériaux dont j'ai besoin, je les trouve le plus souvent par terre.

Elle ira à Madagascar à la fin du mois. Je suppose que c'est son ami qui prendra en charge le billet.

Il est sûr désormais que Théano viendra à Athènes dès qu'elle aura fini les enregistrements pour la SNCF. Elle touchera vingt mille euros qui lui permettront de vivre un certain temps, en attendant que le Centre du cinéma grec prenne une décision à son sujet.

Aliki avait hâte de finir le travail, elle jetait un peu n'importe comment les affaires dans les caisses. Je me suis chargée de les ranger un peu mieux.

– Ne les bourre pas trop car on ne pourra pas les porter, m'a-t-elle conseillé.

411

Heureusement, elle avait pu se garer devant la porte de l'immeuble. Elle m'a autorisée à prendre ce que je voulais. J'avais déjà caché dans mon sac un bon paquet de lettres, les unes signées de femmes inconnues, les autres écrites par mes parents et par moi-même. J'avais gardé également la photo de Géorgios et Irini sur le pont d'un bateau, de Miltiadis sur la remise d'Agni, et celle où il est au Pérou en compagnie d'une blonde. Je lui ai demandé seulement le diction-naire étymologique de Chantraine et deux tasses portant la vignette du Byzance, le fameux café athénien qui a fermé ses portes dans les années 70 et qui était un des endroits préférés de mon père. Le lance-pierres nous a jetées momentanément dans l'embarras.

– Il est exclu que je le ramène en Grèce, ai-je déclaré.

Nous avons décidé en fin de compte qu'il reviendrait à Théano. Quant au bateau que j'avais fait pour mon frère nous sommes convenus de l'offrir à Audrey, étant donné que j'en construirai un autre pour ma nièce. Audrey héritera égale-ment de la télévision et de la radio. Elle était ren-trée de Bretagne, nous attendions d'ailleurs qu'elle vienne nous aider. Aliki n'envisage pas de la gar-der au-delà du printemps. À cette époque, la jeune fille partira en tournée avec le théâtre des sourds qui présentera *Antigone* dans plusieurs villes de province.

– Elle sera payée pour sa contribution. Ensuite j'imagine qu'elle s'installera chez son ami.

J'ai appris qu'il était sourd lui aussi.

– Les sourds se marient entre eux. Leurs enfants en règle générale n'ont pas de problèmes d'audition, ils leur apprennent néanmoins à signer pour pouvoir converser avec eux. Les enfants des sourds sont les meilleurs interprètes de la langue des signes.

Le studio se dépouillait peu à peu, il perdait un à un ses souvenirs. J'avais la sensation désagréable que nous étions en train de chasser Miltiadis de son refuge. Bien qu'assise par terre, sur un coussin comme dans la chambre à coucher du boulevard Haussmann, j'avais périodiquement des bouffées de fatigue. Je me levais alors et m'étendais sur le canapé.

– Il y a quelque chose qui ne va pas ? me demandait régulièrement Aliki.

– Non, lui répondais-je d'une voix éteinte.

Étais-je fatiguée par les discussions que j'avais suivies ? par les connaissances que j'avais acquises ? par les mots nouveaux que j'avais assimilés ? par les nouvelles personnes qui étaient entrées dans ma vie ? Je me sentais en même temps heureuse de les avoir rencontrées et très flattée d'avoir été leur élève. « C'est peut-être Paris qui m'a éreintée », ai-je pensé.

– Tu l'as trouvé finalement, le premier mot ?

– Non, ai-je répété.

413

Nous travaillions en silence la plupart du temps, comme si nous n'en étions pas à notre premier déménagement et que nous connaissions très bien chacune son rôle.

— Tu ne trouves pas étrange que Théano et Natalia soient devenues inséparables ? m'a-t-elle interrogée un peu plus tard.

— Non.

J'ai songé une fois encore à M. Véronis qui attachait tant d'importance à ce mot, ainsi qu'au grand « Non » formé par les avions dans le ciel de l'Attique lors de la fête nationale, en souvenir du refus de la Grèce d'ouvrir ses frontières à l'Italie en 1940. En même temps, la distance qui sépare le « non » du « oui » m'a paru bien mince. Je me suis remémoré les duels au pistolet que j'avais vus au cinéma, où les adversaires se trouvent au départ dos à dos. « Le "oui" et le "non" sont deux mots qui prennent leurs distances et qui à un moment donné font feu l'un sur l'autre. »

— Tu es contente de rentrer à Athènes ?

J'ai songé que le deuxième mot est né juste après le premier pour le contredire.

— Je me sens beaucoup plus proche de Miltiadis ici, entourée de ceux qu'il aimait. J'ai souvent l'illusion qu'il me parle à travers leurs voix. Je ne serai pas moins triste de m'en aller que lorsqu'il était vivant.

Je partirai le lundi 11 février. J'aurai passé en tout trois semaines à Paris. Malgré la mise en garde de mon frère relative au fait que les lettres que je lui envoyais autrefois et celles que lui écrivaient mes parents pourraient me déprimer, je vais les lire. Et quand la nuit sera tombée, je prendrai un taxi pour Callithéa.

– Je voudrais me rendre dans une autre époque, dirai-je au chauffeur, est-ce possible ?

À mon grand étonnement, il me répondra en français :

– Bien sûr, madame !

– Dans quelque temps Théano habitera tout près de chez toi. Elle parlera aisément le grec, quand moi je l'aurai oublié. Tu as dû remarquer que ma mère fait énormément de fautes. Elle préfère qu'on discute en français.

Elle m'a appris que Zoé avait regagné Montpellier.

– Elle a fini par admettre que l'ambassadeur n'était pas amoureux d'elle et a plié bagage. Elle m'a quand même laissé ses chaussures vertes pour que je les donne à réparer ici. Elle est persuadée que les cordonniers parisiens sont meilleurs que ceux de province. « Un artisan qui voit tous les jours Notre-Dame met forcément plus de cœur à son ouvrage que quelqu'un qui ne la voit pas. » Elle a peut-être raison, non ?

J'observai que certaines parties du parquet étaient fort usées. Elles esquissaient trois itinéraires, dont l'un allait du canapé au bloc-cuisine, l'autre du bloc-cuisine au bureau et le troisième du bureau au canapé. L'usure m'a révélé les trajets que faisait le plus souvent mon frère.

– Tu crois que je vais devenir folle, moi aussi ? Ma mère a au moins une occupation, la haine qu'elle porte à son mari. Il faut absolument que je reprenne du travail, et pas seulement pour arrondir mes fins de mois. Je contacterai tous les architectes et les décorateurs d'intérieur que je connais. Je réviserai les livres que j'étudiais à l'École du Louvre.

Soudain j'ai vu l'insecte noir sortir sous le bureau et se diriger vers une paire de pantoufles rouges qui étaient restées au milieu du plancher. Je ne me suis pas donné la peine de me lever, j'ai avancé à genoux et l'ai pris doucement dans ma main. Aliki a cru que je voulais ranger les pantoufles.

– Je n'en veux pas, m'a-t-elle dit d'une mine dégoûtée. Jette-les dans la poubelle.

J'ai introduit discrètement l'insecte dans mon sac.

– Est-ce que je t'ai dit que j'oublie beaucoup dernièrement ?

– Tu m'as dit que tu perdais tes affaires.

– Je les perds parce que j'oublie où je les ai mises. Je ne perds pas d'ailleurs que mes affaires. Je commence à avoir du mal à retrouver mes mots. J'ai voulu dire à l'ambassadeur qu'il y avait du romarin dans les gâteaux secs que nous a apportés Maria avec le café, mais je n'ai pas réussi à me rappeler ce mot.

– Moi, j'oubliais déjà le romarin quand j'étais jeune, ai-je tenté de la consoler. Il ne me reste que très peu de souvenirs de mon enfance. Je me souviens seulement de la première neige que j'ai vue de ma vie et de certaines de mes camarades. J'ai eu le tort de ne pas cultiver ma mémoire, je me fiais à Miltiadis, «Je vais demander à Miltiadis», me disais-je, et je ne faisais aucun effort de mémorisation. Je me souviens mieux de mes rêves que de ma vie.

– Je revois parfaitement le port de Cos tel qu'il était quand j'avais une dizaine d'années, et un jeune homme un peu attardé qui traînait sur les quais et interrogeait systématiquement les filles : « Tu as mis ta petite culotte ? »

Pour le déjeuner nous nous sommes contentées des restes de nourriture qui se trouvaient dans le frigidaire, nous les avons posés sur le plateau noir.

– Je peux prendre aussi le plateau ?

– Tu peux... Ce n'était pas un homme facile, ton frère. Il y avait de la colère en lui. Il était habité par une colère. Il éclatait pour un rien, parce que les photocopies que lui faisait sa secrétaire n'étaient pas assez nettes, ou à cause d'un retard de cinq minutes. Lui qui avait une nature si généreuse était extrêmement avare de son temps. Il n'oubliait ses obligations qu'au cinéma, ou quand il regardait le foot avec François. Ce n'est pas étonnant qu'il se soit laissé distraire par le film de James Bond que vous avez vu ensemble.

– Est-ce que je t'ai déjà raconté qu'il me battait durement quand nous étions enfants ? Il était tout le temps pressé, en effet, cependant il travaillait posément.

– Il avait besoin de tout son temps pour ne pas avoir à se presser.

Nous avions fait à peu près la moitié du travail. En ouvrant pour la dernière fois les tiroirs du bureau afin de s'assurer qu'ils étaient bien vides, Aliki est tombée sur mon tableau du Christ en croix.

– C'est toi qui as fait ça ?

Elle n'a nullement été scandalisée. Elle a réagi au contraire avec un certain humour.

– Tu ne lui aurais pas mis plus de clous que nécessaire ? a-t-elle commenté en me rendant mon œuvre.

Audrey est arrivée au début de l'après-midi. Elle m'a paru un peu pâle, peut-être parce qu'elle était vêtue de noir. Ses cheveux étaient coiffés en arrière et retenus par une barrette noire. Aliki ne l'a pas grondée pour son retard, elle lui a juste dit quelque chose dans la langue des signes, mais d'un air détendu. Audrey lui a répondu quelque chose d'autre, je veux dire qu'elle n'a répété aucun des gestes d'Aliki. Elle s'est chargée du transport des caisses jusqu'à la voiture. Deux heures plus tard nous avions tout fait disparaître hormis les quelques affaires dont j'aurai besoin pendant les deux jours que je passerai encore ici. Nous sommes entrées toutes les trois dans la voiture et nous avons pris le chemin du boulevard

Haussmann. Il faisait très froid. Aliki m'a prévenue qu'il neigerait les jours suivants.

– Tu ne veux pas que je t'accompagne à l'aéroport ?

– J'ai déjà réservé un taxi.

Je préfère partir seule. Je suis pressée de récapituler les faits marquants de cette période, de façon à pouvoir les raconter à Miltiadis dès que je serai à Athènes.

La Roumaine n'était plus à son poste.

– Il y a quelques jours qu'on ne l'a plus vue, m'a dit Aliki.

Je me suis approchée de l'endroit où elle était assise mais je n'ai aperçu nulle trace de son installation sur le trottoir. Le propriétaire de la cave a ouvert la porte de son magasin. Il a répété les mots d'Aliki, « Il y a plusieurs jours qu'on ne l'a plus vue », en secouant tristement la tête.

– Elle a été emportée par le courant, a-t-il ajouté.

Nous avons fait tant de trajets pour monter les affaires au cinquième étage que je me suis habituée à la voix de la femme de l'ascenseur. La dernière fois que je suis entrée dans la cabine je l'ai écoutée sans la moindre émotion.

– On ne se reverra plus avant ton départ ? m'a demandé Aliki.

J'ai regretté soudain de ne pas l'avoir réconfortée davantage, de ne pas lui avoir consacré plus de temps.

— Je te téléphonerai régulièrement, lui ai-je promis. Aussi souvent que j'appelais Miltiadis.

Elle fera la traduction du journal de mon frère en collaboration avec Jean-Christophe. Bouvier aussi a accepté de contribuer à ce travail : il assurera la correction finale du texte.

Nous étions une fois de plus dans la cuisine. J'ai écrit sur une feuille de papier la phrase « *l'amour est invincible au combat* » et je l'ai montrée à Audrey. Aliki l'a lue également et nous avons toutes les deux attendu le début de la séance. La jeune fille s'est placée à l'autre bout de la table, devant le frigidaire. Elle a tendu les doigts de ses deux mains et les a heurtés les uns contre les autres à plusieurs reprises. « Ça, c'est le combat », ai-je présumé. Ensuite elle a dressé son pouce en arborant un sourire triomphal.

— Elle va nous dire maintenant qui est le vainqueur, m'a expliqué Aliki.

Elle a placé de nouveau ses doigts en vis-à-vis mais sans les tendre, et les a rapprochés amoureusement en caressant leurs extrémités. Elle n'avait pas encore terminé : elle a donné un violent coup de poing en l'air, d'une seule main, en l'orientant plutôt vers le bas. « C'est le coup de grâce que donne l'amour au combat », ai-je supposé.

Je l'ai remerciée en posant ma main sur mon cœur puis en la retournant vers elle. Nous avons échangé nos numéros de portable pour pouvoir nous envoyer des messages écrits. Ne sachant dire que « bonjour » dans la langue de la sculpture de

Centrafrique, je n'ai pas pu la saluer : il faisait déjà nuit.

J'ai pris le temps d'ouvrir le dictionnaire espagnol-maka et de rechercher le mot « papillon » qui, en espagnol, se dit *mariposa* : en maka on dit *folfol*.

J'ai fait encore une chose avant de partir : je suis entrée dans le couloir et j'ai corrigé la position du tableau avec les figurines du théâtre d'ombres. Comme la porte de la chambre à coucher était ouverte, j'ai pu entendre Miltiadis me dire :

– Tu as bien fait.

Samedi soir. C'est l'avant-dernière nuit que je passe dans ce studio. Il ne me sera pas trop difficile de le quitter maintenant qu'il est vide. Il a cessé de me parler. Les bas-reliefs de la façade de l'Institut de paléontologie ne m'amusent plus. J'ai rêvé que les australopithèques avaient traversé la rue, qu'ils avaient grimpé sur cet immeuble et qu'ils me regardaient par la fenêtre.

L'Institut Pasteur n'a que quatre étages. S'il était logé dans un bâtiment plus élevé, disons de cent étages, je serais plus savante à l'heure qu'il est. J'ai eu la chance ce matin, en allant voir Charlotte qui est revenue de son voyage en Afrique du Sud, de prendre l'ascenseur avec Jean-Pierre Changeux. Il s'est souvenu de moi, ce qui m'a permis de lui poser quelques questions. Il a souri quand je lui ai confié que j'étais préoccupée par le problème de l'origine du langage.

– Les haches bifaces d'*Homo erectus* qui sont taillées de façon symétrique des deux côtés montrent qu'il avait un certain goût, une certaine idée du beau. Les peintures pariétales de Lascaux n'ont rien à envier à l'art grec.

Il continuait à sourire. Il portait un large pull-over orange.

– Connaissez-vous le tableau de Titien qui représente la Vierge tenant un lapin et, d'autre part, sainte Anne avec l'Enfant Jésus ? L'Enfant regarde le lapin et la Vierge l'Enfant. Elle est en train de lui apprendre le mot « lapin ».

La conviction de Charlotte selon laquelle les humains auraient d'abord communiqué par le regard m'est revenue en mémoire. Jadis Panayiotis me faisait des scènes terribles parce qu'il considérait que je regardais les hommes « d'une certaine façon ». Heureusement, l'ascenseur était très vieux et montait lentement.

– Pourquoi ne pas reconnaître le premier mot au cri que pousse le singe à l'approche d'un lion ? Il a un caractère symbolique, il ne constitue pas une imitation du rugissement de l'animal. Ce qui est important c'est que les autres singes en comprennent le sens, que la communication soit parachevée. Certains affirment que les primates ne parlent pas de peur que les hommes ne les fassent travailler !

La cabine s'est arrêtée au deuxième étage pour accueillir un homme qui devait faire partie du personnel d'entretien car il était vêtu d'une longue blouse grise. Il était chargé d'une tête de mort, d'un brun très foncé, qu'il portait un peu à la manière de Hamlet.

– On peut se demander néanmoins si les cris, qui sont produits par l'hémisphère droit de l'encéphale, ouvrent la voie à la parole articulée dont le siège, comme vous le savez sans doute, se trouve à gauche, tout près de la région qui contrôle nos mouvements. On pense aujourd'hui que les gestes ont davantage contribué à la formation du langage que les cris.

Nous étions arrivés au quatrième étage. L'homme est resté dans la cabine.

– Mais où allez-vous donc ? l'a questionné le professeur.

– Au sous-sol.

Le bureau de Changeux se trouve dans le même couloir que celui de Charlotte.

– Le crâne que vous venez de voir appartient à un *Homo habilis*. Il est assez nettement plus petit que le nôtre. Je ne crois pas que notre cerveau ait pris sa forme actuelle d'un jour à l'autre. J'imagine plutôt une évolution progressive, peut-être avec certaines accélérations. Il continue de se développer jusqu'à la quinzième année de notre vie. C'est dire que la période où nos lointains ancêtres jouissaient de toutes leurs facultés était bien courte, puisqu'ils mouraient à trente ans.

Devant la porte de Charlotte je lui ai soumis un problème qui m'avait intriguée quelque temps auparavant.

– Jusqu'à quel âge sommes-nous aptes à apprendre ?

– Le temps réduit nos capacités intellectuelles en détruisant les cellules du cerveau, mais il nous fait mûrir en même temps. Les hommes âgés ont l'avantage de l'expérience qu'ils ont acquise, ils distinguent mieux ce qui est important de ce qui ne l'est pas. Les sociétés africaines le savent bien, tandis que les nôtres persistent à l'ignorer. La sobriété des œuvres réalisées par Matisse dans son grand âge est admirable.

Je lui ai avoué que jamais de ma vie je n'avais appris autant de choses en si peu de temps et je l'ai remercié pour le livre qu'il m'avait offert.

– Au plaisir, m'a-t-il dit, et il a poursuivi d'un pas alerte son chemin.

J'ai pénétré dans une pièce étouffante, encombrée à outrance. Seule la tête de Charlotte était visible derrière les papiers et les livres qui occupaient son bureau. En me penchant par-dessus ces piles pour l'embrasser j'ai constaté qu'elle avait sous les yeux le sudoku du *Monde*. Elle était coincée entre deux écrans d'ordinateur. Au sommet de la bibliothèque, dont tous les rayons ployaient sous le poids des documents, j'ai vu encore un crâne qui, lui, était gris-jaune. Il y avait juste assez de place pour une chaise entre le bureau et le mur,

424

où était accroché un tableau blanc couvert de signes mystérieux.

– Moi aussi je résous des sudokus, lui ai-je dit.

– Ce n'est pas un mauvais exercice.

Elle m'a parlé un peu de Johannesburg, dont les habitants craignent tellement pour leur vie qu'ils ne circulent pas dans les rues.

– C'est une grande ville complètement déserte.

J'avais demandé à la revoir juste pour obtenir la réponse à une question qui m'était venue à l'esprit je ne sais trop comment : est-ce que le cerveau, qui est une petite usine, fait du bruit ?

– Même s'il en faisait, on ne l'entendrait pas. Mais il n'en fait pas. Cependant les électrodes que nous utilisons pour transcrire son activité peuvent traduire en signaux sonores l'énergie électrique qu'il produit. On entend alors des rafales de mitrailleuse, des rafales courtes, suivies de silences. Il faut croire que le cerveau a besoin de petites pauses, comme tout le monde.

Elle a reçu un coup de téléphone et a aussitôt quitté le bureau. Je n'ai pas résisté à la tentation de jeter un coup d'œil à la grille du sudoku qu'elle avait remplie en partie. Elle avait trouvé les huit chiffres de la troisième rangée, il ne manquait que le neuvième, qui était le quatre. J'ai remis le journal à sa place. Il avait commencé à neiger. Les flocons étaient légers, ils tardaient à se poser sur le macadam de la cour où ils fondaient instantanément.

– Je dois m'en aller, m'a dit Charlotte en regagnant le bureau. Avez-vous besoin d'autres renseignements ?

Pendant qu'elle préparait ses affaires et enfilait son manteau, j'ai voulu savoir si elle était d'accord avec l'opinion généralement admise que les mots ont pris la relève des gestes que nous faisions autrefois.

– Mais nous gesticulons toujours, ne l'avez-vous pas remarqué ? Nous gesticulons même quand nous parlons sur notre portable, bien que notre interlocuteur ne nous voie pas. Les bébés qui agitent beaucoup les mains apprennent à parler plus vite que les autres. Je crois que nous avons inventé le langage articulé parce que la langue des signes est inopérante la nuit.

Je me suis rappelé qu'Audrey laissait la lumière du couloir allumée. J'ai revu les gestes qu'elle faisait dans son sommeil. « Elle rêvait de son ami », ai-je pensé.

– Elle est aussi très fatigante. Les interprètes qui présentent les informations dans cette langue sont remplacés tous les quarts d'heure, ils ne tiennent pas le coup plus longtemps. Parler est bien moins pénible, nous pouvons bavarder pendant des heures. Malgré son âge, Fidel Castro se lance volontiers dans des discours interminables. Nos prises de parole seraient bien plus brèves et substantielles si nous nous exprimions par des mimiques. Le premier mot que vous recherchez fut le coup d'envoi d'une logorrhée sans fin.

Elle a récupéré le journal et m'a tendu quelques feuilles imprimées.

– Il s'agit d'une étude sur la synesthésie. La région cérébrale qui reconnaît les lettres et les chiffres et celle qui perçoit les couleurs se trouvent côte à côte. Cela fait que certaines personnes, plutôt jeunes en général, voient les lettres et les chiffres en couleurs. D'après Rimbaud, le *a* est noir, le *e* blanc, le *i* rouge. Je ne pense pas que le poète était synesthète car, selon les statistiques dont nous disposons, les jeunes gens qui présentent cette particularité voient rarement les voyelles sous ces couleurs.

Je n'ai pas saisi pourquoi Charlotte avait jugé utile de me donner ces informations, le fait est qu'elles ne m'ont pas laissée indifférente.

– Vous voulez dire que la majorité des synesthètes attribuent les mêmes couleurs aux mêmes signes ?

– C'est ce que montre l'étude que je vous ai donnée, qui a été réalisée par l'université d'Édimbourg.

L'ascenseur était occupé. Nous n'avons pas attendu qu'il se libère et nous sommes engagées dans la cage d'escalier.

– Quelle est la couleur du *a* ?

– Il est rouge.

– Et du *r* ?

– Rouge aussi.

Entre le troisième et le deuxième étage je l'ai interrogée sur les deux autres lettres qui complètent le mot *aros* : elle m'a dit que le *o* était blanc et le *s* jaune.

Les flocons de neige avaient sensiblement grossi. Derrière les grilles qui séparent la cour de la rue, un taxi l'attendait déjà.

– J'ai passé une bonne partie de ma vie à Paris, pourtant je continue à souffrir du froid, a-t-elle dit en faisant remonter son écharpe jusqu'à son nez. J'ai perdu l'habitude de la chaleur espagnole sans m'adapter aux rigueurs du Nord.

Son écharpe étouffait un peu sa voix.

– Le langage est une création collective. Le cerveau se développe d'autant plus vite que la société dans laquelle nous vivons est grande. Les personnes qui prennent congé du monde, comme les moines, perdent insensiblement la capacité de réfléchir. Ils répètent les mêmes prières parce qu'ils ne sont plus en mesure de dire quoi que ce soit d'autre.

Je l'ai suivie jusqu'à son taxi. Le *Monde* dépassait de la poche de son manteau.

– J'ai regardé le sudoku quand vous étiez sortie du bureau. Le chiffre qui manque à la troisième rangée est le quatre.

Les femmes se sont consacrées très tôt au ménage, avant même d'avoir eu une maison. Elles lavaient ce qui leur tenait lieu de foyer avec de l'eau qu'elles prenaient à la source ou au puits. Les hommes allaient à la source plutôt pour faire boire leurs bestiaux. Mais l'objectif principal aussi bien des hommes que des femmes était de se rencontrer, de plaisanter, de chanter. Le langage est né près d'un point d'eau, dans un décor idyllique, en même temps que le chant et, naturellement, l'amour. Les premiers mots ont été d'ailleurs « Aimez-moi ». Voilà comment les choses se sont passées en Europe méridionale. Dans le Nord, où la vie est plus dure, on a d'abord dit « Aidez-moi ». Ces spéculations appartiennent à Jean-Jacques Rousseau, qui convient lui aussi que le langage est un fait de société. J'ai été mise au courant de tout cela par Bouvier, au fond d'un restaurant qui fait aussi office de café en dehors des heures de repas et dont les tables sont recouvertes de nappes rouges. Rousseau considère que les gens du Sud sont davantage enclins à la poésie et ont plus de cœur que les gens du Nord, affirmation que Bouvier trouve extravagante. L'idée que les premiers mots ont fleuri près d'une source ou d'un puits m'a rappelé l'hypothèse que j'avais conçue lors de l'enterrement de Miltiadis, qu'ils sont nés un jour de pluie. J'ai songé aussi aux marins dont parle Lebrun, qui racontent des histoires et qui chantent les yeux rivés sur la mer.

Le restaurant en question est à cent mètres de l'entrée de l'immeuble de Bouvier. Il m'avait donné rendez-vous là pour s'obliger à prendre un peu d'exercice.

– Je ne marche pas assez, a-t-il soupiré lorsque j'ai pris place en face de lui. J'essaie de maigrir

pour soulager mes jambes, mais elles sont incapables de porter même les cinquante kilos que je
pèse... Peut-être n'ai-je pas entièrement tort de ne
pas sortir plus souvent, car les crottes de chiens
que j'aperçois sur les trottoirs me dépriment. Je
souffre de constipation, vous n'imaginez pas les
efforts que je fais quand je vais à la selle, pour un
résultat dérisoire en général. Je suis fatalement
jaloux des excréments que j'observe et qui sont
nettement plus volumineux que les miens... Vous
avez terminé votre enquête ?

Je lui ai parlé de mes rencontres et des théo-
ries que j'avais entendues. Il a été attentif à l'idée
que le premier orateur avait cherché à éviter un
drame, mais l'opinion qu'il aurait parlé simplement pour raconter une histoire l'a séduit davantage. Il a utilisé à peu près les mêmes termes que
ceux employés par Bernard :

— Tout le monde aime les histoires, nous avons
tous besoin d'une seconde vie qui nous console
de la première, même ceux qui exercent un métier
passionnant. Je suis persuadé que les explorateurs
lisent la nuit, au cœur de la jungle, sous leur
moustiquaire, des romans qui se passent dans de
sévères collèges anglais.

Il a appelé le patron qui avait disparu au fin fond
du restaurant et lui a commandé deux coupes de
champagne.

— Bien que le beau mot de « révolution » commence en français par un *r*, je vous accorde qu'il
est associé habituellement à des termes désa-

430

gréables. Sarkozy avait qualifié de « racaille » les jeunes des banlieues qui ont pour la plupart une origine étrangère. Il avait déclaré cela devant les caméras de télévision. C'était la période où les jeunes brûlaient des voitures pour protester contre la violence policière et leurs conditions de vie. Il s'agit d'une génération détachée de l'histoire de ses parents, qui ne trouve pas de travail à cause d'études incomplètes ou de sa couleur de peau, qui n'a en résumé ni passé ni avenir. Comment traduiriez-vous en grec le mot « racaille » ?

– *Rémali.*

Toutes les deux minutes il posait ses mains sur ses genoux, les frottait, les malaxait, les torturait.

– La cohésion sociale n'est pas assurée par l'uniformité linguistique que l'État français a imposée au siècle dernier, elle n'est pas non plus menacée par le plurilinguisme. Je m'entends bien mieux avec mes amis étrangers qu'avec mes compatriotes qui ont voté pour l'actuel président. Je ne comprends pas le français de Sarkozy, il s'exprime dans un idiome totalement étranger pour moi... Votre récit doit être bien avancé.

– Je n'ai pas trouvé le premier mot.

– Mais vous avez appris une foule d'histoires. Du reste, il est probable que divers groupes humains, fort éloignés les uns des autres, aient conquis à peu près au même moment le langage en commençant chacun par un mot différent. La légende de l'existence d'une langue des origines antérieure à toutes les autres est surtout propagée

431

par les religions monothéistes et quelques autres, plus exotiques... La dernière phrase que vous écrirez vous causera une certaine douleur. J'espère qu'elle ne mettra pas fin à vos conversations avec votre frère.

Combien de temps vivra encore Bouvier, jusqu'à quand pourrai-je voir sur son visage le sourire de Miltiadis ?

– Freud raconte que son petit-fils, à l'âge d'un an et demi, jouait avec une bobine autour de laquelle était enroulée une ficelle. Il la jetait de son lit jusqu'à un endroit où il ne pouvait pas la voir, mais gardait en main l'extrémité de la ficelle, qui lui permettait de la récupérer à volonté, ce qu'il faisait en criant joyeusement *da*, « là ». Il avait transformé en jeu les absences fréquentes de sa mère, qu'il rappelait auprès de lui, par ce stratagème, quand il voulait. Je croirais volontiers que le premier mot porte le souvenir d'une séparation cruelle, d'une mort, et qu'il a été prononcé devant une tombe où pousse un petit olivier.

10

En arrivant à Athènes j'ai pris conscience que j'avais changé. Les rues familières m'ont paru différentes, elles avaient une couleur que je voyais pour la première fois. Le bruit de mes pas, en sortant du taxi, m'a surprise, comme si j'étais dans un rêve et qu'il n'ait pas été naturel que je l'entende. L'instant d'après je me suis demandé par quel sortilège j'avais en ma possession les clefs d'un immeuble qui m'était inconnu.

Le concierge, Anastassis, m'a aidée un peu à me ressaisir. Il m'a remis mon courrier et m'a débarrassée de mon sac. Nous sommes montés jusqu'au septième étage sans échanger un mot. La cabine n'a rien dit non plus. Les ascenseurs athéniens n'ont pas encore appris à parler.

J'ai pénétré dans l'appartement avec une légère appréhension car je n'étais pas sûre qu'il me reconnaîtrait. Il était parfaitement propre, Stella l'avait sans doute visité pendant mon absence. *Le Monde* avec l'annonce de la mort de Miltiadis était resté sur la table de verre, ainsi que le cendrier.

Une seule lettre a attiré mon attention, en raison de son timbre qui représentait une chaîne de montagnes aux couleurs variées. Je n'ai pas tardé à deviner qu'il s'agissait de la Montagne aux Sept Couleurs et j'ai aussitôt ouvert l'enveloppe. Aucun mot n'accompagnait les trois photos. Sur la première, j'ai vu une belle femme aux longs cheveux noirs et aux lèvres épaisses qui se tenait devant un mur recouvert d'une plante grimpante aux fleurs orangées. C'était Monica, naturellement. Elle portait le collier rose que j'avais vu au cou d'Aliki. Sur la deuxième, mon frère était assis en sa compagnie à la terrasse d'un restaurant. Il avait incliné sa chaise et passé le bras derrière le dos de la jeune femme. Il était seul sur la dernière, à côté d'une stèle de pierre, pas plus haute que lui, sur laquelle était gravée l'inscription *Tropico de Capricornio*. Son visage était brûlé par le soleil. Il avait une expression sérieuse, sévère même, pourrais-je dire.

Il ne s'est rien passé d'important pendant les jours qui ont suivi. Je n'ai pas eu envie de lire les lettres que j'écrivais à mon frère, ni la curiosité de découvrir celles que lui adressaient mes parents. J'ai pris un café avec Margarita place de Colonaki, comme il y a un certain temps. Cette fois-ci le soleil ne m'a pas émue. Je n'ai pas encore consulté le dictionnaire de Chantraine. Mais quelle importance, désormais, de savoir si le mot *hélios* est authentiquement grec ? J'ai annoncé à mon amie que j'allais lui faire lire mon manuscrit et je lui en ai expliqué le thème en deux mots.

– Comment as-tu choisi, toi, un sujet si difficile ?

– Ce n'est pas moi qui l'ai choisi. Du reste mes recherches n'ont pas abouti.

Je lui ai menti car je ne voulais pas lui dévoiler la solution de l'énigme avant de l'avoir annoncée à Miltiadis. C'est le gardien du musée de Saint-Germain-en-Laye qui me l'a fournie, le dimanche matin, veille de mon départ de Paris. Il n'y avait personne au musée quand je m'y suis rendue, hormis cet homme. La neige avait bloqué un grand nombre de routes et les conducteurs des trains qui desservent la banlieue faisaient grève. Je veux dire que je me suis donné beaucoup de mal pour arriver à Saint-Germain-en-Laye, mais je ne l'ai pas regretté évidemment. Le gardien était particulièrement laid, et bossu de surcroît, comme Quasimodo. Dès que je l'ai vu j'ai songé qu'il manquait un tel personnage à mon récit.

– Je le lirai avec plaisir puisque tu parles de Miltiadis, m'a assuré Margarita. J'ai passé des heures et des heures à discuter littérature avec lui. Il n'attribuait pas grande importance au sujet des œuvres, il me disait que de grands romans, comme *Madame Bovary*, racontent des histoires insignifiantes... Il n'est pas trop long, j'espère, ton texte ?

– Je ne l'ai pas encore terminé, me suis-je contentée de lui répondre.

Elle m'a commandé dix bateaux pour son magasin. Je ne sais pas ce que je ferai lorsque j'aurai terminé. Je ne suis entrée qu'une seule fois dans mon atelier mais je n'ai touché à rien. Le bois d'Argentine est resté enveloppé dans le journal sportif, tel que mon frère me l'avait envoyé. Je construirai sûrement le bateau que j'ai promis à Théano. Peut-être en ferai-je aussi un pour moi. Celui-ci je l'appellerai *Aros*. J'inscrirai ce nom sur les joues de la proue avec deux lettres rouges, une lettre blanche et une autre jaune.

J'ignorais que Margarita avait eu d'aussi longues discussions avec mon frère. Elle était professeur de littérature dans sa jeunesse.

– Est-ce que tu as retenu autre chose de ce que te disait Miltiadis ?

– Il aimait beaucoup le roman anglais. Il évoquait souvent *Alice au pays des merveilles*. Il adorait la scène où le lapin sort une montre de son gousset et déclare : « *Mon Dieu, je suis en retard ! La reine va me couper la tête !* »… Je ne suis pas convaincue que les animaux soient intelligents. Les écureuils ont certes la sagesse d'amasser des noisettes, cependant ils oublient souvent où ils les ont cachées.

Une adolescente en guenilles déposait des cartes sur les tables du café sans adresser la parole aux clients. Lorsqu'elle s'est approchée de nous, j'ai compris qu'elle était sourde. La carte qu'elle nous a proposée me l'a confirmé : elle était illustrée des lettres de l'alphabet et des signes qui correspondent à chacune d'entre elles. J'ai constaté que le *a* était représenté par un poing fermé, comme dans la langue des signes française. Je lui ai exprimé ma sympathie de la même façon que j'avais remercié Audrey après le petit récital qu'elle avait donné dans la cuisine du boulevard Haussmann.

– Ne me dis pas que tu as aussi appris la langue des signes ! m'a houspillée Margarita.

En rentrant de Saint-Germain-en-Laye je suis repassée par le magasin spécialisé dans les jouets traditionnels que j'avais remarqué près de la Madeleine. J'ai demandé à la vendeuse si elle avait une chaise longue plus petite encore que celle qui était exposée dans la vitrine et elle m'en a trouvé une, au tissu identique rayé de blanc et de jaune, conforme à la taille de Nicos, le petit-fils de Calliopi. Elle me l'a enveloppée dans un papier bleu nuit qu'elle a attaché avec une multitude de rubans. Ils étaient enroulés sur des bobines fixées au plafond et formaient autour d'elle une pluie multicolore. Calliopi a été éblouie par le paquet et a fait des pieds et des mains pour me faire dire ce qu'il y avait à l'intérieur.

– Tu le verras bien quand Nicos l'ouvrira.

– Quelquefois les paquets des jouets sont plus beaux que les jouets eux-mêmes.

– Ce n'est pas un jouet.

Son chien Spartacos manifestait la même curiosité qu'elle, il flairait le papier comme s'il avait du
mal à admettre que son contenu n'était pas comes-
tible. J'ai cédé en fin de compte à la curiosité de
mon amie et l'ai autorisée à l'ouvrir. Elle a été
enchantée en découvrant la chaise longue, qu'elle a
dépliée et installée sur le parquet. Tandis qu'elle
m'embrassait, Spartacos a pris place sur le siège.

– Descends de là, s'il te plaît, lui a-t-elle
ordonné poliment.

Elle a meilleure opinion des animaux que
Margarita, elle croit même que seul son chien la
comprend vraiment. Il l'accompagne à toutes les
manifestations auxquelles elle continue de participer. Un jour où elle s'était fait arrêter par la police,
il l'a attendue toute la nuit devant le commissariat.

– Quel homme en ferait autant ?

Elle lui a appris à aboyer quand Caramanlis et
Papandréou apparaissent à la télévision. Je lui ai
raconté ce que je savais de la situation politique
en France.

– Je lui apprendrai aussi à aboyer après
Sarkozy.

J'ai remis à Stella le petit train qui porte le nom
de son fils. Elle l'a considéré d'un air peiné.

– Il ne distingue pas encore les lettres, malheureusement.

Il semble néanmoins qu'il s'exprime un peu
mieux qu'avant.

– Seuls les articles lui posent problème. Il les
répète dix fois de suite. Les articles sont devenus

des obstacles infranchissables pour Manolakis. Est-ce qu'il existe des langues sans articles ?

J'ai rappelé mes souvenirs à la rescousse.

– Je crois qu'il n'y en a pas en chinois.

Je n'ai pas encore revu Panayiotis. Je ne serais pas mécontente de déjeuner avec lui, après tout ce temps. Nous ne nous sommes parlé qu'au téléphone. Je lui ai demandé le numéro de Takopoulos, j'envisage de me mettre en contact avec l'écrivain pour solliciter son avis sur le premier mot. J'imagine qu'un homme qui a passé sa vie à forger des néologismes aura une idée sur la question. Panayiotis a trouvé facilement le numéro, par l'intermédiaire de sa fille Éléonora qui avait interprété naguère une pièce de Takopoulos.

Paul Reed a semble-t-il attrapé un sérieux coup de froid en arrivant en Lettonie, car il a été hospitalisé. Il a eu le temps néanmoins de faire la connaissance de l'unique dépositaire du livonien, une jeune fille tout a fait charmante qui lui rend quotidiennement visite. Elle lui est reconnaissante de l'intérêt qu'il porte à sa langue.

J'ai appris tout cela de Jean-Christophe. Il m'a également parlé d'un autre de ses confrères, François, qui a été chargé d'écrire les dialogues pour un film qui se passe à l'époque préhistorique et sera tourné aux États-Unis.

– Il a été obligé d'inventer deux langues, l'une pour une famille d'*Homo sapiens*, l'autre pour une bande d'hommes de Neandertal. Il a doté les *sapiens* d'un idiome inspiré du basque et les

Neandertaliens, qui jouent le rôle des méchants, d'un parler proche de l'allemand. Il a pris soin de créer des mots faciles à prononcer par les acteurs américains qui vont jouer dans le film. Il m'a donné un échantillon de son travail. Tu veux que je te le lise ?

J'ai eu un fou rire pendant qu'il me dictait la phrase interrogative « *Ana Gopak relidi zekl buk koraï dwin ?* » qui signifie « Pourquoi Gopak ramène-t-il l'enfant né de la terre ? ».

– Il me semble qu'il a emprunté le mot *ana* au philippin.

J'ai songé à l'autre François, le libraire, chez qui mon frère regardait le football.

– Tu sais si le match France-Autriche a eu lieu ? ai-je interrogé Jean-Christophe.

– Oui, a-t-il dit. La France a perdu 3 à 1.

J'ai décidé d'aller à Callithéa lorsque les chapitres de cette histoire ont commencé à s'effacer de ma mémoire. J'ai été obligée de feuilleter mon manuscrit, de prendre même quelques notes pour être sûre que je n'oublierais rien.

Après avoir essayé plusieurs vêtements je suis arrivée à la conclusion que je n'avais pas de tenue adéquate pour l'opération que je projetais. J'ai mis finalement un blue-jean, un gros pull noir et des baskets. Pour éviter que mes cheveux ne se prennent dans les branches de l'arbre, je me suis munie d'une casquette qui avait appartenu à mon père. Quand nous entreprenions, enfants, de semblables expéditions, nous nous procurions toujours une bougie, en suivant l'exemple de Tom Sawyer. J'ai préféré emporter une lampe de poche, qui m'a aussitôt rappelé le manuel de français qu'étudiait la belle Roumaine.

J'ai mis dans mon sac, avec la lampe de poche, mes notes, le paquet de cigarettes, que j'ai au préalable débarrassé de son enveloppe de cellophane, ainsi qu'une boîte d'allumettes. À six heures de l'après-midi j'étais parfaitement prête, mais il était trop tôt pour sortir. Il ne fait pas encore nuit à six heures de l'après-midi en février. Ma mère avait de l'affection pour ce mois dont les jours sont sensiblement plus longs que ceux de janvier.

– Le mois de février annonce déjà le printemps, disait-elle.

Je ne suis sortie qu'à neuf heures, après avoir jeté un coup d'œil dans toutes les pièces, comme je le fais avant de partir en voyage. Mon père et ma mère étaient assis en tête à tête à la table de la cuisine.

– Je vais voir Miltiadis, leur ai-je signalé.

– C'est bien, a dit ma mère.

Mon père me scrutait avec curiosité.

– Qui c'est, celle-là ? l'ai-je entendu questionner en sortant de la pièce.

J'ai éteint toutes les lumières du salon à l'exception de la lampe à abat-jour qui éclairait la table de bridge où je faisais mes devoirs pour l'école et où reposait mon manuscrit.

441

– Je ne vais pas tarder, ai-je murmuré en passant à côté de la table comme si une autre petite fille occupait ma chaise.

J'ai pris mon sac et enfilé la gabardine qui était accrochée au portemanteau de l'entrée. Elle est d'un vert un peu plus foncé que la couverture de Miltiadis. J'ai marché jusqu'à l'arrêt où je prenais le bus de Callithéa en sortant du lycée. Je rentrais toujours seule à la maison. Le matin je me faisais accompagner par mon père en voiture. Il chantonnait des airs à la mode en conduisant. Il était d'excellente humeur le matin, contrairement à ma mère qui avait hâte de nous voir partir pour rassembler ses idées, comme elle disait.

J'ai attendu un bon moment à l'arrêt. Est-ce que le bus tardait autant autrefois ? Une petite file d'attente s'est formée, d'hommes qui avaient des allures d'ouvriers. Ils parlaient un idiome étranger, mais je n'étais pas en mesure de leur accorder l'attention requise pour décrypter certains des mots qu'ils prononçaient. « Nous parlerons une autre fois », leur ai-je promis.

En entrant dans le bus je me suis souvenue du nom de la place qui se trouvait à proximité de la maison.

– Je descendrai place Davakis, ai-je informé le conducteur.

Je me suis installée à côté d'une femme âgée qui portait un chapeau à large bord d'un jaune éclatant. « Je suis comme les synesthètes, à cette différence près que moi j'attribue des couleurs imaginaires aux chapeaux. » J'ai conçu un instant le soupçon que tous les passagers du bus se rendaient à la remise d'Agni. J'avais dissimulé la casquette dans la poche de ma gabardine.

Tantôt je voyais un mûrier deux fois plus grand que celui que j'avais connu et tantôt un arbre coupé au ras de ses racines, qui ne pouvait même pas servir de siège. Sur un arrêt de bus j'ai aperçu Karaghiozis : il figurait sur une affiche rédigée en grec et en albanais. Au bas du texte il était précisé que la pièce, intitulée *Karaghiozis immigré clandestin*, serait jouée dans cette seconde langue. « Si les Grecs sont las du personnage affamé de Karaghiozis, les immigrés albanais, eux, se reconnaissent en lui. »

Quand nous nous sommes engagés dans l'avenue Thésée, j'ai dit à mon frère : « J'arrive. » Le dernier arrêt avant la place Davakis s'appelait autrefois Papillon, car il y avait là une agence photographique dont les vitrines étaient protégées par deux auvents en forme d'ailes de papillon. Aujourd'hui il porte le nom de l'église voisine de la Toussaint. Je me suis levée et j'ai rappelé au chauffeur que j'allais descendre à la prochaine.

– Je sais, m'a-t-il dit.

La dame au chapeau jaune avait peut-être choisi une couleur aussi voyante de peur d'être renversée par un automobiliste la nuit. Comme je n'avais pas bien vu sa physionomie, j'ai rêvé un instant qu'elle était Agni en personne. Mais elle n'est pas descendue place Davakis.

J'ai longé l'avenue Thésée jusqu'au cinéma Étoile, qui passait bizarrement un très vieux film, *La Nuit de l'iguane*, puis j'ai tourné à droite dans la rue Philarète. Notre maison, une bâtisse de deux étages ornée de moulures néoclassiques, était située au carrefour suivant. « J'ai appris tant de choses sur les animaux, et rien sur la flore », ai-je pensé.

Moi qui croyais que les rues des grandes villes n'étaient jamais complètement vides, je dois admettre qu'il n'y avait strictement personne ce soir-là rue Philarète. Il était dix heures vingt, j'avais regardé ma montre aux lumières du cinéma. Les magasins étaient plongés dans l'obscurité. L'éclairage public permettait à peine de distinguer le trottoir de la chaussée. J'ai dû arriver presque au coin pour découvrir que notre maison avait été remplacée par un immeuble de cinq étages et que le mûrier était toujours à sa place.

Je n'ai pas traversé tout de suite la rue perpendiculaire qui me séparait de cet immeuble et du mûrier. Je me suis assise sur la deuxième marche de l'escalier d'entrée d'une autre maison en déposant mon sac sur le trottoir. J'ai sorti les cigarettes de mon sac et j'en ai allumé une. J'ai pensé à Lebrun qui avait commencé à fumer en prenant le bateau à Marseille.

– Il n'avait pas pressenti que le pays allait s'embraser si tôt, ai-je informé mon frère. Il

444

conseille cependant aux Grecs de prendre seuls l'initiative de l'insurrection, sans attendre l'appui des étrangers qui font toujours payer très cher les services qu'ils rendent.

Je lui ai appris que Karaghiozis n'avait pas encore dit son dernier mot, qu'il avait simplement changé de langue. Je tirais de petites bouffées que je recrachais aussitôt. J'observais le bout incandescent de ma cigarette qui brillait et s'étiolait alternativement comme pour se signaler aux rares étoiles qui scintillaient dans le ciel. Je me suis rappelé que la nicotine stimulait le cerveau. « Je suis en train de me mettre en éveil, voilà ce que je fais. » En essayant d'aspirer la fumée j'ai été prise d'un terrible accès de toux. Je me suis levée d'un bond, croyant que je ne pourrais plus respirer. Mais je n'ai pas jeté la cigarette.

– Tu fumes, je vois, a dit Miltiadis de son air narquois habituel.

Ce fut la première fois qu'il m'adressa la parole ce soir-là.

– J'essaie.

J'ai mis la casquette et j'ai traversé la rue. Quand je suis arrivée au pied du mûrier j'ai été consternée, non seulement parce qu'il avait énormément grandi, tout comme le mur de clôture du jardin qui avait gagné un mètre, mais surtout parce que les moignons sur lesquels s'appuyait mon frère avaient disparu. Il ne restait sur le tronc que des nœuds arrondis comme j'en avais vu sur les mûriers du cimetière du Montparnasse.

J'ignore depuis combien de millions d'années nous sommes descendus des arbres, le fait est que j'ai eu un mal fou à grimper sur le tronc nu. Je me suis écorché les mains et les jambes, j'ai déchiré une des manches de ma gabardine, quant à la casquette je me la suis fait voler par une branche que j'avais attirée vers moi et qui subitement m'a échappé.

À l'intérieur du feuillage l'obscurité était totale. J'ai enjambé le mur sans grande difficulté et je me suis laissée glisser de l'autre côté en espérant que mes pieds trouveraient sur leur chemin le toit de la remise. Ma joie fut telle lorsque je me suis assise sur la plaque de ciment que j'ai failli me mettre à pleurer. Mais j'avais décidé que je ne pleurerais pas cette nuit-là.

– Je suis venue, ai-je dit à mon frère.

J'ai dû me traîner jusqu'au milieu du toit pour pouvoir regarder le jardin. Le peu de lumière qu'il recevait des portes-fenêtres de l'immeuble m'a permis de distinguer quatre voitures garées. Trois portes-fenêtres étaient éclairées, deux au troisième et une au cinquième étage. J'aurais fumé volontiers une autre cigarette, mais j'ai eu peur que la flamme de l'allumette ne trahisse ma présence.

C'était un peu comme si je lui parlais au téléphone et en même temps comme s'il était caché tout près, dans l'arbre probablement. Je lui ai raconté les entrevues que j'avais eues à Paris avec autant de détails que j'en ai donné ici.

Je n'ai pas eu besoin de mes notes, je me rappelais très bien tout ce que j'avais entendu. Je lui ai parlé de Marylène, de Charlotte, de Jean-Pierre Changeux, de Paul Reed, de Jean-Christophe, de Marie-Claire, de l'ambassadeur de Grèce, de Bernard, de Bouvier. Il a été très surpris en apprenant que j'avais fait la connaissance de Changeux.

– Je ne lui ai parlé que dans l'ascenseur, ai-je reconnu.

Je l'ai mis au courant du voyage de Paul en Lettonie et de sa mort, que j'avais apprise la veille par Jean-Christophe.

– La jeune fille qu'il était allé voir est restée auprès de lui jusqu'à la fin. Il est mort dans les bras d'une langue étrangère.

Je l'ai informé également du décès du père d'Audrey. Cette nouvelle l'a moins ému, je crois, que la description que je lui ai faite de la chorale muette qui récitait les psaumes dans la langue des signes à l'église Saint-Jacques.

Tantôt il me suivait avec intérêt et tantôt distraitement. Mon exposé sur l'évolution de l'espèce humaine l'a assommé.

– Je sais bien que nous avons parlé un jour, mais pour dire quoi ?

Je lui ai raconté le mystérieux dialogue que j'avais suivi sur l'écran de l'ordinateur de Charlotte entre un nouveau-né et sa mère.

– Charlotte pense que nous avons d'abord parlé avec les yeux. Il paraît que les animaux ne se dévisagent jamais.

447

Je suis sûre que les renseignements que je lui ai donnés sur les divers talents des animaux l'ont amusé. J'en ai même ajouté certains que j'ai omis de mentionner dans mon texte, au sujet des oiseaux de Nouvelle-Guinée qui décorent leurs nids de fleurs et des éléphants qui sont gagnés par une certaine nervosité lorsqu'ils croisent sur leur chemin le squelette d'un des leurs.

– Rien ne nous interdit de penser que le premier mot a été « Attention ! » et qu'il a été formulé par un singe.

Je lui ai appris que la théorie de Darwin continue de susciter des réactions et que les créationnistes ont lancé une campagne d'envergure en prévision de l'anniversaire de la publication de *L'Origine des espèces*.

– L'idée dominante est que nous méritons une origine plus noble que celle proposée par Darwin.

Nos rôles étaient inversés : pour la première fois c'était moi qui parlais et mon frère qui écoutait. « Je lui rends un peu de tout ce que j'ai appris de lui depuis notre jeunesse. » Un vent léger remuait de temps en temps les feuilles du mûrier.

– Il semble cependant que nous ayons été conduits au seuil du langage articulé non par nos cris mais par nos gestes, dont le siège est très proche de l'aire de Broca, que nous ayons modelé les premiers mots de nos mains, comme des petits gâteaux.

– J'aime bien l'idée que le premier mot a été un petit gâteau.

– Mais la langue des signes, comme tu le sais, n'est praticable que le jour, et elle est exténuante. D'autres soutiennent que nous avons inventé la parole en même temps que la taille des pierres, activité qui suppose une certaine capacité de réflexion et une certaine finesse. Selon ce point de vue, les premiers mots étaient tout simples, comme ceux que disent les enfants, et désignaient des choses concrètes. C'est en bredouillant confusément, en ajoutant un mot à l'autre, que nous aurions réussi à former un idiome. Ce sont en quelque sorte les mots qui nous auraient appris la langue.

» D'autres encore affirment que nous avons parlé bien plus tard, non pour dompter notre environnement mais pour forcer les portes d'un monde nouveau qui n'est peut-être que celui de notre imagination.

– Bouvier a l'entière conviction que la littérature est fondée sur l'imaginaire.

– Il me l'a dit aussi.

De temps en temps je perdais le fil de mes pensées. Je lui ai confessé soudainement que je ne connaissais de *Don Quichotte* que les morceaux choisis que j'avais étudiés en cours d'espagnol et je lui ai fait la promesse que je lirais prochainement l'intégralité de l'œuvre.

– Il serait temps, a-t-il commenté.

J'ai égrené toutes les hypothèses formulées par Bernard à l'Institut de paléontologie, relatives aux situations qui ont pu engendrer la parole, mais j'ai passé sous silence l'idée de Bouvier que le premier mot nous avait été suggéré par une absence.

– Ta fille préfère croire que nous avons chanté avant de parler, ce qui n'est pas improbable. Elle a voulu savoir si la guitare de son grand-père se trouvait toujours rue Démocharous. Peut-être compte-t-elle perfectionner son grec en chantant. Je suis sûre qu'elle l'apprendra aussi bien que tu connaissais le français. Les langues étrangères que nous maîtrisons déménagent parfois de l'hémisphère droit à l'hémisphère gauche et s'installent dans le voisinage de la langue maternelle. Elles suivent en somme le même trajet que la raie de tes cheveux, qui est passée du côté droit au côté gauche.

» Nous ne savons pas si nous avons parlé un soir ou un matin, si les premiers qui ont pris la parole étaient jeunes ou vieux, s'ils l'ont fait pour s'assurer quelque avantage personnel ou pour rendre service à leur communauté, s'ils ont évoqué une chose visible ou invisible, si le premier mot était « autrefois », « ailleurs », « moi » ou un autre. Le fils de Darwin disait *mum* quand il avait faim et le petit-fils de Freud *da*, « là », quand il récupérait la bobine avec laquelle il jouait.

Une porte a grincé. Deux silhouettes sont apparues à l'autre bout de la cour, elles ont avancé jusqu'aux voitures mais ne se sont pas arrêtées là. Elles se déplaçaient précautionneusement, comme des vieux. Elles ont poursuivi leur chemin jusqu'à la remise. Je n'ai pas eu peur car c'étaient mes parents.

– Tu es sûre qu'elle est là ? a questionné mon père.

– Oui, a dit ma mère. Je l'ai entendue parler. Elle parlait toute seule déjà quand elle était petite, tu ne te rappelles pas ?

– Moi je parlais dans mon sommeil mais personne ne m'écoutait. Je n'ai jamais su ce que je disais.

Je m'étais couchée sur la dalle de béton pour me soustraire à leur regard. « Qu'est-ce que ça changerait s'ils me voyaient puisqu'ils savent que je suis ici ? » Lorsque je me suis redressée, ils s'étaient éclipsés. Je n'ai pas regardé l'heure mais il devait être tard. Une des portes-fenêtres éclairées s'était éteinte.

– Bouvier considère que l'humanité a été polyglotte dès l'origine, que plusieurs langues sont nées en même temps. Un Américain essaie au contraire de prouver qu'il y a une parenté entre les six mille langues qui sont parlées dans le monde, qu'elles sont toutes issues d'un idiome unique.

– Comment peut-il prétendre cela, alors que nous ne sommes même pas certains que l'indo-européen ait réellement existé ?

C'était à peu près la phrase que j'avais lue dans l'*Histoire de la langue grecque* que je lui avais offerte pour Noël.

Je lui ai narré également la discussion qui avait eu lieu au Métèque entre Jean-Christophe, Paul et l'ambassadeur de Grèce.

– Le pouvoir n'apprécie pas la polyphonie, il soupçonne les langues qu'il ne comprend pas de le saboter. Pourquoi se soucierait-il de la disparition de centaines de langues chaque année, alors qu'il les juge toutes inutiles, sauf une ? Tu me disais naguère que les Grecs méprisaient ceux qui ne s'exprimaient pas en grec car ils ignoraient vraisemblablement ce qu'ils devaient à leurs parlers barbares. L'arrogance ne connaît aucun mot étranger. Les Français n'apprennent pas l'anglais, ni les Anglais le français, bien que leurs vocabulaires respectifs présentent tant de similitudes. Il faut croire que les langues sont davantage portées au dialogue que leurs locuteurs. Selon le président français, les idiomes africains ne sont bons qu'à communiquer avec les esprits de la forêt. Mais sans doute as-tu déjà lu le discours qu'il a prononcé à l'université de Dakar.

» Les linguistes sont invités à prouver l'impossible : que chaque langue est plus ancienne que toutes les autres. Les Turcs ont soutenu à l'époque de Kemal Atatürk que le premier mot était *ag*, le soleil. Les Macédoniens du Nord tentent aujourd'hui, plus modestement, d'ajouter quelques siècles à leur idiome. En Grèce même, l'extrême droite répand la rumeur que nous sommes le peuple le plus vieux du monde et que nous avons onze millions d'années.

» Connaissant ton estime pour les travaux de Takopoulos et son sens de l'humour, je lui ai téléphoné un jour et lui ai demandé quels sont les mots qui, selon lui, ont inauguré la parole humaine. Je l'ai appelé sur son portable, il était à l'île d'Égine devant la mer. Il a réfléchi quelques instants et m'a dit :

» – Vive la Grèce !

» Puis il est parti d'un grand rire tonitruant, homérique.

Je me suis de nouveau étendue sur le toit. J'ai dû dormir un peu. Quand j'ai ouvert les yeux, l'immeuble d'en face était plongé dans le noir. J'ai compris que mon temps était limité. « Je ne vais pas rester ici jusqu'au matin. »

J'ai donné à Miltiadis les renseignements que je lui avais promis.

– La première leçon du Mauger commence par les mots « un homme » et « un livre ». Ils sont tous les deux illustrés. L'homme est coiffé d'un chapeau de paille et tient une cigarette. Sur la couverture du livre on distingue la carte de la France. J'ai trouvé le Mauger entre les mains de la Roumaine du boulevard Haussmann, elle l'étudiait sous ses couvertures avec une lampe de poche. C'est une très belle femme. Nous ne savons pas ce qu'elle est devenue.

» Le médecin suisse qui a forgé le mot « nostalgie » s'appelait Johannes Hofer. Il a publié une étude qui porte ce titre à Bâle en 1688. Ses observations concernent ses compatriotes qui sont attachés à la cour du Vatican. Il constate qu'ils guérissent automatiquement de cette souffrance dès qu'ils franchissent la frontière et qu'ils entendent les sonnailles des vaches de leur pays. J'ai chargé Panayiotis de parler de Hofer au maire du Pirée, qu'il connaît bien. J'espère qu'il réussira à le convaincre de donner le nom du médecin à une des rues du port.

» Pour ce qui est de la comptine « *Am stram gram, pic et pic et colégram* », on dit qu'elle fait écho à une incantation magique proférée autrefois par les chamans de l'Europe du Nord.

J'ai sorti le papier de mon sac et la lampe de poche que j'ai allumée sans crainte. Mes notes comprenaient les noms que porte le papillon dans diverses langues.

– Tu veux que je te les lise ?

– Pourquoi pas ? a-t-il dit sans enthousiasme.

– En arabe on l'appelle *faracha*, en turc *kelebek*, en russe *babotchka*, en islandais *fifrikli*, en géorgien *pepela*, en roumain *floutouré*, en hongrois *pillango*, en allemand *schmetterling*, en espagnol *mariposa*, en maka *folfol*, en portugais *borboleta*, en basque *pinpirin*, en breton *balafenn*, en mandarin *hu die* et en sango *poupoulingué*.

Je lui ai expliqué enfin comment on le nomme en langue des signes, en donnant à mes mains un mouvement d'ailes après les avoir accrochées par les pouces.

– Quel est le nom qui te paraît le plus réussi ?

Il m'a fait relire la liste.

– Je crois que je préfère le nom qu'il porte en français.

Nos parents n'avaient pas encore quitté la cour.

– Où es-tu ? a dit la voix de Géorgios.

– Qu'est-ce que ça veut dire, où je suis ? Mais je suis là ! lui a répondu Irini.

« À la fin je resterai seule », ai-je pensé.

– On devrait y aller, a dit mon père. On a beaucoup de chemin à faire.

– On n'habite plus ici ? s'est étonnée ma mère.

– Non, Irini, on n'habite plus ici.

Je les ai entendus s'éloigner à petits pas.

– Tu as terminé ? m'a demandé mon frère.

– Non.

J'ai d'abord pris le métro. J'ai pu vérifier ainsi que les bancs de bois où dormaient de temps en temps les sans-abri ont été remplacés par des sièges individuels en coquille, bien distants l'un de l'autre. À chaque arrêt mon regard se fixait sur les vides qui les séparaient, qui sont de l'ordre de cinquante à soixante-dix centimètres, comme si chacun avait une histoire bien triste à me raconter. Ce n'est que dans les stations aériennes, où il fait si froid que personne ne songe à y passer la nuit, que les bancs ont été maintenus.

Je suis arrivée jusqu'à la Défense. Là, en raison de la grève des conducteurs du réseau régional, j'ai été obligée de prendre un autobus. J'ai mis une heure et demie pour gagner Saint-Germain-en-Laye. La campagne qui commence juste derrière les tours de la Défense était couverte de neige. Les branches des arbres étaient nues. Leur tronc cependant était cerné de plantes grimpantes au feuillage dense d'un vert éclatant. J'ai cru que je voyais une forêt renversée, que les branches étaient des racines tendues vers le ciel.

Si tu avais visité le musée des Antiquités nationales de Saint-Germain-en-Laye, je suis sûre que tu me l'aurais dit, que tu aurais éprouvé ce besoin d'en parler que je ressens à présent. Il s'agit d'un château bâti de pierre et de brique qui a fait office de demeure royale, de prison, d'hôpital, d'école de cavalerie, et qui a été finalement transformé en musée par Napoléon III. Il est entouré d'un fossé que j'ai franchi en traversant un pont de pierre. Comme le musée était désert à cette heure-là, j'ai été chaleureusement accueillie par le gardien, un homme bossu qui m'a naturellement fait penser à Quasimodo. Je lui ai avoué d'emblée que seules les Vénus de la période paléolithique m'intéressaient. Il s'est empressé de me les montrer et nous sommes montés au premier étage. Ses jambes étaient arquées comme celles des footballeurs, elles formaient deux parenthèses.

Alors que nous entrions dans la première salle, je lui ai parlé d'une Vénus taillée dans une pierre verte que j'avais vue par hasard dans un album de l'Institut de paléontologie et qui est connue sous le sobriquet de « Polichinelle ».

456

– Elle est ici ? lui ai-je demandé non sans anxiété.

– Oui, m'a-t-il dit, elle est devant nous.

Devant moi il y avait une grande vitre qui protégeait de menus objets fixés au mur, si menus que je ne les aurais même pas remarqués si j'avais accompli seule cette visite. La femme corpulente dont j'avais gardé le souvenir, au gros ventre et aux fesses rebondies, est en réalité une œuvre de la taille d'une allumette. Cette échelle rendait presque invisibles ses rondeurs, bien qu'elle fût placée de profil de façon qu'elles soient bien apparentes.

– Il faut la regarder de face. Elle a deux aspects, comme toutes les femmes, a commenté Quasimodo d'un air docte.

J'ai suivi son conseil et j'ai fait un pas sur la gauche. J'ai vu effectivement une autre femme, sans ventre et sans fesses, dont la silhouette était aussi fine que la flamme d'une bougie.

– Elle est belle, n'est-ce pas ?

Il guettait ma réaction. J'avais les yeux fixés sur la statuette, tandis qu'il ne regardait que moi. J'étais incapable de porter le moindre jugement. J'essayais d'imaginer deux mains primitives en train de tailler ce minuscule bout de pierre.

– Je regrette que les traits de son visage ne soient pas formés.

– Des centaines de Vénus ont été trouvées mais aucune n'a de visage. Elles sont en général bien moins élégantes que cette œuvre. Il n'existe

457

qu'une seule tête. Elle ne possède pas de corps, celui qui l'a réalisée n'a sculpté qu'une figure.

Il me l'a montrée. Elle était sur le même mur, un peu plus loin. J'ai tout de suite pensé à toi, Miltiadis. J'ai voulu te remercier car jamais, bien sûr, je ne serais allée au musée de Saint-Germain-en-Laye si tu ne m'avais pas donné l'idée de rechercher le premier mot.

J'ai vu la tête d'une jeune fille taillée dans de l'ivoire de mammouth. Elle date de vingt-cinq mille ans et a été découverte à Brassempouy, dans les Landes. Elle est haute de trois centimètres et a une très douce couleur de cire qui semble éclairée de l'intérieur. C'est un visage qui cache une lumière. Quel âge peut-elle avoir, cette jeune fille ? Elle a les joues fraîches, les pommettes légèrement marquées et un nez comme celui qu'on appelle parisien. Ses cheveux lui couvrent en partie le front et descendent jusqu'à la racine de son cou qui est long et fin. Ils sont quadrillés : certains pensent qu'elle porte des tresses, d'autres qu'elle est coiffée d'une capuche. Elle a l'âge de la jeunesse et une gravité qui surprend un peu. Ses orbites sont assez profondes. Ses yeux sont deux ombres.

Il faut que je te dise cela encore : elle n'a pas de bouche. Sa bouche est un silence qui nous écoute.

Mon trouble a alarmé le gardien, qui m'a fait asseoir sur un canapé.

– Qu'est-ce qui vous arrive ? m'a-t-il demandé.

458

– Je cherche depuis un certain temps à connaître le premier mot, lui ai-je confié. Je suis sans doute un peu fatiguée.

– Rassurez-vous, madame, m'a-t-il dit. Ce que vous venez de voir est un poème. C'est peut-être le plus vieux poème du monde que vous avez vu là.

Ainsi donc, Miltiadis, si je ne sais toujours pas quel a été le premier mot, j'ai néanmoins découvert un poème. Ce n'est pas rien, tu es d'accord, n'est-ce pas ? Bouvier m'a souhaité de ne jamais cesser de parler avec toi. C'est exactement ce que je veux. Je souhaite en somme, comme je n'ai pas trouvé le premier mot, ne jamais trouver le dernier non plus.

14 janvier 2010

Pour l'éditeur, le principe est d'utiliser des papiers composés de fibres naturelles, renouvelables, recyclables et fabriquées à partir de bois issus de forêts qui adoptent un système d'aménagement durable.

En outre, l'éditeur attend de ses fournisseurs de papier qu'ils s'inscrivent dans une démarche de certification environnementale reconnue.

Cet ouvrage a été composé
par IGS-CP à L'Isle-d'Espagnac (Charente)
et achevé d'imprimer en septembre 2010
sur Roto-Page
par l'Imprimerie Floch
à Mayenne
pour le compte des Éditions Stock
31, rue de Fleurus, 75006 Paris

Imprimé en France

Dépôt légal : septembre 2010
N° d'édition : 04 – N° d'impression : 77761
54-51-6097/7